D1503233

Hillary Clinton de A à Z

Du même auteur

Ouvrages collectifs
Israël : déception, méfiance et crispation, Les cahiers de l'Orient, 2003.
Palestine, essoufflée et meurtrie, Les cahiers de l'Orient, 2002.
Algérie, les raisons de la colère, Les cahiers de l'Orient, 1998.

Préface et traduction
De la race en Amérique, Barack Obama, Grasset, 2008.

Récit
Vivre avec les Américains, préface de Joe Fitchett, L'archipel, 2009.

Essai
Le clan Obama, les anges gardiens de Chicago, Riveneuve éditions, 2013.

© 2015, Groupe Artège
Éditions du Rocher
10, rue Mercœur - 75011 Paris
9, espace Méditerranée - 66000 Perpignan

www.artege.fr

ISBN : 978-2-268-07647-8

François Clemenceau

Hillary Clinton de A à Z

Les 100 mots pour comprendre
son destin présidentiel

Préface de Christine Ockrent

À ma mère, à Sophie et à nos filles.

Préface

Son prénom lui suffit pour faire le tour du monde, et François Clemenceau a raison de nous la raconter de A à Z: avant même d'être officiellement candidate à la présidence des États-Unis, Hillary Clinton est un personnage planétaire.

L'ambition, pour une femme, reste un attribut lourd à porter, d'autant que celle-ci n'en a jamais fait mystère. Que de reproches, que de sarcasmes et de horions n'a-t-elle endurés, elle qui à la façon du siècle dernier avait choisi de soutenir un mari avant de se mettre à son compte? «Vous en aurez deux pour le prix d'un!» avait lancé Bill dans une formule qui lui fut reprochée, lui qui admire son épouse depuis l'université.

Vingt-deux ans plus tard, les questions que se posent les Américains au sujet d'Hillary ont changé de nature. Qu'elle les exaspère ou qu'elle les séduise, son palmarès est sans équivalent. À la veille de la prochaine élection présidentielle américaine, ses adversaires ne soulèvent pas encore la sempiternelle question de l'aptitude d'une femme à commander les forces armées. Mais ils commentent son âge, s'apitoient sur son état de santé et lui recommandent chaudement de préférer son nouveau rôle de grand-mère aux chausse-trappes de la politique...

Pourquoi diable une femme de pouvoir doit-elle sans cesse répondre à d'autres questions et à d'autres critères que ses concurrents masculins?

Hillary incarne depuis si longtemps l'ambition au féminin qu'elle éclipse celles qui, avant elle, sont parvenues à leurs fins et lui ont ouvert la voie. Présidentes ou Premiers ministres, quels que soient le continent ou le système politique qu'elles ont marqués de leur empreinte, toutes ont dû surmonter les mêmes difficultés, les mêmes quolibets, répondre de leurs tenues, de leur coiffure ou de leurs kilos superflus avant de parler politique et défendre leur bilan. Toutes, avant et après Margaret Thatcher, ont eu droit au même sobriquet: «la Dame de fer».

À 70 ans, Golda Meir est devenue premier ministre d'Israël – un pays qui n'existait pas au moment de sa naissance à Kiev, en Ukraine. Quand on lui demandait si le fait d'être une femme était pour elle un handicap, elle répondait: « Je n'en sais rien, je n'ai jamais essayé d'être un homme. » David Ben Gourion, dont elle fut ministre des affaires étrangères, disait d'elle qu'elle était le seul homme de son gouvernement. « Je ne sais pas si les femmes sont meilleures que les hommes, mais elles ne sont certainement pas pires. Et pour réussir, elles doivent sûrement faire beaucoup mieux dans le même emploi! » affirmait-elle déjà au milieu du siècle dernier. Elue à l'unanimité à la tête du gouvernement israélien en 1969, elle affrontera la leucémie qui la ronge, les crises politiques, les Jeux Olympiques de Munich ensanglantés par le terrorisme palestinien et la guerre du Kippour qui précipitera sa chute. « Je n'aurais jamais dû quitter le kibboutz », murmurait-elle à la fin de sa vie avant d'ajouter, fataliste: « Il y a un certain type de femme qui ne peut pas rester tranquille à la maison ». Voilà une formule qu'Hillary Clinton ne saurait renier.

Indira Gandhi, contemporaine de Golda Meir, inspira à ses concitoyens, à l'échelle de leur immense pays, un mélange identique de déférence et de défiance. « Notre vénérée mère protectrice! », comme l'acclamaient les habitants des villages les plus reculés, a été le premier ministre de l'Inde pendant plus de 15 ans, trois fois élue à la tête du pouvoir en fonction des péripéties parlementaires. Son parcours personnel et politique, jusqu'à son assassinat en octobre 1984, illustre l'effrayante complexité de sa tâche et le poids particulier qui pesait sur les frêles épaules de la fille unique de Nehru: celui d'une dynastie qui, aujourd'hui encore, domine le parti du Congrès.

Paradoxe des démocraties: comme en Inde, les Américains raffolent des dynasties politiques. Les Kennedy, les Bush et maintenant les Clinton… Chelsea joue un rôle de plus en plus visible auprès de ses parents, et les médias parient déjà sur l'apparition de Charlotte dans les meetings électoraux de sa grand-mère.

En avril 2013, la disparition de Margaret Thatcher a provoqué dans le monde autant d'émotion chez ses détracteurs que chez ses disciples. Première femme à devenir chef de gouvernement dans un pays occidental en 1979, seul personnage public à avoir suscité chez ses concitoyens tant de passions contradictoires, de la dévotion à la haine la plus tenace, le personnage et le parcours ne cessent de fasciner les amateurs des affaires publiques, à commencer par le couple Clinton. Libéralisme, la loi et l'ordre, un nationalisme ombrageux : le « thatchérisme », qui compte toujours ses adeptes et ses nostalgiques, demeure une référence obligée de tout parcours politique. Sans qu'il y ait la moindre filiation idéologique, les conseillers d'Hillary lui avaient conseillé, lors de la campagne précédent l'élection de 2008, d'apparaître aux Américains comme « le père-mère de la nation » - une femme, certes, mais assumant le rôle du mâle dominant, à la manière de « la Thatcher ».

François Mitterrand, qui savait regarder les femmes, disait de Margaret qu'elle était « le seul homme du gouvernement anglais », mais aussi qu'elle avait « les yeux de Caligula et la bouche de Marilyn Monroe ». Les relations du chef du gouvernement britannique avec Jacques Chirac, premier ministre de Mitterrand et pourtant, en principe, du même bord politique, furent plus brutales. « M. Chirac m'avait, paraît-il traitée de « ménagère » en juin 87 à Bruxelles et, en ce même lieu, en février 88, lors d'un vif échange, il devait faire à mon sujet une remarque qu'on ne peut imprimer. » écrit-elle dans ses Mémoires. « Mais qu'est-ce qu'elle veut de plus, cette mégère ? Mes couilles sur un plateau ? » dit en effet tout haut, au sommet européen, celui qu'elle surnommait « le bulldozer ». Pendant toute une nuit, traducteurs officiels et interprètes particuliers se tourmentèrent : à propos de Madame Thatcher, Jacques Chirac avait-il parlé de « mégère » ou de « couilles » ? Il n'empêche : le personnel politique britannique la gratifiait régulièrement de cette exclamation : « She's got balls… Elle en a ! » Et ce n'était pas pour lui déplaire.

Fille d'épicier, affligée d'une voix et d'un accent qu'elle travailla durement pour en effacer les stigmates sociaux dans une culture politique où prévaut encore l'esprit de classe, Margaret Thatcher fut élevée à la dure, dans le culte du travail et d'un Dieu exigeant, celui des Protestants méthodistes – un Dieu de labeur, de compétition, de performance, d'engagement dans la société, qui ordonne d'agir pour améliorer les choses. C'est ce Dieu-là, le même milieu social, la même éducation qui, à une génération d'écart et à la manière américaine, ont imprégné les valeurs d'Hillary Rodham Clinton. Secrétaire d'Etat, elle assistait derrière la reine d'Angleterre aux funérailles solennelles de la baronne Thatcher de Kesteven en la cathédrale St Paul de Londres le 17 avril 2013.

À 63 ans, Michelle Bachelet, socialiste, médecin, paraît toute en rondeurs, mais au Chili ses adversaires politiques le savent : sa chaleur communicative masque une détermination d'airain. En mars 2014, pour la deuxième fois, elle est devenue présidente du Chili – la première femme, bien sûr, et la première personnalité politique de son pays à conquérir deux mandats. Entre temps, elle a dirigé à l'ONU, à New York, une nouvelle commission sur les droits des femmes – une cause dont Hillary Clinton, depuis longtemps, se veut la championne. Pour être apparues côte à côte dans de nombreuses conférences sur la question et pour être, sur le papier, du même bord politique, elles n'ont jamais fait montre d'une grande sympathie – entre le Nord et le Sud du continent américain, la politique impose ses précautions. Hillary le vérifia lorsqu'en pleine campagne présidentielle au Brésil elle salua le rôle de Dilma Rousseff dans la lutte contre la corruption – Rousseff elle aussi réélue pour un second mandat présidentiel en octobre 2014.

« Angela Merkel est le plus grand des leaders européens ! » Dans ses Mémoires, Hillary Clinton ne ménage pas ses compliments à l'égard de celle qui, par trois fois, réussit à se faire élire à la tête du gouvernement allemand. Tout en comparant leurs tailleurs pantalon dont la seule vertu est de les amincir, reconnaissent-elles volontiers, les deux femmes ont eu à cœur d'afficher une complicité sans failles. On les vit même côte à côte rire aux éclats – ce qui arrive plus souvent à Hillary qu'à Angela. En juin 2014, la Chancelière ne trouva pas drôle du tout d'apprendre que son téléphone portable était écouté par les services américains. Hillary Clinton, qui avait quitté l'administration Obama, lui témoigna publiquement son soutien et son indignation.

« J'ai écrit dans mon livre que la Chancelière est le plus grand dirigeant européen. Je corrige : elle est un grand leader mondial ! dira Hillary à un quotidien allemand. Angela Merkel prouve à quel point il est utile en politique aussi d'oser briser le plafond de verre… »

Ce plafond de verre qui bloquerait encore l'ascension des femmes, voilà longtemps qu'Hillary Clinton a entrepris de le dépasser. Jusqu'où ? De A à Z, voici la réponse.

Christine Ockrent

Journaliste et écrivain. Auteur de *La double vie d'Hillary Clinton*, et de *Ces femmes qui nous gouvernent*, elle anime sur France Culture l'émission « Affaires Etrangères » et vient de publier *Les Oligarques. Le système Poutine* chez Robert Laffont.

Introduction

Lorsque je lui ai appris le 7 juillet 2014, lors d'une réception en son honneur à Paris, que j'écrivais un livre sur elle, la réaction d'Hillary Clinton a été de lever les yeux au ciel avec un grand sourire tout en se penchant légèrement en arrière. Comme si elle était à la fois agressée et flattée, rétive et intéressée. On peut la comprendre, la moitié au moins des livres relatifs à sa vie et à son mariage relèvent de l'enquête à charge ou du pamphlet au vitriol. L'autre moitié consiste en des sommes de savoir et d'investigation plutôt équilibrés qui m'ont aidé à débroussailler mon chemin. Alors, un livre de plus ? En français ? Hillary Clinton est connue à travers le monde entier. Je l'ai approchée pour la première fois lorsqu'elle est venue à Paris dans les années 90. À l'époque, la First Lady s'intéressait à l'éducation «à la française», notamment aux écoles maternelles et primaires, ainsi qu'à notre contrat social dans le domaine de la santé publique. Des années plus tard, je l'ai suivie dans ses meetings de campagne pour se faire réélire sénatrice de l'État de New York, puis dans sa conquête pour la nomination démocrate lors de la présidentielle de 2008. Ce combat contre son jeune rival noir Barack Obama était fascinant à raconter au quotidien. Au Département d'État, j'ai tenté de comprendre sa marge de manœuvre par rapport à l'équipe de la Maison Blanche et au Pentagone. À New York, j'ai constaté le poids de l'énorme machine qu'est devenue la Fondation Clinton qu'elle anime, depuis son départ de l'administration Obama, avec son mari Bill et leur fille Chelsea.

Et la voici maintenant devant le grand défi de 2016. Quelle est donc cette ambition qui peut pousser une ancienne First Lady des États-Unis, une sénatrice de l'État de New York pendant huit ans, une Secrétaire d' État du premier président noir américain, à vouloir revenir à la Maison Blanche ? Une passion dévorante pour le service public ? Une soif de pouvoir inassouvie ? Une volonté de revanche indestructible ? Depuis 1978, Hillary Rodham Clinton n'a jamais connu autre chose que les travées du pouvoir local, national et international. Trente-six ans d'exercice de l'autorité de l'État et du pouvoir législatif, si puissant aux États-Unis. Ne s'arrêtera-t-elle donc jamais? Même pour pouponner sa petite-fille Charlotte et profiter d'une vie enfin apaisée? Non, Hillary *is back*!

Adolescente de droite, étudiante de gauche à Yale, avocate adroite, First Lady bien gauche, sénatrice «faucon» tatouée de son vote pour la guerre en Irak, candidate à la Maison Blanche maladroite, secrétaire d'État consensuelle, Hillary est devenue aujourd'hui, avec sa nouvelle candidature à la présidence des États-Unis, une championne de l'extrême centre. Conservatrice sur le plan des valeurs ainsi qu'en politique étrangère et social-démocrate *made in USA* sur le plan économique, malgré ses connivences avec Wall Street. Comment s'y retrouver?

En cent mots clefs, j'ai essayé de faire comprendre qui est vraiment Hillary Rodham Clinton, ce qu'elle a fait et ce qu'elle veut désormais accomplir. Il n'y a dans ces lignes aucune prétention à l'exhaustivité. Le projet se veut pédagogique. Car, en France, qui connaît vraiment d'Hillary Clinton? Au-delà de son chemin de croix en tant qu'épouse du président Bill Clinton, de sa campagne ratée contre Barack Obama et de son passage remarqué à la direction de la diplomatie américaine, que sait-on au juste de son caractère, de ses racines familiales et politiques, de sa foi méthodiste, capitale pour mesurer sa force intérieure et son projet de société, de ses goûts personnels, de ses si nombreux amis répartis dans les cercles concentriques autour de la planète Clinton? Quel est son rapport au pouvoir, au sexe, à l'argent? Quel est son moteur, d'où viennent ses idées de gauche et de droite? Qu'a-t-elle appris au cours de ces décennies de pouvoir? S'est-elle amendée, a-t-elle compris ses erreurs et comment essaye-t-elle de revenir plus forte des leçons apprises sur le champ de bataille?

Cent mots clefs, cela signifie naturellement que l'on fait des choix, que l'on s'attarde sur des chemins et que l'on fait des impasses. J'ai choisi de mettre l'accent sur les données de base, revisitées à l'aune de l'actualité et de la candidature, mais également de souligner des aspects méconnus de la personnalité ou du parcours de vie d'Hillary. Le livre ne procède pas, comme dans les biographies, de nombreuses rencontres avec des personnalités soumises à l'interrogatoire des souvenirs. Les témoins essentiels de la vie d'Hillary se sont déjà exprimés à de nombreuses reprises dans les ouvrages publiés aux États-Unis sur Hillary. D'autres témoignages en revanche, américains mais aussi français et européens, ont été sollicités pour apporter de nouvelles anecdotes ou tracer des perspectives sur le projet politique d'Hillary Clinton. Confrères journalistes, chercheurs, diplomates, lobbyistes, militants, je tiens ici à remercier tous ceux qui m'ont donné du temps.

Le lecteur peut cependant se demander dans quel état d'esprit ce livre a été écrit. Correspondant de presse aux États-Unis pendant sept ans, ayant couvert les quatre dernières élections présidentielles américaines et attentif depuis près de trente ans à la politique étrangère de la première puissance mondiale, mon regard sur ce pays et ses dirigeants tient à la fois du microscope et du télescope. Impossible de comprendre en effet cette nation sans l'avoir quadrillée sur le terrain. Impossible non plus d'analyser ses trajectoires sans un minimum de recul. Il en va de même pour Hillary Clinton.

Faut-il alors aimer Hillary Clinton pour écrire sur elle ? Aucun autre personnage de la vie politique américaine n'a attiré autant de haine et d'admiration, de méfiance et de fascination. À mieux la connaître, grâce à ce travail d'enquête, Hillary demeure au bout du compte un étrange caméléon qui change souvent d'apparence et de discours. Comme l'avait dit peu élégamment Barack Obama, Hillary est souvent *likable enough*, tout juste sympathique. Mais il y a, malgré tout, des constances et une forme de cohérence chez elle qui font réfléchir. Sur sa détermination, sur le féminisme américain, la volonté de servir, la violence et le coût de la politique aux États-Unis et la perpétuelle recherche de puissance de ce pays accusé sans cesse d'en faire trop ou jamais assez.

En traduisant et préfaçant le grand discours de Barack Obama sur les rapports entre race et religion en Amérique plutôt qu'aux États-Unis, en pleine bataille des primaires face à sa rivale Hillary Clinton, j'avais estimé qu'il n'était pas important, au fond, qu'il soit nominé, élu ou même qu'il soit un bon président[1]. Son parcours en soi était le signal d'une Amérique qui change et mûrit. Il en va de même pour Hillary Clinton. Si elle nominée et élue présidente, il faut naturellement espérer qu'elle apporte à la fonction le meilleur de son expérience. Mais, comme Obama, elle ne manquera pas de décevoir car la machine politique et le cœur du pouvoir en Amérique, à la Chambre des représentants comme au Sénat, ont atteint des niveaux de dysfonctionnement qui désespèrent de plus en plus de citoyens ainsi que les opinions publiques à travers le monde. Pour Hillary, son élection comptera autant si ce n'est davantage que son mandat. Rendre banale l'arrivée à la Maison Blanche d'un noir qui a brisé les tabous et d'une femme qui a percé le plafond de verre, voilà ce que l'Amérique aura réussi à offrir au monde.

Plus incroyable encore serait qu'Hillary Clinton échoue une nouvelle fois à gagner la présidence du fait de la victoire surprise d'un candidat que personne n'aurait vu venir. Capable de surprendre son monde au dernier moment, comme son mari, Bill, en 1992. Doté d'une confiance totale dans son destin, comme Barack Obama, parti de si loin en 2008. Lors des primaires cruelles qui l'avaient opposé à Obama, un slogan avait fusé : *she is so yesterday* ! Comme pour signaler son appartenance au monde d'hier et non à celui de demain. C'est toute la difficulté de l'exercice qui l'attend. Faut-il posséder la somme d'expérience que le grand public attend et donc l'ancienneté qui va avec ? Ou bien au contraire incarner l'avenir avec tout ce que cela suppose d'imagination, de créativité, de capacité à surprendre ?

En 2008, Hillary Clinton avait perdu face à Obama en partie parce qu'elle pensait que la Maison Blanche lui était due. Elle, l'ancienne Première Dame devenue sénatrice de l'État de New York et qui avait obtenu toutes les médailles des combats livrés avec son mari contre les républicains et les médias, impitoyables dans leur volonté de détruire ce couple ou de le mettre à nu jusqu'à l'indécence.

---

1. *De la race en Amérique, Barack Obama*, Grasset, 2008.

En 2016, la Maison Blanche ne se livrera pas sur un plateau d'argent non plus. Il faudra d'abord s'imposer contre d'autres prétendants démocrates, peut-être cette fois-ci moins hostiles à Hillary, mais surtout contre un adversaire républicain, représentant un parti encore en quête d'identité. Entre les néo-conservateurs de la période Bush et le Tea Party, pour qui l'Amérique vient de connaître six années de « socialisme », le Grand Old Party d'Abraham Lincoln, d'Eisenhower et de Reagan cherche son « Obama », un homme ou une femme capable d'inaugurer une nouvelle ère conservatrice mais plus adaptée aux mutations démographiques et sociales du peuple américain. Après avoir reconquis le Sénat aux élections de mi-mandat de l'automne 2014, rien ne dit que les républicains trouvent un nouveau champion. Mais si c'est le cas, Hillary devra batailler ferme. À 67 ans, malgré un état de santé qui a suscité inquiétude et interrogations fin 2012, Hillary Clinton est une battante. Elle vante déjà les mérites de son partenaire, Bill, s'il devait devenir Premier Gentleman de l'Amérique. Elle est accompagnée de sa fille Chelsea, laquelle semble prendre de plus en plus goût à la politique. Le mythe dynastique des Kennedy n'est pas très loin. JFK était un héros adulé par Bill. Hillary, elle, avait pour modèle Eleanor Roosevelt, femme de caractère et de combat. Ces pages de l'histoire contemporaine américaine sont passionnantes à tourner. Quelle que soit l'issue de cette nouvelle saison présidentielle, Hillary Rodham Clinton restera un modèle d'ambition pour les femmes qui veulent faire de la politique. Et le miroir d'une Amérique moderne et diverse, capable de s'adapter sans cesse aux évolutions de la société mondialisée.

A

Huma Abedin, l'ombre

Son parcours aux côtés d'Hillary tout comme sa vie publique relèvent encore beaucoup du mystère et suscitent toujours autant de rumeurs dans l'univers étriqué des partisans de la théorie du complot. Huma Abedin est connue pour avoir été stagiaire dans le cabinet d'Hillary Clinton dès 1996, alors que la First Lady entamait le deuxième mandat de son mari à la Maison Blanche. Elle a également été très remarquée tout au long de la campagne présidentielle d'Hillary en 2008 puis au Département d'État puisqu'elle apparaissait sur chaque photo ou presque de la sénatrice devenue diplomate en chef des États-Unis. Elle a enfin défrayé la chronique lorsque son mari, Anthony Weiner, représentant du 9e district de New York au Congrès, a dû démissionner en juin 2011, après avoir admis s'être livré à des «sextos», des SMS à caractère sexuel.

Huma Abedin, 37 ans, grande brune élancée au regard sombre et au sourire éclatant, est née d'un père indien et d'une mère pakistanaise. Elle a vu le jour sur le sol américain, dans le Michigan, où ses parents, enseignants tous les deux, avaient émigré. Puis elle est repartie à l'âge de deux ans vivre avec eux à Djeddah, en Arabie Saoudite. Huma est revenue aux États-Unis faire ses études supérieures dans la capitale fédérale, à l'université George Washington. Elle n'a que vingt ans lorsqu'elle est admise en stage à la Maison Blanche où elle est affectée au cabinet d'Hillary Clinton comme assistante de sa directrice de cabinet, Maggie Williams. L'ex-First Lady ne s'est quasiment jamais exprimé en public pour évoquer la force de la relation qui existe avec sa protégée. Dans ses livres, elle la mentionne à la page des remerciements pour évoquer en deux mots l'aide inappréciable qu'elle lui apporte depuis des années. En revanche, au tout début de la campagne présidentielle d'Hillary, en 2007, alors que le magazine *Vogue* s'apprête à publier un portrait de Huma, la candidate à la Maison Blanche fait passer cet email à la journaliste Rebecca Johnson : «Huma a l'énergie d'une femme de 20 ans, la confiance en soi d'une femme de 30 ans, l'expérience d'une femme de 40 ans et la grâce d'une femme de 50 ans. Elle est infatigable, son équilibre, sa gentillesse et son intelligence sont incomparables et j'ai la chance de l'avoir dans mon équipe depuis plus de dix ans[2]. » En l'absence d'une interview en bonne et due forme d'Hillary pour en savoir plus, un exercice qu'apparemment Huma a tout fait pour éviter, difficile d'entrer dans les détails. Surtout quand flotte autour d'elle l'aura d'une jeune femme presque parfaite. « Je crois qu'elle a des pouvoirs spéciaux », croit même pouvoir dire Katia Dunn, la présentatrice d'un talk-show à la radio, après avoir croisé Huma en compagnie de la sénatrice. « En fait, il y a une controverse au sujet de savoir si elle est vraiment humaine ou pas », ajoute à l'époque avec ironie, celui qui allait devenir son mari, Anthony Weiner[3].

Personne n'a jamais très bien su ce qu'a accompli Huma Abedin à la Maison Blanche. Tout juste a-t-on appris qu'elle a été impliquée dans les négociations de paix entre Israël et l'Autorité palestinienne qui se sont déroulées à Camp David en juin et juillet 2000. Ce qui tient en quatre lignes dans l'autobiographie d'Hillary. « Bill demanda aussi à mon assistante Huma Abedin de l'aider à recevoir les délégations. Musulmane américaine élevée en Arabie Saoudite et parlant l'arabe, Huma déploya le tact et l'habileté d'un diplomate chevronné pour s'occuper des représentants palestiniens et israéliens pendant les interruptions de séance et les parties de fléchettes ou de billard[4]. »

Au Sénat, mais surtout au cours de la campagne présidentielle de 2008, elle a été l'ombre d'Hillary. La fonction correspond à ce qu'on appelle dans le jargon un *body man* – celui, ou celle en l'occurrence, qui, 24 heures sur 24, se tient aux côtés de la candidate pour lui apporter ce dont elle a besoin. Ce qui va du stylo pour signer des autographes à l'organisation des meetings en passant par le respect très précis de l'agenda tout en jonglant avec ses trois téléphones portables. L'une des difficultés de la mission consistant à rester en permanence impeccable d'allure sans pour autant rivaliser d'élé-

2. Rebecca Johnson, *Hillary's secret weapon, Huma Abedin, Vogue*, 1er août 2007.
3. *The Observer,* 4 février 2007.
4. Hillary R. Clinton, *Mon Histoire*, p. 626, J'ai Lu, 2003.

gance avec celle qu'elle sert. Or, Huma Abedin est une *fashionista* qui parvient à ne jamais paraître voyante.

Plus tard au Département d'État, elle a rang d'adjointe au chef de cabinet et assiste à un nombre considérable de rencontres privées ou officielles. À la Fondation Clinton, à New York, elle est également salariée sur les effectifs au service d'Hillary. Cette omniprésence a fait beaucoup de jaloux mais suscité également nombre d'interrogations et de rumeurs. C'est ainsi que quelques forums conservateurs osent évoquer une relation lesbienne qu'elle entretiendrait avec Hillary. Et que des élus républicains, notamment la représentante proche du Tea Party Michelle Bachmann, sont allés jusqu'à la soupçonner d'être un relais des Frères Musulmans dans les rouages du pouvoir fédéral. Une polémique devenue si virale à l'été 2012, sur internet et dans les médias sociaux, que Barack Obama doit intervenir en personne. Le 9 août 2012, après avoir présidé un dîner de rupture du jeûne pendant le ramadan, le président qualifie Huma de « patriote américaine » dont les Américains feraient bien de s'inspirer, Huma étant « un exemple de ce dont ce pays a besoin, c'est-à-dire de fonctionnaires qui affichent modestie, grâce et ouverture d'esprit[5]. »

Une autre vague de critiques vient s'abattre sur elle à deux reprises. La première, lorsque, enceinte de son premier enfant, elle reste vivre à New York alors qu'elle est toujours payée par le Département d'État et qu'elle cumule cette fonction de « conseillère à distance » avec celle de consultante pour la Fondation Clinton et pour une autre entreprise privée[6]. La deuxième volée de bois vert lui est donnée lorsque son mari, Anthony Weiner, un juif de Brooklyn, qu'elle a épousé en 2010, est surpris, moins d'un an après, en flagrant délit de *sexting* avec de multiples correspondantes. Outre qu'Huma est déjà enceinte, cette nouvelle conduit Anthony, élu démocrate des plus prometteurs au Congrès, à démissionner. Tout en promettant de discipliner sa libido et de travailler à « reconstruire » son mariage, il a pu compter sur le soutien d'Huma, présente et stoïque à ses

5. *The Washington Post*, 10 août 2012.
6. *The Christian Science Monitor*, 21 août 2013.

côtés. Ce qui n'a pas manqué de rappeler à l'opinion publique le comportement d'Hillary lors des aveux d'adultère de son époux au cours de la campagne présidentielle de 1992. Là où l'histoire ne manque pas de sel, c'est que la première rencontre entre Huma et Anthony doit beaucoup à Hillary et que l'officier d'état-civil qui les prononça mari et femme le 10 juillet 2010 à Oheka Castle, près de Long Island, n'était autre que Bill Clinton en personne! N'est-ce pas ce dernier qui, à plusieurs reprises et en public, avait considéré Huma comme sa « seconde fille[7]. »

Weiner, qui a dû également abandonner tout projet de briguer la mairie de New York en 2013 après la révélation d'une nouvelle série de « sextos » datant de 2012, a cessé d'apparaître aux côtés de son épouse lors des grands événements sociaux auxquels elle est invitée. Les tabloïds new-yorkais indiquaient même en juillet 2014 que l'entourage d'Hillary Clinton lui aurait demandé de devenir « invisible » pour les mois à venir…

7. Jonathan Allen et Amie Parnes, *HRC, State secrets and the rebirth of Hillary Clinton*, p. 192, Crown, 2014.

Adolescence, la découverte de l'autre

Hillary Clinton a vécu ses années de puberté dans le même univers propret et sécurisant de son enfance, à Park Ridge dans la banlieue très « middle class » du nord de Chicago. Un environnement globalement conservateur où l'on a toujours voté très fièrement républicain. On était au cœur de la guerre froide et, comme le signalait, à chaque fin de cours, le professeur d'histoire d'Hillary au collège public de Maine East, « mieux vaut être mort que rouge »[8]. Hillary est bonne élève, fréquente assidûment la bibliothèque de son quartier, s'illustre dans les sports d'équipe (y compris au baseball), gagne durement son argent de poche et, à l'âge de 13 ans, trouve injuste que le vice-président Nixon n'ait pas réussi à se faire élire face à Kennedy. Notamment à cause de la fraude électorale à Chicago. Dans la semaine qui suit le scrutin contesté, elle décide, sans demander la permission à ses parents, de participer à une enquête de validité des suffrages du Parti républicain de Chicago. On l'envoie vérifier si un immeuble du South Side de la ville abrite bien des électeurs répertoriés démocrates. Elle en revient triomphante avec la preuve qu'il s'agit d'un terrain vague et non d'un immeuble d'habitation. Mais il est trop tard, Nixon vient de reconnaître officiellement sa défaite[9].

Pourtant, le 22 novembre 1963, en apprenant en classe que le président Kennedy vient d'être assassiné, Hillary rentre chez elle pour y découvrir sa mère bouleversée et d'autant plus chagrine qu'elle avoue à sa fille avoir voté JFK. Hillary, de son côté, est tiraillée. Son professeur d'éducation civique lui fait apprécier une culture conservatrice faite d'esprit de responsabilité individuelle et de compassion. Dans le même temps, le père Donald Jones, son aumônier à la paroisse méthodiste qu'elle fréquente assidûment avec ses parents, lui vante les vertus de la charité et de la solidarité envers

---

8. François Clemenceau, *Le clan Obama, les anges gardiens de Chicago*, p. 271, Riveneuve, 2013.
9. Jeff Gerth et Don Van Natta, *Hillary Clinton, histoire d'une ambition*, p. 30, J.-C. Lattès, 2008.

les plus démunis. Il fait découvrir à ses jeunes fidèles l'étendue de la culture profane de l'époque, de Picasso à Dostoïevski en passant par T.S Eliot. Il les emmène dans les paroisses des quartiers plus excentrés où résident davantage de noirs et de latinos. Pour Hillary, c'est la découverte d'une différence qu'elle ne soupçonnait pas. C'est le cas notamment lors de séances de babysitting organisées par l'aumônerie dans des camps d'immigrés latinos. Un jour, le père Jones emmène même certains de ses protégés voir Martin Luther King à l'Orchestra Hall de Chicago. Hillary y entend le pasteur prophétiser que «l'ordre ancien va laisser place à un nouveau temps», celui de l'intégration permettant à tous «d'apprendre à vivre comme des frères[10].» Cela n'empêche pas Hillary de faire campagne en faveur du très conservateur Barry Goldwater contre le président sortant Lyndon Johnson mais elle sent bien que les repères simplistes fournis par ses parents ne sont plus forcément les bons instruments pour guider ses choix. Elle découvre les Beatles à la télévision, parvient même à acheter des places pour aller voir les Rolling Stones au parc des expositions de Chicago en 1965 et devient coquette, avec une obsession pour la coiffure qui ne s'est jamais vraiment estompée puisqu'elle a dû essayer une trentaine de coupes différentes jusqu'à aujourd'hui.

Au lycée, où elle n'a pas réussi à se faire élire présidente des élèves, elle affronte l'épreuve du débat contre une autre de ses camarades. Elle pense qu'on va lui demander de défendre ses convictions républicaines. Pas du tout, on lui demande de plaider en faveur des idées de ses adversaires, une technique que tout lycéen américain finit par apprendre afin de nuancer ses jugements. Hillary découvre alors que le point de vue démocrate n'est pas si caricatural que ce que lui racontait son père. C'est l'époque où elle s'initie également à la lecture du *New York Times*, le quotidien de tendance démocrate de la côte Est, pour ne plus dépendre uniquement de la version de l'actualité fournie par le *Chicago Tribune*, plus conservateur. Bref, l'âge des mutations.

---

10. Hillary R. Clinton, *Mon histoire*, p. 41, J'ai Lu, 2003.

Depuis son départ pour l'université, Hillary n'est plus jamais retournée vivre à Chicago, si ce n'est pour présenter ses futurs boy-friends, dont Bill Clinton, à ses parents. Aujourd'hui, face à l'échéance 2016, Hillary revendique fièrement ses racines du Midwest. Selon un sondage du *Wall Street Journal* de juin 2014, sa côte de popularité et de crédibilité est plus faible dans cette région centrale des États-Unis que dans le reste du pays. Ce même mois, elle est donc revenue à Chicago à l'occasion d'un discours devant une assemblée d'agriculteurs pour leur dire : « C'est ici que je suis née et que j'ai grandi. » Le lendemain, aux côtés du maire de Chicago, Rahm Emanuel, elle insiste : « Chicago est mon berceau, le socle de ma famille, de ce que nous sommes et d'où nous venons[11]. » En 2000, beaucoup l'avaient accusée de « parachutage » en voulant se présenter à la sénatoriale de l'État de New York, ce qui ne l'avait pas empêchée de l'emporter. Le Midwest est bien plus vaste : 12 États et 124 voix au Collège électoral sur 538. Un ré-atterrissage à ne pas rater...

---

11. *The Wall Street Journal*, 21 août 2014.

Madeleine Albright, la pionnière

Hillary Clinton, pour une fois, n'aura pas été la première femme à devenir secrétaire d'État, l'un des postes les plus prestigieux du gouvernement fédéral américain. Elle a succédé dans ce poste à Condoleeza Rice qui avait été nommée par George W. Bush. Mais Hillary peut s'enorgueillir d'avoir fait nommer par son mari, la première femme à la tête de la diplomatie américaine. Madeleine Albright, une américaine d'origine tchèque dont les parents avaient fui le communisme et qui avait découvert sur le tard ses origines juives, a dirigé le Département d'État entre 1996 et 2000. Elle arrivait de l'ONU à New York, où elle représentait les États-Unis au Conseil de Sécurité. Et c'est en voyageant longuement avec la First Lady, notamment lors de son premier voyage en Chine, que les deux femmes, toutes deux des anciennes de l'université féminine de Wellesley, sont devenues des amies.

Pour comprendre la politique de promotion des femmes aux plus hauts postes des exécutifs à travers le monde, il faut passer par la case Madeleine. Lorsqu'en novembre 1996, le secrétaire d'État de l'époque Warren Christopher fait savoir qu'il prend sa retraite, voici ce qu'en pense Hillary : « J'espérais que Bill étudierait la possibilité de nommer Madeleine Albright, ce qui en ferait la première femme secrétaire d'État. J'estimais qu'elle avait mené un travail de premier ordre aux Nations Unies et j'admirais ses qualités de diplomate, sa compréhension des affaires mondiales et son courage personnel, ainsi que l'aisance avec laquelle elle parlait le français, le tchèque, le russe et le polonais, sans même parler de l'anglais, quatre langues de plus que moi. (…) Madeleine s'identifiait intimement aux gens qui aspiraient à être libérés de l'oppression et à leur désir de démocratie[12]. »

Le président avait composé de son côté une liste sur laquelle ne figurait pas Madeleine Albright. On y retrouvait le sénateur George Mitchell, le diplomate Richard Holbrooke qui venait de

---

12. Hillary R. Clinton, *Mon histoire*, J'ai Lu, 2003, p.482.

s'illustrer dans les négociations sur la fin de la guerre des Balkans et le sénateur Sam Nunn, un démocrate conservateur que la Maison Blanche avait envoyé en Haïti pour convaincre le dictateur Raoul Cedras de lâcher le pouvoir. L'ambassadeur de France à Washington à l'époque, François Bujon de l'Etang, se souvient : « Madeleine Albright est une créature d'Hillary. Ce n'était pas le choix de Bill. Il penchait plutôt pour Sam Nunn. Bill pensait du bien de Madeleine mais Hillary a fait des pieds et des mains pour l'imposer dans l'une de ses fréquentes crises d'autorité[13]. » Une version naturellement atténuée par l'ex-First Lady. Le 5 décembre 1996, lorsque Madeleine Albright est nommée secrétaire d'État, Hillary se souvient : « J'étais aux anges. »

C'est donc logiquement vers Madeleine Albright que se retourne Hillary en novembre 2008, alors qu'elle est en quête de conseil pour savoir si elle doit accepter l'offre de Barack Obama de la nommer au Département d'État. Hillary trouve Madeleine sur son téléphone portable alors que l'ex-diplomate en chef est coincée dans un embouteillage à Georgetown, le quartier chic de la classe dirigeante à Washington. « J'ai dit à Hillary que ce job était évidemment formidable qu'elle l'exercerait magnifiquement et qu'elle en tirerait beaucoup de fierté. Les gens pensent souvent que la politique étrangère n'a rien à voir avec la politique intérieure alors qu'il s'agit du même spectre et c'est pourquoi je savais qu'elle serait à l'aise dans cette fonction[14]. »

Hillary s'est-elle demandé si elle ferait mieux que Madeleine Albright à ce poste si convoité ? Quatre ans plus tard, les avis sont partagés. Un vétéran de la diplomatie internationale en poste à Washington tranche : « Hillary a été la plus grande secrétaire d'État depuis 20 ans. Albright bien sûr avait fait beaucoup mais dans un environnement plus facile. Les français parlent d'Albright avec des tremolos dans la voix, qu'il s'agisse de Juppé ou de Védrine, mais elle a échoué au Rwanda et en Somalie[15]. »

---

13. Entretien avec l'auteur le 11 juin 2014.
14. Jonathan Allen et Amie Parners, *HRC, State Secrets and the Rebirth of Hillary Clinton*, p. 53, Crown, 2014.
15. Entretien avec l'auteur le 4 juin 2014.

À douze ans d'écart, le parallèle est compliqué. Les temps ont changé, les défis et les enjeux aussi. Mais Madeleine Albright est restée un phare pour Hillary. Parmi toutes les «amies» d'Hillary, et Dieu sait si le vocable est parfois galvaudé dans l'univers de l'ex-First Lady, les avis de Madeleine sont aujourd'hui encore régulièrement recherchés. Et sa société de consulting international, Albright Stonebridge, où nombre d'anciens diplomates clintoniens se sont reconvertis, à l'image de Sandy Berger ou de Christopher Hill, constitue l'un des nombreux réservoirs d'idées et d'effectifs opérationnels au cas où la Maison Blanche de 2016 se mettrait à recruter...

Saul Alinsky, son côté gauche

L'homme à qui Hillary Rodham consacre son mémoire de fin d'études en sciences politiques à Wellesley, Saul Alinsky, est né en 1909 à Chicago de parents immigrés russes. Son père était un petit tailleur juif de Vilnius en Lituanie dont la vie se résumait à son atelier de couture et à la synagogue. Saul aurait pu devenir rabbin, c'est ce que souhaitait son père, mais il a eu « la chance » de faire ses études supérieures alors que les États-Unis étaient en pleine crise financière. Archéologue, criminologue, Saul a cherché sa voie sans vraiment la trouver à l'université. Il finit par briller dans le militantisme social[16].

Après un passage par l'organisation syndicale CIO, Saul se met au service des exclus de Chicago. Ouvriers des usines d'empaquetage de viande, chômeurs, mendiants, prolétaires blancs, noirs et latinos à la dérive, son travail fait l'admiration de certains responsables politiques mais lui attire la haine de bien d'autres. Car Saul apprend à ses protégés à découvrir leurs droits, à revendiquer, à se regrouper en associations ou en comités. Ce militantisme qui ne s'affilie ni aux partis ni aux syndicats traditionnels laisse croire aux milieux patronaux et aux autorités qu'il s'agit d'activités à potentiel subversif. Alinsky a expérimenté ses méthodes par la suite au plus près des luttes sociales et des mouvements contestataires. Il a formé des centaines de responsables syndicaux ou associatifs à formuler clairement leurs revendications face à un système bureaucratique ou capitaliste dont ils s'estiment victimes et à médiatiser leurs luttes sans tomber dans l'extrémisme ni la violence. Bien que le livre phare d'Alinsky s'intitule en 1946 *Reveille for Radicals*, Hillary Rodham écrit dans son mémoire : « Saul Alinsky ne professe rien de radical. Il utilise les mêmes mots que ceux que nous utilisons à l'école, ceux

---

16. Le politologue américain Benjamin Barber a eu la bonne idée de faire coexister dans un même recueil de textes politiques sous le titre *Civiliser la démocratie* (Éditions Desclée de Brower, 1998) une conférence donnée par Hillary Clinton au forum de Davos en 1998 sur le pouvoir de la société civile et un extrait du *Manuel de l'animateur social* publié par Saul Alinsky aux États-Unis en 1971.

de nos parents ou que l'on entend à l'Église. La différence entre lui et nous, c'est qu'il croit au sens profond de ces mots et que cela nous invite à changer le cours de nos vies. » Hillary voit bien que le charisme d'Alinsky et son omniprésence sont pour beaucoup dans sa notoriété. Si elle est d'accord avec lui pour comprendre que « le problème des pauvres n'est pas tant d'être sans ressources que sans pouvoir », et que la dignité est une richesse nécessaire pour tout homme, elle doute de l'efficacité à long terme des luttes menées par ceux qu'Alinsky encadre[17].

Le 25 octobre 1968, Hillary Rodham reçoit une offre d'emploi de la part de cet homme qui est l'objet de sa thèse. Venir travailler à Chicago dans les banlieues minées par le chômage et la violence aurait pu constituer, pour cette étudiante de 21 ans, un passeport inestimable pour apprendre la politique autrement. Tel sera le parcours choisi par Barack Obama dans les années 80, sous l'influence fondamentale d'Alinsky[18]. Bien qu'elle décline la proposition, elle ne sera pas insensible au charme d'Alinsky qu'elle verra trois fois au cours de ses travaux de recherche. À l'université de Yale, puis en tant qu'avocate, spécialiste du droit des enfants, elle gardera en mémoire ce qu'elle a appris du terrain. Sa différence avec Alinsky tient au fait qu'il croyait pouvoir changer la société de l'extérieur du pouvoir. Et elle, exactement le contraire. Le combat contre les inégalités passe, selon elle, par la politique, fut-elle traditionnelle, parce que c'est le mode d'accession au pouvoir au sein duquel on peut changer la société[19].

---

17. Bill Dedman, *Reading Hillary Rodham's hidden thesis*, MSNBC, 9 mai 2007.
18. François Clemenceau, *Le Clan Obama, les anges gardiens de Chicago*, Riveneuve, 2013, p. 247.
19. Lire à ce sujet le mémoire de Master de Civilisation américaine de Souleymane Guissé, intitulé *Saul Alinsky, Hillary Clinton, Barack Obama : de l'héritage à la réalité du système américain* (Université Stendhal Grenoble III, 2010).

Angleterre, des racines et des ailes

Hillary Clinton ne serait pas tant attachée à l'Angleterre si ses racines ne s'y trouvaient pas. Sentimentalement, c'est aussi en Angleterre que Bill la demanda pour la première fois en mariage. Politiquement, c'est aux côtés de Tony et Chérie Blair que ses idées centristes se sont conjuguées à celles de la social-démocratie européenne de centre-gauche pour faire partie des stratégies électorales à venir en Europe et aux États-Unis.

Le père d'Hillary, Hugh Rodham, était le fils d'un immigré originaire du comté de Durham, au sud de Newcastle. Ce dernier, avait commencé à travailler à l'âge de onze ans dans les filatures de dentelle de Pennsylvanie et avait obtenu son diplôme d'études secondaires par correspondance. La mère d'Hugh Rodham, elle, descendait d'une famille de mineurs galloise. Dorothy Howell, la mère d'Hillary, était de son côté la petite fille d'un anglais de Bristol lui-même issu d'une lignée de mineurs[20].

Hillary pose le pied pour la première fois en Europe à la fin de sa scolarité à Yale. Bill et elle sont fraîchement diplômés mais le jeune homme a déjà étudié à Oxford grâce à une bourse. Il sert donc de guide à son amoureuse, des monuments et musées de Londres jusqu'aux plages du Pays de Galles en passant par le comté de Durham. Plus à l'ouest, sur les rivages du Lac Ennerdale, il propose à Hillary de devenir sa femme[21]. Hillary refuse. Trop tôt, pas tout de suite. Elle a 26 ans. Bill patientera encore deux longues années avant qu'Hillary ne lie son destin au sien dans l'Arkansas.

Ce n'est qu'une fois devenue First Lady qu'Hillary contribuera à bâtir entre la Grande-Bretagne et les États-Unis ce qui allait devenir pour Bill et elle, une alliance de centristes occidentaux qu'on appellera génériquement la Troisième voie. En 1997, alors que Tony Blair est élu depuis six mois après dix-huit ans de gouver-

---

20. Hillary R. Clinton, *Il faut tout un village pour élever un enfant*, p. 29, Denoël, 1996.
21. Hillary R Clinton, *Mon histoire*, J'ai Lu, 2003.

nement conservateur mené par Margareth Thatcher puis John Major, Hillary Clinton est invitée chez le Premier ministre, dans sa résidence officielle de Chequers, pour débattre avec des invités américains et britanniques triés sur le volet. Blair, qui a révolutionné la gauche britannique avec son concept et sa stratégie du New Labour, affirme qu'il s'est inspiré en partie de la ligne modérée des Nouveaux démocrates américains[22]. Éducation, lutte contre le chômage, économie mixte, implication de la société civile dans la gouvernance locale : de nombreux thèmes sont abordés au cours de cette réunion discrète. Mais le consensus autour des idées développées par les uns et les autres permettent de convaincre Bill Clinton de nouer des relations quasi-officielles avec les partenaires de cette fameuse Troisième voie, regroupant des leaders aussi différents que Romano Prodi, Gerhard Schröeder, Fernando Henrique Cardoso ou, dans une moindre mesure, Lionel Jospin.

---

22. *Civiliser la démocratie*, présenté par Benjamin Barber, p. 13, Desclée de Brouwer, 1998.

Argent, sans complexes

Hillary Clinton est riche. Très riche. Est-ce un défaut? Certainement pas pour elle. Avec cohérence, et fidèle au message de *l'American Dream*, elle a toujours plaidé pour que ceux qui travaillent dur soient récompensés. Et personne ne peut traiter Hillary de cossarde. Mais, élevée dans une famille de petits-bourgeois où chaque sou était compté, elle s'est retrouvée confrontée plus tard au dilemme de savoir si elle voulait gagner sa vie, sous-entendu confortablement, ou faire de la politique pour exercer le pouvoir. Ce qui, à l'époque, ne revenait pas forcément au même. Hillary a choisi d'être avocate spécialisée dans le droit de l'enfance et les droits civiques. Son mari, Bill, était professeur de droit avant de devenir ministre de la Justice de l'Arkansas. Apparemment, les salaires ramenés à la maison par le couple ne suffisaient pas. Comment expliquer autrement le besoin d'Hillary de jouer en Bourse et de se lancer avec Bill dans ce projet immobilier *Whitewater* qui leur fera tant de mal? Comment expliquer autrement l'appétit d'Hillary pour les propositions qui lui sont faites de participer aux conseils d'administration de grandes sociétés américaines, dont le géant de la distribution Wal-Mart? Plus tard, à la Maison Blanche, Hillary et Bill se sont retrouvés englués dans une spirale de frais d'avocats astronomiques. L'accumulation des scandales coûtait cher. Même si des fonds de solidarité ont été créés pour prendre en charge les honoraires du bataillon d'avocats qui les a défendus, les Clinton ont quitté la Maison Blanche, non pas «fauchés comme les blés» comme l'a affirmé un peu vite Hillary en 2014, mais sans en avoir vraiment profité sur le plan financier[23]. Mais depuis, qu'est-ce qu'ils se sont bien rattrapés!

On ne prête qu'aux riches, et c'est probablement ainsi que les Clinton ont acheté entre 1998 et 2001 leurs deux maisons de Chappaqua et de Washington pour une valeur totale de près de 4 millions de dollars. Les éditeurs qui ont publié leurs Mémoires

---

23. Interview d'Hillary Clinton à ABC News, le 9 juin 2014.

respectives leur ont versé 23 millions de dollars d'avances, quinze pour Bill (*My Life*) et huit pour Hillary (*Living History*). Tout cela s'ajoute à la retraite de président des États-Unis de Bill pour un montant d'environ 200.000 dollars par an et le salaire de sénateur d'Hillary qui avoisine les 175.000 dollars annuels. Des sommes ridicules comparées à ce que Bill et Hillary finiront par gagner entre 2012 et 2014, non pas par an mais en une heure! Leur moindre discours à travers les États-Unis et le monde entier est en effet rémunéré entre 100 et 300.000 dollars en fonction de la clientèle. Selon le *Washington Post*, à lui tout seul, Bill aurait gagné plus de 104 millions de dollars entre son départ de la Maison Blanche et l'arrivée de son épouse au Département d'État[24].

Entre-temps, il y a eu la débâcle financière de la campagne présidentielle d'Hillary en 2008. Face à un Barack Obama qui surfait sur les dons de ses millions de sympathisants, Hillary avait mis en place une trésorerie à l'ancienne reposant sur les versements de gros donateurs. Et plus Hillary refusait de perdre face au sénateur de l'Illinois, plus Hillary s'endettait. Total? 25 millions de dollars de dette dont 13 de sa poche. S'il a fallu retourner solliciter les grandes fortunes du parti démocrate pour rembourser cette somme, la campagne Hillary a mis quatre ans pour se désendetter[25]. L'argument financier s'est retrouvé également dans la balance lorsque le président Obama a proposé à Hillary de devenir secrétaire d'État. Si elle acceptait, les généreux partenaires d'Obama se feraient un plaisir d'aider Hillary à rembourser ses dettes de campagne….

Depuis qu'Hillary a quitté Foggy Bottom, le siège des Affaires étrangères, elle a enchaîné les activités rémunérées à un rythme effréné. À commencer par l'écriture de ses Mémoires diplomatiques *Le temps des décisions* pour lesquelles Hillary aurait touché 13 millions de dollars. Et, comme Bill après son départ de la Maison Blanche, les discours d'Hillary au sortir de ses quatre années au cœur des crises sont payés très chers. Jusqu'à 300 000 dollars! C'est le cas d'une intervention en mars 2014 devant les étudiants et le

---

24. *The Washington Post*, 26 juin 2014.
25. CNN, 22 janvier 2013.

corps enseignant de l'UCLA en Californie[26]. À raison d'au moins une prestation de ce genre par semaine depuis janvier 2014, Hillary peut avoir engrangé dans son tiroir-caisse plus d'un million par mois.

L'argent chez Hillary ? Sujet tabou ? Comment être du côté des très riches et faire campagne au nom des plus pauvres ? En 2008, Hillary était accompagnée sur les tréteaux par sa mère Dorothy Rodham à ses côtés. Pour rappeler, un peu lourdement, d'où elle venait et à quel point elle était restée proche des Américains moyens[27]. Mais comment faire partie des 1% dénoncés par le mouvement Occupy Wall Street et proposer en même temps des réformes keynésiennes pour relancer l'économie, comme a su le faire Barack Obama en 2009, contre l'avis des clintoniens admis à partager le pouvoir à la Maison Blanche ? Comment croire Hillary sur la réforme bancaire alors que Bill Clinton a signé de sa main, avant de quitter la présidence, les premières lois du Congrès républicain sur la dérégulation du secteur financier, ce qui a favorisé le mariage des banques, des sociétés d'assurance et de bourse ainsi que l'expansion du marché des produits dérivés, à l'origine de la crise financière mondiale de 2008 [28]?

Hillary n'aime pas l'argent pour l'argent. Elle n'a pas de complexes. L'argent n'est qu'un moyen pour parvenir à ses buts. Le financement des campagnes électorales, l'appui des grandes entreprises, tout cela a probablement, et contrairement à ce qu'elle affirme, contribué à la déconnecter en partie du monde réel. Pour autant, Hillary ne donne pas dans le *bling*. On ne la verra pas brûler sa carte bleue en une après-midi chez les grands couturiers ou s'offrir des bijoux de milliardaires. Il lui faut juste pouvoir payer sa place dans les lieux de pouvoir. Et avoir de quoi rémunérer et fidéliser une armée de volontaires qui travaillent pour elle depuis des années sans compter. La politique coûte cher aux États-Unis,

---

26. *The Washington Post*, 26 juin 2014.
27. Charlotte Allen, *The political calculation behind Clinton's poor-mouthing, Los Angeles Times*, 25 juin 2014.
28. François Clemenceau, *Le Clan Obama, les anges gardiens de Chicago*, p. 168, Riveneuve, 2013.

c'est devenu banal de le dire. Surtout depuis que la Cour suprême a autorisé les partis politiques et les comités de campagne à dépenser sans limites afin de préserver la liberté d'expression. La campagne présidentielle 2016 s'annonce donc d'ores et déjà comme la plus chère de l'histoire américaine. Celle de 2012 a coûté 2 milliards de dollars !

Arkansas, le tremplin

Avant de rencontrer Bill Clinton, jamais Hillary n'aurait pu envisager de passer 18 ans de sa vie d'adulte dans l'un des États les plus pauvres des États-Unis. En 1974, date à laquelle tous deux emménagent à Fayetteville tandis que Bill entre en campagne pour se présenter au Congrès, l'Arkansas sort à peine des années de ségrégation du Vieux Sud. Coincé entre le Kansas, le Missouri et le Kentucky au nord, le Tennessee et le Mississippi à l'est, la Louisiane et le Texas au sud et l'Oklahoma à l'ouest, cette terre dix fois plus petite que la France abrite à l'époque à peine deux millions d'habitants. C'est dans le sud-ouest de cet État, sur l'une des routes nationales qui mène à la frontière texane, à Hope, qu'est né Bill Clinton avant qu'il ne déménage à Hot Springs et y passe toute son enfance.

Lorsque Hillary rencontre pour la première fois son futur mari à l'université de Yale en 1970, la légende veut que Bill se vante alors auprès de ses congénères d'avoir été élevé dans un Arkansas qui produit « les plus grosses pastèques du monde ». Mais il faudra attendre 1972 avant qu'Hillary ne finisse par faire le voyage de l'Arkansas. Comme elle l'écrit elle-même dans ses Mémoires, ce fut un « choix du cœur plutôt que de raison[29]. » « Si je voulais rentrer dans l'âge adulte, je savais qu'il était temps pour moi –pour paraphraser Eleanor Roosevelt – de faire ce que je craignais par-dessus tout. Et c'est pourquoi cette voiture me conduisait vers un lieu où je n'avais jamais vécu et où je n'avais ni amis ni parents. Mais mon cœur me disait que c'était dans la bonne direction. » Il faut dire, ce que l'on finira par apprendre trente ans plus tard, qu'elle avait raté son examen au barreau de Washington et qu'elle était très amoureuse. À Fayetteville, elle devient l'une des deux seules femmes à enseigner le droit à l'université. Elle y fonde aussi le premier centre d'aide juridictionnelle pour les plus démunis. C'est sur ce campus qu'elle se lie d'amitié avec celle qui va devenir l'une de ses plus fidèles amies, Diane Blair, un professeur de sciences

---

29. Hillary R. Clinton, *Mon Histoire*, p. 99 et suivantes, J'ai Lu, 2003.

politiques qui, elle aussi, a quitté la côte est pour suivre son mari jusqu'au fin fond de l'Arkansas.

Après avoir perdu son élection, à 6 000 voix près, pour le Congrès à l'automne 1974 et après lui avoir demandé à plusieurs reprises d'unir son destin au sien, Bill finit par épouser Hillary le 1er octobre 1975. La cérémonie est présidée par un pasteur méthodiste devant une vingtaine d'invités dans le salon d'une petite maison de 90 mètres carrés au 930 California Street à Fayetteville. En 1976, Bill est élu ministre de la Justice de l'Arkansas en arrivant en tête dans 69 des 75 comtés de l'État. Victoire d'autant plus facile qu'il n'avait pas d'opposant républicain en face de lui. Le couple déménage dans la foulée pour s'installer à Little Rock, la capitale. En 1977, après avoir été la directrice dans l'Indiana de la campagne présidentielle de Jimmy Carter, Hillary est embauchée par le cabinet d'avocats Rose, l'un des meilleurs et des plus influents sur la scène politique de l'Arkansas. Dans cette même Rose Law Firm, l'un des neuf associés, Vince Foster, est un ami de Bill Clinton. Il est né également à Hope où sa maison était mitoyenne de celle des grands-parents de Bill. L'amitié entre Vince et le couple Clinton l'emmènera jusqu'à la Maison Blanche.

Cette même année, Hillary cofonde une organisation de défense des droits de l'enfance et de la famille, ce qui lui permet de s'affilier au Fonds national de défense de l'enfance (*Children's Defense Fund*), créé par son amie Marian Wright Edelman, pour laquelle elle a déjà travaillé lorsqu'elle vivait sur la côte est. Au cours de cette période, elle est également nommée par le président Carter membre du Conseil de la Direction de l'Aide juridictionnelle, un organisme fondé et financé par le Congrès pour apporter une aide légale à ceux qui ne peuvent s'offrir un avocat. Elle en devient la première femme présidente entre 1978 et 1980.

C'est à cette même époque que Bill mène sa troisième campagne électorale et réussit à se faire élire gouverneur de l'Arkansas. À 31 ans, c'est le plus jeune homme politique à réussir une telle performance depuis l'élection d'un gouverneur républicain dans le Minnesota en 1939. Le ménage s'installe dans la *mansion* dédiée au chef de l'exécutif, une résidence de style colonial en briques rouges achevée en 1950. Cossue mais guère propice, apparemment, pour y concevoir un enfant. Hillary souffrant d'endométriose, une maladie gynécologique, le couple a dû recourir à un traitement prescrit par un spécialiste de l'infertilité de San Francisco[30]. Bill et Hillary parviennent à leurs fins en se rendant en vacances aux Bermudes en juillet 1979. Chelsea Victoria Clinton voit le jour avec trois semaines d'avance sur le terme prévu à l'hôpital baptiste de Little Rock le 27 février 1980.

Hillary est très engagée dans l'une des premières promesses de campagne de son mari, l'amélioration du système de santé dans un État aussi rural que l'Arkansas : création de nouveaux dispensaires, recrutement de médecins, d'infirmières et de sages-femmes, malgré l'hostilité du corps médical dans le secteur public et les critiques des conservateurs. Au cours du premier mandat de deux ans de Bill Clinton, le couple s'engage également sur un projet d'investissement immobilier nommé *Whitewater*, auquel les bureaux du gouverneur ont contribué sous la forme d'un prêt qui sera détourné par les promoteurs du site de développement. Le scandale sur cette affaire de conflit d'intérêts n'éclatera que des années plus tard, lors de la première campagne présidentielle de Bill Clinton. Ce n'est donc pas la cause de son échec à se faire réélire gouverneur en 1980. Pour repartir en campagne et retrouver son poste de gouverneur à l'élection de 1982, les conseillers de Bill font pression sur Hillary pour qu'elle abandonne son nom de jeune fille – Rodham – qu'elle continue de porter dans sa vie de tous les jours et en tant qu'avocate. Hillary, de son côté, fait appel dès le lendemains de la défaite de 1980, au consultant politique Dick Morris pour repartir sur de nouvelles bases.

Au cours du deuxième mandat de gouverneur de Bill Clinton dans l'Arkansas, la First Lady s'illustre dans un autre combat, celui de l'éducation dont les résultats sont catastrophiques dans le secteur public. Avec Bill, elle va défier les syndicats, comme elle l'a fait pour la réforme locale des structures de soin. Nouveaux tests, élévation des critères de recrutement des nouveaux enseignants,

30. Carl Bernstein, *A Woman in charge*, p. 149, Arrow Books, 2007.

mise en responsabilité, augmentation au mérite… un pas de géant dont s'inspireront d'autres gouverneurs du sud des États-Unis.

L'Arkansas, ce fut aussi pour Hillary, le territoire d'une vie de couple mouvementée. Jusqu'à leur arrivée à Washington en 1992, Hillary a vécu au rythme des rumeurs d'infidélité de son mari. Beaucoup sont infondées mais d'autres bien réelles. Bill Clinton a lui-même admis dans ses Mémoires qu'il avait entretenu une relation extra-conjugale avec la fameuse Gennifer Flowers, un mannequin en mal de notoriété, dès 1977, c'est-à-dire deux ans après son mariage avec Hillary. Il a également vécu une histoire forte avec une amie du couple, Marilyn Jo Jenkins, entre 1988 et 1990. Une liaison si sérieuse aux yeux de Bill qu'elle a failli déboucher sur le divorce du couple Clinton.

C'est également depuis Little Rock qu'Hillary a été nommée au sein de plusieurs conseils d'administration. Notamment chez le cimentier français Lafarge, leader dans son secteur aux États-Unis, où elle était rémunérée 30 000 dollars par an[31]. Mais surtout chez Wal-Mart, le leader américain et mondial de la grande distribution qui a ouvert son premier magasin en 1962 à Rogers (Arkansas) et installé son siège national dans la localité limitrophe de Bentonville.

Après avoir renoncé à se présenter à la présidence en 1987, en partie parce que Chelsea, sept ans à l'époque, a supplié son père de faire une pause dans sa carrière politique, c'est au tour d'Hillary de songer à se lancer pour son propre compte dans une élection. Pourquoi pas pour succéder à son époux à l'élection de 1990 pour la gouvernance de l'Arkansas ? Selon le consultant Dick Morris, Hillary aurait dit à son mari : « Si tu ne te représentes pas, moi j'y vais ! » Le consultant fait donc réaliser des sondages mais ces derniers montrèrent le peu d'enthousiasme des électeurs pour madame Clinton, la considérant toujours comme une épouse et non comme un leader. Bill se représente donc une cinquième fois. Il est élu haut la main avec 57% des voix !

Si Little Rock s'enorgueillit aujourd'hui d'abriter le Clinton Presidential Center, incarné par un superbe édifice en forme de

---

31. *The Washington Post*, 9 décembre 2007.

pont au bord de l'Arkansas River, l'État n'a cessé d'osciller depuis le départ des Clinton entre gouverneurs démocrates et républicains. On notera malgré tout la longévité au pouvoir du gouverneur conservateur Mike Huckabee, lui aussi natif de Hope, candidat prometteur à la présidentielle de 2008 et qui fut l'un des promoteurs, sur le plan national, de la lutte contre l'obésité[32]. Ayant perdu 50 kilos, il a lutté contre l'idéologie de son propre camp pour imposer des normes de santé publique afin de faire reculer le surpoids des enfants de l'Arkansas.

En 2014, l'Arkansas ne se reconnaît plus beaucoup dans l'héritage des Clinton. Le sénateur démocrate Mark Pryor, que Bill est venu soutenir à trois reprises pendant la campagne des *midterms*, a été défait par un jeune avocat conservateur de 37 ans qui a servi quatre ans dans l'armée, en Irak et en Afghanistan[33].

---

32. François Clemenceau, *Vivre avec les Américains*, L'Archipel, 2009.
33. *Le Monde*, 6 novembre 2014.

Avocate, *the good wife* ?

Hillary Clinton n'est pas devenue avocate par hasard. Si l'on étudie de près son parcours scolaire et universitaire, jusqu'à son entrée à Yale, il est tout entier tourné vers ce qu'on appelle aujourd'hui la science politique. De fait, Hillary se passionne pour la chose publique depuis qu'elle est adolescente. On ne sera donc pas surpris qu'à Yale, elle devienne membre du comité éditorial de la *Review of Law and Social Action*, une revue trimestrielle qui n'a existé que trois ans, entre 1970 et 1973, ce qui correspond au passage d'Hillary dans cette université, ruche élitiste de la côte Est. Rien à voir avec la classique *Law Review* de Harvard, dont Barack Obama sera le rédacteur-en-chef une vingtaine d'années plus tard. Dans le premier numéro de la revue, le ton alternatif est clairement affiché : « Depuis trop longtemps, les sujets juridiques ont été définis et débattus en termes de doctrine académique et non en fonction de stratégies relatives à un changement social[34]. » Noble ambition que l'étudiante de la petite bourgeoisie de Chicago va vraiment mettre en pratique en utilisant ses talents dans le secteur encore vierge du droit de l'enfant et, sur un plan plus pratique, dans l'aide juridictionnelle en faveur des justiciables issus de milieu défavorisé.

Comme Obama au même âge, elle a également été très influencée par les avocats spécialisés dans la défense des droits civiques. C'est auprès du comité de recherche des Étudiants en Droit civique qu'elle obtient à l'été 1970 une bourse en vue de rejoindre Washington pour travailler au profit de la Fondation de Marian Wright Edelman. Au sein de cet organisme, elle est chargée de surveiller les travaux d'une commission du Congrès, présidée par le sénateur et futur vice-président Walter Mondale, sur les conditions de vie et de travail des immigrés latino-américains aux États-Unis. Cette expérience lui permet l'été suivant de trouver un stage au cabinet Treuhaft, Walker et Burnstein d'Oakland en Californie, très gauchisant, spécialisé dans la défense des droits

---

34. Carl Bernstein, *A Woman in Charge*, p. 66, Arrow Books, 2007.

civiques des minorités et qui a accru sa notoriété en défendant des militants des Black Panthers.

En 1973, Hillary sort diplômée Juris Doctor de Yale. Elles ne sont qu'une trentaine de jeunes femmes à être diplômées sur un peu moins de 200. S'il y a bien un domaine où elle se refuse a priori de s'investir, c'est dans la finance. Gagner de l'argent ? Pour de grosses boîtes ? Puisqu'elle est déjà très amoureuse de Bill, elle décide de passer les épreuves du barreau de Washington D.C et de l'Arkansas. Elle ne fait pas partie des reçus dans la capitale fédérale (551 admis sur 817 candidats) mais elle réussit à Little Rock. Tout au long des trois décennies suivantes, elle ne se vantera pas de ce piètre résultat. Jusqu'à son autobiographie en 2003 où, sans revenir sur son échec à D.C, elle écrit allusivement : « Sans doute mes résultats essayaient de me dire quelque chose », comme s'ils lui indiquaient le chemin du cœur vers l'Arkansas…

Tout au long de ses années professionnelles au cabinet Rose de Little Rock, Hillary est une avocate consciencieuse mais laborieuse. La première affaire dont elle s'occupe seule concerne la plainte d'un consommateur qui a trouvé une moitié de rat dans une boîte de conserve de porc aux haricots. Mais sa plaidoirie, bien que solidement étayée, manque de conviction et de travail de persuasion avec le jury. Si bien que ce dernier n'accorde que de faibles dommages et intérêts. À la suite de ce procès, le cabinet Rose lui confie le moins possible d'affaires devant être plaidées devant des jurés mais bien d'autres, essentiellement dans le registre des contentieux commerciaux, dans le cadre très prisé des procédures de conciliation. Mais c'est bien cette même avocate qui se voit couronner, en 1988 puis en 1991, par le National Law Journal dans son palmarès des 100 avocats les plus influents du pays. Si elle n'avait été qu'Hillary Rodham et non Mme Clinton, il est probable que son nom n'aurait pas été retenu. Malgré tout, son combat pour la féminisation de la profession a été des plus remarqués. C'est aussi pour honorer un tel parcours que cette organisation lui a décerné en 2013 la plus haute distinction honorifique de la profession[35]. Pour

---

35. *The Washington Post*, 28 juin 2013.

les amateurs de coïncidences, le classement 1991 des 100 avocats les plus influents des États-Unis distinguait aux côtés d'Hillary un homme de loi de Washington, qui se fera connaître quelques années plus tard en tant que procureur spécial chargé d'enquêter sur le scandale Monica Lewinsky : le fameux Kenneth Starr[36].

Une femme avocate, mariée à un Attorney General de l'Illinois réputé pour sa vie conjugale mouvementée ? Les créateurs de la série télé américaine « *The Good Wife* » diffusée depuis 2009 sur CBS et diffusée en France sur les chaînes Téva et M6, reconnaissent s'être inspirés de la vie du couple Clinton[37]. Les nombreuses références à la carrière d'Hillary ou à l'impact qu'elle a eu en tant que First Lady et femme politique sont délibérées. C'est ainsi que dans la série, une photo d'Hillary orne le bureau de Diane Lockardt, la partenaire de l'avocat Will Gardner dans le cabinet qu'ils dirigent tous les deux. Dans la saison 5, Diane Lockhardt qualifie l'avocate Alicia et son mari devenu gouverneur de « Clinton sous stéroïdes » ! Dans un autre épisode de cette saison, Alicia compare même son mariage à celui de Bill et Hillary sur le thème de « lui, c'est lui et elle, c'est elle, chacun fait ce qu'il veut ». L'actrice Julianna Margulies, qui joue l'avocate Alicia Florrick dans la série, avait déclaré au début du tournage des premiers épisodes qu'elle n'arrivait pas à croire comment les femmes de ceux qui les trompent et restent à leurs côtés pouvaient être à ce point « de bonnes poires ».

36. Jeff Gerth et Don Van Natta, *Hillary Clinton, histoire d'une ambition*, p. 125, J.-C. Lattés, 2008.
37. Interview de Michelle et Robert King dans *BitterLawyer.com*, 4 janvier 2010.

David Axelrod, artisan depuis 1996

Le grand stratège des victoires de Barack Obama, depuis son élection au Sénat jusqu'à la présidentielle de 2008, s'était déjà fait remarquer par les Clinton dans les années 90. Il est aujourd'hui le doyen de l'école de Sciences politiques de l'université de Chicago, s'est retiré des affaires tout en gardant un œil sur l'agence de consulting politique, AKPD, qu'il a créée il y a près de 30 ans. Après l'avoir honni en 2008 pour avoir fait gagner Obama, les Clinton reconnaissent aujourd'hui son génie, on ne sait jamais…

Selon une documentation récemment rendue publique par la Bibliothèque présidentielle Clinton de Little Rock, David Axelrod a donné un coup de main décisif à la campagne de réélection de Bill en 1996[38]. À la mi-août, juste avant la Convention démocrate qui doit se tenir à Chicago, il n'est que l'un des nombreux consultants à phosphorer autour du président. Objectif, faire oublier que le premier mandat a été marqué par la victoire aux *midterms* des républicains, sous la houlette du terrible Newt Gingrich[39]. Lorsqu'on se représente, il faut donc retrouver un second souffle. Parmi les idées qu'Axelrod a retenues dans son mémoire de trois pages transmis à son ami et conseiller spécial du président, Rahm Emanuel, il y a ce petit bout de phrase destiné à forger le discours de Bill Clinton à la Convention : « bâtissons des ponts vers l'avenir ». Ce qui sera décliné sur plusieurs paragraphes dans le speech sous la formule : « Un pont vers le XXIᵉ siècle ». Le slogan fait mouche. Clinton se présente comme le candidat de l'avenir face au sénateur républicain, populaire mais vieillissant, Bob Dole. Clinton sera réélu, même si les démocrates, de leur côté au Congrès, ne retrouvent pas la majorité qu'ils avaient perdue en 1994. Le deuxième mandat sera tellement marqué par cette formule d'Axelrod que le Centre présidentiel Clinton, construit à Little Rock pour abriter ses archives

---

38. *The National Journal*, 28 mars 2014.
39. New Gingrich, président de la Chambre des Représentants de 1994 à 1999, après avoir ramené, pour la première fois depuis 1945, la totalité du Congrès aux mains des républicains.

et honorer son parcours, a été conçu sous la forme d'un pont au bord de l'Arkansas River. Il sera inauguré en 2004 en présence du tout-Washington[40].

Hillary Clinton connaît bien David Axelrod. Sans qu'il fasse partie de son premier cercle, il a apporté également des conseils précieux pour sa campagne sénatoriale de 2000 à New York. Elle avait essayé de le débaucher dès 2006 en prévision d'une éventuelle campagne présidentielle en 2008, mais Axelrod avait préféré se lancer aux côtés de Barack Obama. Elle savait que c'était un consultant de grand talent capable de faire élire des candidats tout à fait improbables. Sans doute l'a-t-elle sous-estimé lorsqu'il s'est mis au service d'Obama. La campagne menée contre elle a été très dure et Axelrod n'y est pas étranger. Lorsque Barack Obama, une fois élu, demande à ses proches ce qu'ils pensent de son idée de nommer Hillary au Département d'État, Axelrod fait partie de ceux qui incitent le nouveau président à la prudence. Malgré un travail en bonne intelligence, plus tard, entre la West Wing et l'équipe Clinton au Département d'État, il restera comme un clivage entre les clintoniens de la première administration Obama et ceux du clan de Chicago[41]. Dire qu'il ne reste rien de cette lutte et de ces différences serait mentir. La preuve, en août 2014, Axelrod a dû répondre du tac au tac sur Twitter à Hillary Clinton qui venait de critiquer sévèrement la politique étrangère du président Obama. L'ex-secrétaire d'État remettait en cause le principe édicté par Barack Obama selon lequel la politique étrangère américaine consistait à ne pas faire de «bêtises». Et Axelrod de répondre donc: «Ne pas faire de choses idiotes, c'est par exemple et d'abord ne pas envahir l'Irak, ce qui fut une erreur tragique[42].» Histoire de souligner s'il en était besoin le vote d'Hillary en faveur de la guerre en Irak en 2002…

---

40. François Clemenceau, *Le Clan Obama, les anges gardiens de Chicago*, p. 57, Riveneuve, 2013.
41. Ibid, p. 277.
42. *Politico*, 12 août 2014.

B

Bébé, le cadeau du ciel

Qui a pu croire une seconde qu'Hillary Clinton préférerait pouponner plutôt que de concourir à la fonction suprême une fois de plus ? En fait, cette petite Charlotte Clinton Mezvinsky née le 26 septembre 2014 est le plus beau cadeau que Chelsea pouvait faire à sa mère. Fille unique pour qui Bill et Hillary ont décidé de rester ensemble dans un rôle parental et protecteur, Chelsea sait combien sa mère a toujours été du côté des femmes et des enfants, deux catégories maltraitées par la vie. Chelsea connaît aussi cette volonté de relier les générations entre elles. Mais, à deux ans de l'élection présidentielle de 2016, rendre Hillary grand-mère est une chance dont la candidate s'est immédiatement saisie.

« Cette naissance est bien sûr intégrée dans le projet de campagne », estime ainsi l'historienne et experte de la société américaine, Nicole Bacharan. « D'un côté, cela peut rappeler aux Américains qu'elle n'est plus si jeune, de l'autre, cela l'humanise, la rend plus maternelle. On lui reproche de ne pas avoir cette empathie débordante qui caractérise son mari[43]. » C'est vrai qu'en 2008, elle avait eu beaucoup de difficultés à « connecter » avec les électeurs, surtout dans les circonscriptions semi-urbaines. Elle sourit, serre les mains, se livre aux *selfies*, mais dans une mécanique où on ne la sent pas totalement à l'aise. C'est l'une des raisons pour lesquelles ses conseillers ont justement fait appel à sa mère Dorothy Rodham et à sa fille Chelsea pour donner une touche plus humaine à ses meetings et à son argumentaire. Mais Hillary, à l'époque, ne voulait surtout pas qu'on la fasse passer pour un personnage faible afin qu'elle puisse mettre en avant son expérience du pouvoir et sa fermeté. De quoi faire la différence avec la « naïveté » d'Obama[44].

Mais là, grand-mère ? « Charlotte sera la porte-parole de campagne la plus jeune du monde », ironise le *Washington Post* qui a déjà décelé, cinq jours après la naissance du bébé, comment

---

43. Propos cités dans *Gala* le 16 octobre 2014.
44. *Time Magazine*, 29 septembre 2014.

sa grand-mère s'en sert déjà dans ses discours. À Miami, Hillary déclare en effet : « Je crois que ma petite-fille a exactement le même potentiel que Dieu confie à n'importe quel autre petit garçon né le même jour dans cette même maternité, je crois en cette égalité, c'est comme ça que j'ai été élevée[45]. » Maternité, féminisme, éducation, Hillary construit là-dessus pour ne pas faire oublier que l'on votera aussi en 2016 pour envoyer une première femme à la Maison Blanche.

Depuis la naissance de Charlotte, bien sûr qu'Hillary a été moquée par les humoristes qui lui ont tous déjà trouvé un surnom de grand-mère plus ou moins sympathique. Oui, cela marque son âge, mais cela lui permet aussi de mieux faire passer le message que la politique n'est pas une question de court-terme. Être présidente, c'est agir, non pas pour le temps d'un mandat mais pour réformer au bénéfice des générations à venir, à commencer par celle de Charlotte. Nul doute que la petite fera son apparition dans les meetings de sa grand-mère et à la Convention où les nominés ont l'habitude d'être entourés de leur clan élargi. Et à la Maison Blanche ? On avait connu le très jeune fils de Kennedy qui jouait à cache-cache dans le Bureau ovale. Tout le monde attend la petite Charlotte à la chasse aux œufs de Pâques du printemps 2017 dans les jardins de la South Lawn. À condition qu'elle aide d'abord sa grand-mère à gagner.

---

45. *The Washington Post*, 14 octobre 2014.

Benghazi, cauchemar en veilleuse

« Les républicains ne laisseront pas l'affaire Benghazi s'éteindre. » La remarque émane d'une collaboratrice d'Hillary Clinton[46]. Cela fait plus de 30 ans qu'elle travaille pour le Département d'État, une maison effroyablement endeuillée le 11 septembre 2012 par la mort de l'ambassadeur américain en Libye, Chris Stevens, d'un employé consulaire et de deux agents de la CIA. Selon un décompte officiel, au moins 66 diplomates dont quatre ambassadeurs et plus d'une centaine d'agents contractuels ont péri depuis le début des années 70 au cours d'attaques perpétrées par des terroristes. Alors pourquoi l'opposition au président Obama se focalise sur ces événements de Benghazi ? Est-ce parce que leur cible-fétiche, Hillary Clinton, est à la tête du Département d'État, l'employeur de Chris Stevens ? Est-ce parce qu'on est à quelques jours de l'élection présidentielle de novembre 2012 et que la réélection de Barack Obama est prioritaire par rapport à la moindre information qui laisserait entendre une négligence des services de sécurité ? S'il est exact que les premiers commentaires de l'exécutif, notamment ceux de l'ambassadrice américaine aux Nations Unies, Susan Rice, ont tous lié l'attaque à un mouvement de foule en colère contre la sortie d'un film antimusulman, c'est parce qu'ils ne soupçonnaient pas qu'il était possible à des forces djihadistes de se servir d'un tel événement pour y dissimuler une attaque terroriste le jour anniversaire du Nine Eleven, les attentats du 11-Septembre.

Mais il est faux de croire que ce qui était en réalité un attentat planifié aurait pu être évité. Pour les républicains, cette affaire n'a pas livré tous ses secrets et il faudra qu'Hillary, en 2016, s'expose davantage. Raison pour laquelle, cette dernière n'a pas attendu d'entrer en campagne pour livrer sa version sur une quarantaine de pages dans ses Mémoires[47]. Un livre dans le livre en quelque sorte pour celle qui veut faire de cet attentat un épisode du passé. « Sur

---

46. Entretien avec l'auteur, le 4 juin 2013.
47. Hillary R. Clinton, *Le temps des décisions*, p. 463-504, Fayard, 2014.

Benghazi, il n'y a pas eu de complot ni de grave erreur d'appréciation mais Hillary a été pénalisée par la lenteur du processus administratif.» Ce n'est pas son avocat qui parle ainsi mais un diplomate européen en poste à Washington qui a suivi cette affaire depuis le début[48]. La bureaucratie de l'appareil fédéral américain est en effet légendaire. C'est ainsi qu'on apprendra au cours des auditions au Congrès consacrées à cette affaire qu'il n'y avait pas d'US Marines affectés à la sécurité du consulat de Benghazi. Que l'ambassadeur Stevens n'avait pas notifié son déplacement de Tripoli à Benghazi à ses supérieurs hiérarchiques. Que les locaux de la CIA dans cette ville en rébellion contre le pouvoir central étaient surveillés puisque les terroristes les ont pris pour deuxième cible après avoir incendié le consulat. Toutes ces lacunes et ces dysfonctionnements seront dénoncés dans un rapport d'enquête commandé par Hillary Clinton elle-même dès le 20 septembre. Rédigé par l'ancien ambassadeur Thomas Pickering et par le chef d'état-major adjoint des Forces armées, l'amiral Mullen, il est remis aux autorités dans sa version déclassifiée le 19 décembre 2012. S'il accable lourdement les services du Département d'État chargés de la planification, de la coordination et de la gestion au quotidien de la sécurité des personnels diplomatiques, il rejette toute allégation selon laquelle l'attaque était prévisible et que les services de renseignement américains disposaient d'éléments d'alerte[49]. Le rapport blanchit Hillary Clinton.

Mais, cela ne suffit pas à calmer le jeu. Alors que l'enquête strictement policière et judiciaire menée par le FBI est encore en cours, les républicains exigent une commission d'enquête parlementaire qui permette d'aller au-delà des premières auditions menées par au moins sept instances différentes du Congrès. Devant l'une d'elles, au Sénat, le 23 janvier 2013, Hillary Clinton s'énerve. Trois semaines après avoir été admise à l'hôpital pour une commotion cérébrale, elle s'insurge contre les accusations selon lesquelles elle

---

48. Entretien avec l'auteur le 3 juin 2014.
49. Rapport Benghazi disponible sur http://www.state.gov/documents/organization/202446.pdf.

aurait délibérément minimisé l'attaque de Benghazi en ne la qualifiant pas immédiatement d'attaque terroriste. «Qu'importe de savoir s'il s'agissait ou non d'un attentat ou d'un mouvement de foule extrémiste, la réalité est que quatre agents américains sont morts et que le plus important est de faire en sorte que cela ne se reproduise pas»[50].

Le 28 décembre 2013, le *New York Times* publie le résultat d'une enquête de plusieurs mois menée en Libye par le correspondant du quotidien au Caire. Sa conclusion? Il était impossible aux autorités américaines d'impliquer al-Qaida ou toute autre organisation djihadiste dans les attaques de Benghazi. Car elles ont été menées par des milices qui avaient l'appui en 2011 des Occidentaux lors de leur intervention militaire en Libye. Mais il est incompréhensible, selon l'enquêteur que la vingtaine d'agents de la CIA présents à Benghazi n'aient jamais pu savoir ou comprendre qui étaient les alliés des États-Unis dans cet enchevêtrement de milices et de groupuscules présents en Libye depuis la chute de Kadhafi[51].

Le 8 mai 2014, la majorité républicaine à la Chambre des Représentants vote la création d'une Commission d'enquête parlementaire sur le dossier Benghazi. Les premières audiences ont commencé en septembre 2014. Le président de la Commission, Trey Gowdy est un jeune élu de Caroline du Sud et ancien procureur fédéral. Dès le 16 septembre, il fait savoir par un communiqué qu'il est prêt à prendre le risque «que des questions soient posées deux fois plutôt que de ne pas avoir de réponses» et qu'il utilisera tous les documents qui n'ont pas été encore rendus publics dans cette affaire. Le feuilleton n'est pas terminé et devrait servir de caisse de résonance lorsque la campagne présidentielle 2016 commencera dès le printemps 2015. Vous avez dit acharnement?

50. Intégralité de l'audience sur *C-Span, Benghazi Senate Hearing*, 23 janvier 2013.
51. David Kirkpatrick, *A Deadly Mix in Benghazi, The New York Times*, 28 décembre 2013.

Bill, le partenaire

Que peut-on encore apprendre aujourd'hui de Bill Clinton, fils de Hope dans l'Arkansas devenu président des États-Unis, réélu, et depuis quinze ans le patron de l'une des Fondations les plus puissantes de la planète ? Tout a été dit sur son génie, ses frasques, son charme et ses maladresses. Restent quelques anecdotes qui illustrent un peu de ce qu'il est vraiment et qui laissent deviner celui qu'il sera aux côtés de son épouse Hillary dans la campagne 2016 et peut-être à la Maison Blanche dans le rôle de First Gentleman…

Imaginez quelques brillants esprits français, jeunes quadras du début des années 1980 à qui l'on promet un bel avenir, raison pour laquelle, repérés par la *French American Foundation*, il a été décidé de les réunir avec des leaders américains prometteurs de tous les secteurs de la société. Alain Minc, côté français se souvient : « Lorsqu'on a vu ce type débarquer et nous dire qu'il serait le prochain président des États-Unis, cela faisait bizarre parce que, à nos yeux, c'était plutôt Bill Bradley qui nous paraissait bien parti pour être un jour président. » Il se trouve en effet que l'ancien champion de basket devenu sénateur démocrate du New Jersey fait partie du même petit groupe franco-américain cette année-là. « Résultat, tout notre petit monde faisait la cour à Bradley et non à ce grand gars rondouillard un peu neuneu. Pour nous c'était comme si le président du conseil général de l'Ariège prétendait prendre l'Élysée à la prochaine élection[52]. » À l'époque, Bill Clinton venait de se faire élire une deuxième fois gouverneur de l'Arkansas. Et l'organisateur de la rencontre, le professeur de sciences politiques francophile Ezra Suleiman, était persuadé que Bill et Hillary continueraient à progresser jusqu'au sommet. Dix ans plus tard, alors que Bill est confortablement installé à la Maison Blanche, Alain Minc croise la nouvelle ambassadrice des États-Unis à Paris, Pamela Harriman, nommée par Clinton. À Washington, elle avait présidé le comité Renaissance du Parti démocrate. « Elle m'a dit qu'elle

---

52. Entretien avec l'auteur le 12 août 2014.

avait sélectionné deux types pour la Maison Blanche, Bill Clinton et Al Gore. Et lorsque je lui avais demandé sur quel critère elle choisirait le bon, elle m'a répondu : sur la santé ! Parce qu'elle savait pertinemment le genre de solidité physique qu'il faut pour ce job, de la campagne à la présidence », raconte Minc.

Ezra Suleiman, lui, se rappelle évidemment de la performance de Bill Clinton en s'adressant aux séminaristes : « Je lui avais demandé de parler à la fin de notre rencontre de trois jours. Il m'a demandé quel était le sujet qui nous intéressait. Je lui ai demandé d'évoquer l'avenir du Parti démocrate dans la mesure où, avec Reagan à la Maison Blanche, on ne savait plus comment les démocrates pouvaient renverser le cours des choses. Il a tenu une heure et demie sans notes. Tout le monde était assez bluffé par cet homme politique qui avait beaucoup réfléchi tout en ayant les pieds sur terre[53]. »

En 1996, alors que Bill et Hillary connaissent un regain de popularité, un avion de ligne s'écrase au décollage de Kennedy Airport à New York. Il y a 48 passagers français à bord, ce qui explique la volonté de l'ambassadeur français de l'époque, François Bujon de l'Etang de se rendre sur place. « Ils m'ont embarqué à bord d'Air Force One », se souvient-il. « Sur place, dans un hangar, Clinton a reçu les familles. Pour les Français, il m'avait demandé de jouer l'interprète. Ça a duré trois heures. Je n'avais jamais vu ça. C'était le magnétiseur du village. Il prenait les personnes dans ses bras et les gens repartaient après en se sentant mieux[54]. »

Le 7 juillet 2005, le ministre français des affaires étrangères, Philippe Douste-Blazy, est en poste depuis quelques semaines seulement. Il est à New York pour une visite aux Nations unies et demande à l'ambassadeur français Jean-David Levitte de lui organiser une rencontre avec Clinton. « Nous sommes allés un matin à Chappaqua. Il nous a ouvert en pantoufles avec son mug de café à la main et en polo jaune », raconte l'ancien ministre qui deviendra un ami du couple après avoir popularisé auprès de Bill

---

53. Correspondance avec l'auteur le 7 août 2014.
54. Entretien avec l'auteur le 11 juin 2014.

l'idée d'une taxe sur les voyages en avion pour financer la lutte contre les maladies tropicales. « On est restés trois heures et demie ensemble. Il me faisait penser à un athlète qui pourrait être médaillé aux Jeux Olympiques mais dans l'impossibilité de concourir[55]. »

Car c'est bien là le drame et en même temps la force de Bill Clinton depuis qu'il a quitté le pouvoir. Champion inexploité, il se donne à la fois sur le terrain humanitaire et social grâce à la Fondation qu'il a créée et qu'il préside avec Chelsea et Hillary. Tout en se rendant omniprésent pour aider son parti, ses élus et ses candidats à gagner les compétitions électorales. « Son charisme est extraordinaire », enchaîne, insatiable, Douste-Blazy. « Quand il rentre dans une pièce, même lorsqu'il y a 3.000 personnes, tout le monde s'arrête de parler. Je suis allé voir Bill à la Convention démocrate de Charlotte en 2012. Ce qu'il a réussi, l'inversion du mouvement en faveur d'Obama qui devenait menacé face à Romney, c'était du grand art. En une heure de speech, il a sauvé Obama de la défaite. »

Et maintenant ? Le pacte qui le lie à Hillary l'oblige à la servir. Mais il va falloir probablement modifier un peu le jeu de fond de court. En 2008, en effet, Bill avait été surpris à plusieurs reprises en flagrant délit de maladresse et de coup bas, notamment à l'égard d'Obama. Ce fut évident en Caroline du Sud lorsqu'il avait comparé la victoire du sénateur de l'Illinois à celle de Jesse Jackson dans les années 80, comme si le rival d'Hillary n'était capable de gagner que dans des circonscriptions à majorité noire. Ce qui relevait en fait d'un délit de faciès indirect. En 2012, c'est vrai qu'il a beaucoup aidé Barack Obama pour se faire réélire. En 2016, il faudra attendre et voir le profil des prétendants démocrates pour les primaires puis quel est celui des républicains avec un potentiel pour l'emporter. Attention, Bill n'avait pas vu venir Obama en 2008.

Le stratège des victoires républicaines de George W. Bush, le redoutable Karl Rove, relevait en mai 2014, à l'appui d'un sondage, que pour 40% des Américains Hillary n'apporte pas

---

55. Entretien avec l'auteur le 8 juillet 2014.

de «nouvelles idées» au débat politique[56]. Ce qui, par ricochets visait à atteindre son mari Bill dont elle défend l'héritage économique et social. S'il se trouvait à gauche comme à droite un nouvel Obama qui surgisse un peu au dernier moment, l'expérience de Bill devra céder la place à de nouveaux instincts afin de ne pas rééditer les erreurs d'il y a huit ans. En est-il capable? Il aura 70 ans en août 2016, juste avant la Convention qui sacrera le champion ou la championne des démocrates pour la bataille finale. Avec le nom qu'il porte, il sera accusé avec Hillary de vouloir perpétuer une ambition tout en dissuadant les autres talents d'émerger. Car si Hillary était finalement nominée, élue et réélue, les Américains auront eu seize ans de Clinton à la Maison Blanche sur trente-deux[57]. Cette course n'est donc pas gagnée. Bill le sait. Et il est encore très difficile de savoir si l'enjeu de cette élection l'excite ou s'il est un peu blasé. Hillary compte tellement sur lui. Comment cette fois-ci ne pas la décevoir?

---

56. Tribune dans le *Wall Street Journal* du 28 mai 2014.
57. Doug Henwood, *Stop Hillary! Vote no to a Clinton Dynasty*, Harper's *Magazine*, octobre 2014.

Bill de Blasio, le maire utile

Le mercredi 1ᵉʳ janvier 2014, parmi les nombreuses personnalités invitées à la cérémonie d'investiture du nouveau maire de New York, il y en a deux qui sont particulièrement ravies d'être là. Celui qui officie pour recevoir la prestation de serment de Bill de Blasio, sur une Bible ayant appartenu à Franklin Roosevelt, n'est autre que Bill Clinton. L'autre, qui danse sur des airs de Marvin Gaye et de Daft Punk, s'appelle Hillary Clinton. Il faut dire que ces deux-là ont soutenu efficacement leur poulain durant la campagne et qu'ils savent désormais pouvoir compter sur un ami précieux à la tête de la première ville des États-Unis[58].

Bill de Blasio est un démocrate de l'aile gauche du parti. Fils d'un descendant d'immigrés allemands et italiens, élevé dans le Massachussetts, il a fait ses études supérieures à l'université de Columbia à New York avant de s'engager dans des programmes de solidarité avec la résistance nicaraguayenne du temps des sandinistes contre lesquels luttait le gouvernement de Ronald Reagan. L'homme a franchi tous les échelons. Patron des services du logement social pour New York et le New Jersey, puis conseiller municipal de Brooklyn réélu deux fois, il devient médiateur de la ville de New York en 2008. Entre-temps, il a été le directeur de campagne du Représentant Charlie Rangel, l'une des grandes voix de la communauté noire à New York. Mais en 2000, il s'est surtout illustré comme la cheville ouvrière de la campagne d'Hillary Clinton pour le Sénat. «Bill de Blasio se révéla un stratège hors du commun en même temps qu'un émissaire de toute confiance dans les nombreuses communautés de New York», écrit gentiment Hillary dans son autobiographie.

Marié à Chirlane McCray, une activiste noire dont la famille est originaire de la Barbade, Bill a passé son voyage de noces avec elle à Cuba, l'une des destinations les moins politiquement correctes pour un Américain. De Blasio a fait campagne pour la mairie de New

---

58. *The New York Times*, 1ᵉʳ janvier 2014.

York sur des thèmes assez populistes qui visaient essentiellement son prédécesseur, le milliardaire indépendant Michael Bloomberg. Il s'adresse à ceux qui n'ont pas pris le train en marche : travailleurs pauvres, petits patrons, victimes de la spéculation immobilière et de la vie chère, citoyens des quartiers périphériques[59]. Un axe de campagne traité et alimenté par le travail de l'agence de consultants politiques AKPD fondée par David Axelrod, l'architecte des victoires de Barack Obama et que connaît bien Hillary[60].

Si les Clinton ont la réputation d'être des centristes dans l'âme, pourquoi avoir pris fait et cause pour ce « gauchiste » pas franchement repenti ? Par fidélité pour l'ancien directeur de campagne d'Hillary en 2000 ? Pour se remettre dans le vent de l'histoire, sachant que New York a mal vécu la politique par trop libérale et trop clémente vis-à-vis de Wall Street de Michael Bloomberg ? Les deux certainement, mais surtout pour être du côté de ceux qui, dans le Parti, essaient de remettre à l'ordre du jour une plateforme de lutte contre les inégalités. Surtout dans cet État qui fut son fief de sénatrice, réservoir considérable de voix pour les démocrates. Quitte à ce qu'il y ait un peu d'incompréhension, le jour de l'inauguration de De Blasio, à voir débarquer les Clinton à New York en jet privé en provenance directe de République Dominicaine où ils passaient des vacances[61]. On ne se refait pas.

---

59. *Le Journal du Dimanche*, 9 septembre 2013.
60. *Chicago Sun-Times*, 31 décembre 2013.
61. Amy Chozick, *Planet Hillary*, *The New York Times Magazine*, 24 janvier 2014.

Bin Laden, en avoir ou pas

Hillary a su tenir le secret pendant deux mois. Entre le moment où le patron de la CIA, Leon Panetta, annonce à la Secrétaire d'État qu'il tient une piste sérieuse sur Bin Laden et l'annonce par Barack Obama aux quatre anciens présidents des États-Unis, dont Bill Clinton, que l'ennemi N°1 de l'Amérique est mort, il s'est écoulé huit semaines. Parmi les plus intenses dans la vie d'Hillary. Une longue période qui a permis de tester sa capacité au secret et son courage politique. Deux outils indispensables pour tout candidat aux fonctions de *Commander in chief*.

Il est intéressant de noter que la discussion qui a commencé à la mi-mars dans la Situation Room de la Maison Blanche coïncidait avec celle du débat interne sur l'intervention en Libye. Si Hillary était partagée sur les raisons et les modalités d'entrer en guerre pour protéger les populations civiles libyennes, elle a été très vite convaincue qu'il fallait oser capturer Bin Laden. Elle connaissait pourtant les risques de l'échec opérationnel et celui d'envenimer tragiquement la relation avec le Pakistan, où se cachait le chef d'al-Qaida, pays avec lequel elle avait essayé tant bien que mal de renouer des liens de confiance. «Lors du raid pour capturer Bin Laden, alors que Biden et Gates étaient contre, elle a fait partie de ceux qui ont dit «il faut y aller». Elle a essayé à ce poste d'être fédératrice car cela renforçait son pouvoir.» Le diplomate français qui s'exprime ainsi fait allusion au clivage qui a régné quelques jours entre les membres du Conseil de sécurité nationale autour de Barack Obama[62].

Bob Gates, qui avait été maintenu à la direction du Pentagone après avoir servi dans ces mêmes fonctions les deux dernières années de la présidence de George W. Bush, et qui avait été informé le premier de la piste Bin Laden, était contre le raid. Trop risqué. Il préférait un bombardement, quitte à ce que l'on apprenne par la suite que Bin Laden n'était pas dans le compound d'Abbotabad.

---

62. Entretien avec l'auteur le 11 juin 2014.

Le vice-président Joe Biden, de son côté, était sceptique. Hillary, elle, a conclu que « la possibilité de réussite l'emportait sur les risques[63]. » Le 28 avril 2011, lorsqu'il fallut se décider à lancer le raid, l'équipe de la War Room était toujours divisée. Bob Gates a fini par se rallier. Il écrira plus tard dans ses Mémoires : la décision du président de donner le feu vert aux Navy Seals « est l'une des décisions les plus courageuses dont j'ai jamais été témoin à la Maison Blanche[64]. »

De cette après-midi-là du dimanche 1er mai 2011, le jour de l'assaut qui avait été repoussé d'une journée pour cause de mauvais temps, il ne reste qu'une photo. Prise par le photographe attitré de la présidence Obama, Pete Souza, elle a fait le tour du monde. Contrairement à ce que l'on croit, la scène ne se passe pas dans la Situation Room mais dans une petite salle attenante où l'on pouvait à cette heure-ci suivre le déroulement du raid par liaison image satellitaire. Si l'on y voit Hillary au deuxième plan sur la droite, la main sur la bouche, c'est parce que l'équipe qui s'est agglutinée aux côtés du président vient d'apprendre que la queue de l'un des deux hélicoptères Black Hawk transportant les commandos vient de percuter le mur d'enceinte de la résidence. Le plus dur ensuite a été d'attendre le résultat de l'assaut à l'intérieur du bâtiment car il n'y avait plus de liaison vidéo avec les Navy Seals chargés de capturer Bin Laden.

Malgré l'élimination du commanditaire des attentats du *Nine Eleven*, dix ans après les attentats du 11-Septembre, l'opération Neptune Spear peut être qualifiée de succès. Elle aura aidé le président Obama à se faire réélire. Elle est à inscrire au palmarès du courage politique de celles et ceux qui l'ont approuvé sans réserve.

Même s'il est assez étrange qu'on ait pas beaucoup entendue Hillary Clinton lors de la parution, en décembre 2014, du rapport du Sénat sur l'usage de la torture entre 2001 et 2009, période au cours de laquelle la sénatrice de New York se doutait bien des

---

63. Hillary R. Clinton *Le temps des décisions*, p. 242, Fayard, 2014.
64. *The New York Times*, 7 janvier 2014.

méthodes employées par la CIA pour retrouver la piste d'Oussama Bin Laden. Si Hillary a approuvé la dé classification de ce rapport, elle a mis en garde contre toute poursuite des agents de la CIA « qui obéissaient aux ordres »…

Bosnie, le souvenir qui tue

Le 17 mars 2008, alors que la campagne des primaires démocrates bat son plein, Hillary Clinton veut une fois de plus tenter de faire la différence avec son adversaire Barack Obama. Notamment sur le terrain de la sécurité nationale. Au-delà de ses cinq années passées au Sénat à la Commission des Forces armées, Hillary essaye de montrer que sa vie de First Lady à la Maison Blanche a également été riche en enseignements sur le plan diplomatique et militaire. L'homme qui la présente au public venu l'entendre dans un amphi-théâtre de la George Washington University s'appelle Togo West. Il a servi au Pentagone et aux Anciens combattants au cours de la présidence Clinton et il se trouve qu'il a accompagné Hillary en Bosnie en 1996. Un déplacement pour soutenir le moral des troupes américaines venues consolider les accords de Dayton. Togo West rappelle que le terrain était encore dangereux, qu'on se battait encore, notamment à Tuzla, où le C-17 qui transportait Hillary et sa fille Chelsea, devait atterrir.

Est-ce la fatigue de la campagne? Le besoin d'embellir, comme en d'autres occasions, la réalité. Toujours est-il qu'Hillary s'installe au micro et enchaîne. Probablement que rien n'est écrit, même si le discours qui va suivre sur l'Irak a dû être soigneusement préparé par son équipe de conseillers diplomatiques. Mais Hillary enchaîne donc, tout sourire : « Oui, je me souviens d'avoir atterri sous le feu des snipers. Il devait y avoir une petite cérémonie d'accueil sur le tarmac de l'aéroport mais nous avons dû courir la tête baissée », précise-t-elle en mimant le geste du bras, « pour embarquer dans les voitures qui nous ont emmené jusqu'à la base[65]. »

En moins de quelques heures, la plupart de ceux qui ont vécu ou couvert cette visite de Tuzla douze années plus tôt font savoir que la petite phrase ne correspond en rien à la réalité. Les chaînes de télévision ont vite fait de retrouver les images d'archives où

---

65. Propos tenus par Hillary Clinton à la GWU, Washington D.C, le 17 mars 2008, *The American presidency project*.

l'on voit Hillary et Chelsea, habillées chaudement, sortir de la queue de l'appareil et marcher lentement vers un comité d'accueil. Ni coups de feu, ni course vers les véhicules blindés. La petite phrase est encore moins compréhensible qu'elle ne colle même pas à la version officielle qu'Hillary et ses collaborateurs ont publiée dans son autobiographie parue cinq ans plus tôt. « Au-dessus de la piste, le capitaine vira en piqué et effectua un atterrissage presque à la verticale pour éviter d'éventuels tirs au sol. (…) Des rapports faisant état de la présence de snipers dans les collines qui entouraient la piste nous obligèrent à écourter une cérémonie organisée avec des enfants sur le tarmac[66]. »

Hillary sera obligée, au bout de quelques jours, de se dédire. Son entourage prétextera une confusion due au rythme soutenu de la campagne. Mais les critiques, en provenance du camp Obama et des Républicains, n'hésiteront pas à mettre plutôt ce mensonge sur le compte de la capacité des Clinton à « s'arranger avec la réalité » pour marquer des points. Cela n'empêchera pas le président Obama de nommer Hillary Clinton au Département d'État, ni à cette dernière de faire preuve de courage physique et politique par ailleurs.

---

66. Hillary R.Clinton, *Mon histoire*, p. 422, J'ai Lu, 2003.

David Brock, le glaive devenu bouclier

Il a tout fait il y a vingt ans pour démolir les Clinton. Il veut tout faire maintenant pour faire élire Hillary. David Brock est un cas à part dans la caste médiatique américaine. De ceux qui avouent ouvertement s'être trompés. Pire encore, d'avoir été manipulés. Et plutôt que d'en rester là à cuver son amertume de ne pas avoir répondu aux critères de l'éthique, cet homme veut réparer. Faut-il le croire, questionne le *New York Times*, lorsque Brock publie en 2002 un livre-confession où il détaille par le menu le complot dont il a été un des acteurs pour se débarrasser du président démocrate et de son épouse[67] ?

Lorsqu'il publie en 1994, dans la revue de droite *The American Spectator*, une enquête à charge sur les frasques sexuelles de Bill Clinton du temps où il était gouverneur de l'Arkansas, article qui débouchera sur les révélations de Paula Jones et sur le scandale Monica Lewinsky, Brock est déjà connu comme un reporter d'investigation clairement identifié à droite. Né à Washington en 1962, puis recueilli par des parents adoptifs catholiques et conservateurs qui l'ont élevé dans le New Jersey, Brock entame sa carrière dans une publication du groupe *Washington Times*, clairement engagée derrière les groupes les plus conservateurs de la capitale. David Brock se fait connaître du grand public en publiant dans *The American Spectator*, un article démolissant la crédibilité de Anita Hill, une assistante du juge conservateur à la Cour Suprême, Clarence Thomas, qu'elle accuse de harcèlement sexuel. Est-ce dans les mois qui ont précédé cette enquête au vitriol que Brock a été « pris en charge » dans un début de complot visant les Clinton ? Oui, mais probablement sans vraiment qu'il en soit conscient. L'homme qui l'a invité à enquêter sur la piste des gardes du corps du gouverneur Clinton, soi-disant obligés de protéger sa vie extra-conjugale, n'est autre que Cliff Jackson, un ancien camarade de

---

67. *Sorry about that*, critique le 24 mars 2002 du livre de D. Brock, *Blinded by the Right, the Conscience of an ex-Conservative*, Crown Publishers, 2002.

Bill Clinton devenu l'un de ses rivaux républicains dans l'Arkansas. Brock fait alors du journalisme partisan mais reste à son compte et ne doit rien à personne. En revanche, dans les mois qui suivent, il devient carrément payé comme « un tueur à gages » par un millionnaire conservateur, Richard Mellon Scaife, en le chargeant de déterrer tout ce qu'il pourrait trouver comme horreur sur les Clinton dans le seul but de ruiner leur présidence. Plusieurs élus républicains sont de mèche dans cette conspiration qui répond au nom de code de « *Arkansas Project* ». Même sur son répondeur téléphonique, à cette époque, il y avait un message disant : « Je ne suis pas là, très occupé à faire tomber le président[68] »... Dans une lettre d'excuses adressée plus tard à la First Lady, le journaliste laisse entendre, comme il le racontera plus tard dans son livre *Blinded by the Right*, qu'il était uniquement motivé par l'appât du gain et la notoriété.

Lorsqu'il commence à s'apercevoir des dégâts et de la férocité destructrice de ses commanditaires, Brock change de cap. En 1997, il publie une biographie d'Hillary plutôt aimable à l'endroit de la Première Dame. Dans la foulée, il écrit un article pour la revue masculine haut de gamme *Esquire*, dans lequel il décrit les travers de ses enquêtes précédentes, les coups tordus, les accords louches, les dessous-de-table pour enquêter à charge, bref la confession d'un repenti[69]. En 2004, Brock fonde une organisation baptisée *Media Matters for America*, visant à signaler et corriger toutes les erreurs publiées dans la presse conservatrice sur le projet progressiste aux États-Unis, ce qui inclut toutes les filiales au sens large du parti démocrate. Brock se définit désormais comme un démocrate conservateur. Cela tombe bien, c'est à peu près la philosophie des Clinton mais surtout d'Hillary. À cette époque, il affiche également son homosexualité et sa vie en couple avec un restaurateur à la mode de Washington.

En 2008, Brock fait travailler sa machine *Media Matters* au service unique de la candidature d'Hillary, ce qui fait enrager

---

68. *New York Magazine*, 22 mai 2011.
69. D. Brock, *Confessions of a Right-Wing Hit Man*, *Esquire*, juillet 1997.

l'équipe de Barack Obama. Si bien que pour corriger le tir à nouveau, après l'échec d'Hillary, Brock se met au service de la campagne de réélection du président. En 2010, il fonde American Bridge, un Comité d'Action politique (Super-PAC) dont la loi autorise désormais des levées de fonds quasi-illimitées dès lors qu'ils sont « indépendants » des campagnes officielles des candidats. Le nom de l'organisation rappelle le discours de Bill de 1996 avec son « pont vers le XXIe siècle ». En 2014, tout naturellement, David Brock rejoint avec armes et bagages la machine Hillary.

Il fut une époque où Bill Clinton avait fait acheter des dizaines d'exemplaires de *Blinded by the Right* pour les distribuer à ses visiteurs dans son bureau de New York. Brock ne s'est pas converti du jour au lendemain aux idées des Clinton. Il reste attaché à certaines valeurs conservatrices aujourd'hui partagées par nombre d'électeurs démocrates. Mais il voulait réparer le tort causé avec des armes qu'il connaît par cœur, dirigées contre des milieux dont il connaît les méthodes de l'intérieur. Aujourd'hui, *Media Matters* n'invente pas de cabales pour démolir tel ou tel élu de droite mais répond point par point, comme un métronome, à chaque attaque visant la gauche américaine. Avec argumentaire, chiffres, rappels historiques et sources crédibles à la clef. À l'inverse du travail produit par le comité *American Crossroads*, créé par Karl Rove, le grand « architecte » des victoires de la famille Bush. En mai 2014, par exemple, Brock est monté à la charge contre les allusions de Rove suggérant qu'Hillary Clinton n'avait pas la santé nécessaire pour affronter l'élection de 2016[70]. Comme le dit Paul Begala, grand ami des Clinton et conseiller en chef de la campagne victorieuse de Bill en 1992 : « Brock s'est désormais rendu quasiment indispensable aux campagnes des mouvements progressistes. Ce fils de p... a rarement tort[71]. » Dans sa bouche, le compliment vient de loin.

---

70. *Politico*, 16 mai 2014.
71. *New York Magazine*, op.cit.

Bush, et si c'était Jeb ?

L'équation est la suivante : vous avez en face de vous une femme décriée et polarisante mais qui a accumulé en trente ans de vie publique suffisamment d'expérience pour faire face aux tempêtes que l'Amérique affronte régulièrement. Elle a de l'argent, beaucoup, des soutiens dans toutes les minorités qui comptent et dans la majorité de la classe moyenne. Qui peut donc battre Hillary ? À force de tourner la question par tous les bouts, le Parti républicain a fini par se retourner vers l'un de ceux qui cumulent presque le même genre d'avantages qu'Hillary, mais à droite : John Ellis Bush, d'où l'acronyme Jeb, frère cadet de George W. Bush, qui fut président de 2000 à 2008 et fils de George H.W. Bush qui fut le vice-président de Ronald Reagan puis lui succéda pour quatre ans avant de se faire battre par un certain Bill Clinton en 1992. Elles ne sont pas belles les dynasties ?

Le 16 décembre 2014, Jeb Bush a fini par se jeter à l'eau. En annonçant sur Facebook et Twitter qu'il avait bien réfléchi avec ses proches pendant le long week-end de Thanksgiving, il a confirmé ce que beaucoup pressentaient depuis quelques semaines. Dans la langage politique américain, « explorer activement une candidature » signifie que l'on commence par regrouper des soutiens et lever des fonds pour se lancer dans la course. Qu'est ce qui a fait pencher la balance ? Le 12 décembre, tout le monde a noté qu'il s'est rendu à Washington, au Capitole, pour s'entretenir avec le sénateur de l'Arizona, John McCain. Jeb aurait demandé au gagnant de la primaire républicaine de 2008 des conseils pour réussir à gagner la nomination sans faire de concessions aux rangs les plus conservateurs.[72]

« Jeb Bush coche les cases. Il a reçu un accueil positif des grands donateurs depuis que Christie traîne son affaire du Bridgegate comme un boulet », raconte au début juin 2014, l'un des spécialistes français de la politique américaine en poste dans la capitale

---

72. *The New York Times*, 12 décembre 2014.

fédérale[73]. Il fait allusion au gouverneur du New Jersey, Chris Christie. Beaucoup le voyaient favori de la présidentielle 2016 mais il s'est fait prendre en flagrant délit d'abus de pouvoir après avoir fait fermer le pont autoroutier qui relie le New Jersey à New York afin d'intimider des élus locaux qu'il suspectait de déloyauté. Quelles « cases » Jeb Bush, ex-gouverneur de Floride, 61 ans, « coche »-t-il ? Celles des qualités que l'on attend de tout candidat à la Maison Blanche : la notoriété, l'expérience, la capacité à fédérer son propre camp puis de rassembler au-delà sans s'aliéner les minorités. « C'est un modéré qui a compris quelles étaient les vulnérabilités du parti », explique le patron du Progressive Policy Institute, Will Marshall. « Il est capable d'élargir la carte électorale et sa famille a toujours été proche du monde hispanique. S'il parvient à gagner 40% du vote latino, il pourrait devenir très compétitif. Hillary doit s'en méfier et considérer comme acquis que les républicains vont se corriger[74]. »

Ce que confirment à leur façon deux « papes » de la politique américaine de passage à Paris en décembre 2014. Pour E.J. Dionne, chroniqueur au *Washington Post* et chercheur à la Brookings Institution, « cela fait longtemps déjà que l'establishment du Parti républicain a basculé très à droite et il est probable qu'il finisse même par imploser sur la question de l'immigration », à moins précisément que Jeb Bush soit l'homme du compromis entre la droite et le centre du parti. Quant à Charlie Cook, dont le *Cook Report* s'arrache dans le tout-Washington, il pense que « Jeb Bush est théoriquement le meilleur pour aller marquer, comme dans le football, dans la *red zone* démocrate mais à condition qu'on le laisse faire tant la majorité de son parti est devenue farouchement conservatrice[75]».

Si en 2013 les Bush étaient restés à l'écart des premiers paris et des premières conversations sur 2016, c'est parce qu'il était encore un peu tôt et parce que deux femmes du clan avaient clairement fait savoir que ce n'était pas la même d'y penser. Barbara Bush, ex-First

---

73. Entretien avec l'auteur le 3 juin 2014.
74. Entretien avec l'auteur le 4 juin 2014.
75. Extraits d'un débat en présence de l'auteur, organisé par l'IFRI le 5 décembre 2014.

Lady entre 1988 et 1992 et qui n'a pas la langue sans sa poche, avait ironisé sur le côté ridiculement dynastique qu'une candidature de Jeb ferait inévitablement naître dans l'opinion. Deux Bush, ça va, mais trois… Columba Bush, l'épouse de Jeb, était également contre. Après avoir vécu dans l'ombre d'un gouverneur, d'un beau-père et d'un beau-frère président, elle n'aurait qu'une envie, celle de profiter davantage de son époux et de ses enfants dont l'aîné, George Prescott, est lui aussi mordu de politique.

Mais d'«amicales pressions» auraient conduit Jeb à céder à la tentation. Lui qui avait été pressenti par son père pour se présenter à la Maison Blanche en 2000, et qui avait laissé son frère George, gouverneur du Texas, y aller à sa place, se dit que l'occasion ne se représentera sans doute pas. Partout où il s'est rendu pour soutenir plus d'une trentaine de candidats dans la campagne des *midterms* en 2014, il a été très bien reçu[76]. Mais deux arguments continuent de se faire entendre à droite contre cette candidature présentée comme providentielle. «Jeb Bush, ça ferait trois fois Bush et puis il est quand même trop à gauche pour son parti», résume un ambassadeur occidental à Washington[77].

Autrement dit, les barons de la droite républicaine n'en peuvent plus des Bush. Le premier était l'homme des années Reagan dont les électeurs les plus jeunes ne se souviennent absolument pas. Et le deuxième, même s'il a été réélu, rappelle les heures noires des attentats du *Nine Eleven* et de la guerre en Irak qui ont causé tant de désolation. Quant à la tendance «trop à gauche» de Jeb, c'est clair que l'homme n'est pas de ces néoconservateurs qui ont entouré son frère. Jeb est plutôt centriste, notamment sur l'immigration du fait de sa coexistence avec une belle-famille mexicaine. Et s'il est très conservateur sur certaines valeurs comme le droit à la vie, il ne le sera jamais assez aux yeux du Tea Party dont le soutien ou la neutralité de ses responsables et élus est indispensable pour gagner.

---

76. Peter Baker, *The Bushes, led by W., Rally to make Jeb' 45'*, *The New York Times*, 26 octobre 2014.
77. Propos tenus en public le 26 août 2014.

Pour confirmer l'intérêt de Jeb pour la course, la presse a noté qu'en décembre 2014, il s'est rendu à Washington, au Capitole, pour rendre visite au sénateur de l'Arizona, John McCain. Jeb aurait demandé au gagnant de la primaire républicaine de 2008 des conseils pour réussir à gagner la nomination sans faire de concessions aux rangs les plus conservateurs.

Ajoutons à cela quelques casseroles : une épouse qui dépense 20 000 dollars de shopping en 1999 à Paris, des affaires financières pas très claires après avoir quitté le pouvoir, une fille arrêtée plusieurs fois pour détention de Xanax et cocaïne et pour excès de vitesse, son passé pas si neutre de gouverneur de Floride lorsque son frère George W. était au coude à coude avec Al Gore et qu'il avait fallu aller jusqu'à la Cour Suprême pour garantir des résultats en partie frauduleux[78]. Pour certains stratèges, tout cela n'est rien à côté du passif des Clinton en matière de scandales et il sera donc sage de ne pas viser en dessous de la ceinture si l'on veut conserver une campagne digne. Jeb est-il celui qui peut sortir le Parti républicain de sa léthargie, lui donner davantage que des sièges au *midterms*, la présidence ? Si les Américains oublient le nom de famille des candidats, pourquoi pas !

---

78. S. Mencimer, *23 Reasons why J. Bush should think twice*, *Mother Jones*, 9 septembre 2014.

C

Chappaqua, le refuge

Lorsque Hillary Clinton a su qu'elle allait briguer l'un des deux sièges de l'État de New York au Sénat, cela faisait plus de vingt ans qu'elle et Bill n'avaient plus de maison à eux. Oh les pauvres? Non, bien sûr. Vivre dans la résidence du gouverneur à Little Rock puis à la Maison Blanche avait énormément d'avantages purement matériels. Mais ce n'était pas « chez eux ». La maison de Chappaqua, à trois quarts d'heure de route au nord de Manhattan par l'Interstate 87, a été achetée, ironie de l'histoire, à un couple de républicains, en septembre 1999 pour 1,7 million de dollars. Ce village de moins de 2.000 habitants dans une agglomération d'à peine 10 000, est pourtant une municipalité démocrate, à 90% blanche, qui a voté deux fois Clinton à la présidentielle. Mais au cœur d'un comté républicain dont la représentante au Congrès a voté, elle, en faveur de la destitution du président après l'affaire Monica Lewinsky[79].

Chappaqua, située sur d'ancestrales terres indiennes de la tribu des Algonquins, a vu s'y installer en premier une communauté de Quakers en 1730. Le village s'honore d'avoir accueilli, un siècle plus tard, à l'arrivée du chemin de fer, Horace Greeley, le patron du *New York Tribune*, candidat à la présidentielle de 1872 et dont le nom a été donné au lycée public de Chappaqua, l'un des meilleurs de la région.

Personne n'a vraiment été choqué par le choix des Clinton. Ils avaient accumulé considérablement de dettes auprès de la légion d'avocats qui les avaient défendus devant la justice, mais ils avaient également, c'était attendu, signé des contrats d'édition pour leurs Mémoires respectives dont les avances se chiffraient en millions de dollars sur les doigts des deux mains. Autrement dit, ils avaient les moyens de vivre dans cet îlot de prospérité. Le revenu moyen par foyer à Chappaqua était à l'époque de 200 000 dollars par an et CNN Money l'avait classé dans le top 25 des villes dont les résidents gagnaient le mieux leur vie aux États-Unis. Ce n'est pas

---

79. *The Washington Post*, 4 septembre 1999.

un hasard si bon nombre de vedettes y ont élu domicile : les acteurs Ben Stiller et Alan Arkin, la comédienne Vanessa Williams, l'ancien entraîneur des Knicks, l'équipe de basket de New York, et même le gouverneur de l'État, Andrew Cuomo.

Au 15 Old House Lane, au fond d'une impasse, la maison des Clinton est une ancienne ferme de style «colonial hollandais» de la fin du 19e siècle. Elle comporte 11 pièces dont 5 chambres. Au rez-de-chaussée, le salon s'ouvre sur une grande bibliothèque, tandis qu'une pièce à vivre avoisinante donne sur une vaste cuisine familiale. Les chambres sont réparties sur deux étages. C'est au deuxième, dans une pièce transformée en bureau qu'Hillary Clinton a écrit ses deux livres de Mémoires (*Mon Histoire* et *Le temps des décisions*).

Dire que les Clinton mènent une vie simple à Chappaqua ne serait pas très crédible. L'un comme l'autre, ainsi que leur fille Chelsea, vivent sous la protection de gardes du corps du Secret Service qui disposent d'une grange aménagée au fond du jardin. Bill et Hillary sortent toujours en convoi et, même lorsqu'ils partent se promener à pied dans la campagne environnante avec leurs chiens, les anges gardiens ne sont jamais loin. Dans l'ensemble, les locaux estiment qu'ils se sont plutôt bien adaptés à leur environnement[80]. Mais leur notoriété n'a pas été au goût de tous. Le country club local a préféré ne pas les avoir comme membres en raison de l'attroupement que leur venue ne manquerait pas de générer. Si bien que Bill a dû aller jouer au golf dans un autre club à proximité dont le milliardaire Donald Trump est propriétaire[81]. En fait, les Clinton n'ont vécu entre 2000 et 2008 dans cette maison qu'à mi-temps. Tant qu'Hillary était sénatrice, elle résidait également à Washington. Une fois élue, le couple a acheté un autre pied-à-terre pour près de 3 millions de dollars au 3067 Whitehaven Street dans le quartier chic des ambassades et à deux pas de la résidence du vice-président des États-Unis. C'est là que le couple reçoit le plus souvent. Le sort de Chappaqua dépendra beaucoup de l'avenir des Clinton.

---

80. *The New York Times*, 29 mai 2012.
81. *BuzzFeed Politics*, 14 février 2013.

2014 y aura été l'année la plus calme et la plus studieuse pour Hillary malgré une pré-campagne présidentielle qui l'a emmenée aux quatre coins du pays. D'ici 2016, Chappaqua sera aussi un peu le refuge de Chelsea, qui vit à New York avec son mari, Marc, et leur bébé, Charlotte. Pour la grand-mère de la petite, on verra plus tard…

Chelsea, l'héritière

Lui en veut-on encore pour avoir signé en 2011 un contrat de 600.000 dollars par an avec la grande chaîne NBC ? À l'époque, le *New York Post* avait parlé de Chelsea Clinton comme d'une «enfant gâtée, une fille de riches parents qui la véhiculent dans la vie d'adulte grâce à leurs relations». Le tabloïd conservateur oubliait qu'une fille Bush et une fille McCain avaient également été embauchées pour quelque temps dans la même maison, afin de produire un talk-show et d'apporter leur point de vue sous forme de chronique. Mais bon, Chelsea a depuis rompu ce contrat, elle a poursuivi son travail à la Fondation Clinton dont elle est l'une des dirigeantes exécutives et, surtout, elle a fait un bébé avec son mari Marc Mezvinsky, l'homme de sa vie depuis qu'elle est adolescente et avec qui elle s'est mariée en 2010. Bref, une fille presque modèle pour une maman qui repart en campagne[82].

«J'espère que je serai une aussi bonne mère pour mon enfant, et peut-être mes enfants, que ma mère le fut pour moi.» Lorsqu'elle annonce le 17 avril 2014 qu'elle est enceinte, devant une foule de jeunes femmes venues participer à une réunion d'un social club du sud-est de Manhattan, Hillary est naturellement présente. La fille et sa mère sont presque fusionnelles. Et bien que le cordon ombilical ait été coupé il y a plus de 34 ans, Hillary a transmis à sa fille le virus de la politique, ou tout du moins du service public. Cette notion selon laquelle, lorsqu'on a la chance aux États-Unis de n'avoir manqué de rien et d'avoir été bien éduquée, il est bon de rendre à la communauté un peu de soi-même. Dès 2008, après avoir assisté à l'échec cruel de sa mère dans les caucus de l'Iowa face à Barack Obama, Chelsea a donc décidé de sillonner les routes des primaires démocrates pour faire campagne. Pas toujours avec sa mère. Parfois seule, pour parler à des publics de jeunes, pour aller un jour dans ce salon de coiffure improbable d'un *shopping mall* de l'Indiana afin de dire à des shampouineuses et des apprenties

---

82. *Politico*, 13 juin 2014.

coiffeuses combien il fallait s'accrocher et travailler dur pour mériter de prendre sa place dans le Rêve américain[83]. Comme l'écrit si bien l'éditorialiste Howard Fineman, « nous avons trois partis majeurs en Amérique aujourd'hui : les républicains, les démocrates et les Clinton ! Ce parti-là est dirigé par papa et maman avec une petite Chelsea. Cela fait douze ans qu'ils n'ont pas été au pouvoir mais ils veulent revenir au score[84]. »

Chelsea, c'est entendu, a tout d'une héritière qui n'a pas de souci majeur. Protégée comme jamais lors de ses huit ans passés à la Maison Blanche, préservée au cours des huit années qui ont suivi du fait de son éloignement de Washington pour cause d'études supérieures bien remplies, Chelsea a encore un immense avenir devant elle. Elle est dotée d'un nom populaire, d'un visage que les gens reconnaissent dans la rue, d'un compte en banque bien rempli grâce à son travail et à celui de son mari et d'une belle-famille un peu compliquée mais qui justement lui rappelle que la vie n'est pas rose pour tout le monde. « Cela en dit long sur Bill et Hillary, d'avoir réussi à élever une enfant équilibrée dans ce bocal qu'est la Maison Blanche », admet Kati Marton, journaliste et veuve du diplomate clintonien Richard Holbrooke[85]. Pour l'instant, il est assez exceptionnel qu'elle ait réussi à se préserver une vie de couple avec Marc Mezvinsky. Ce dernier, fils de Marjorie Margoulies, n'a pas attendu de voir Chelsea débarquer dans sa vie pour travailler à Wall Street et s'y faire une place de choix. Fort d'une licence de philo et d'études religieuses obtenue à Standford et d'un master de sciences politiques et économiques passé à Oxford au Royaume-Uni, il a travaillé chez Goldman Sachs et 3G Capital avant de monter son propre *hedge fund* avec des partenaires de son âge. Le fonds en question, Eaglevale, gère aujourd'hui plus de 400 millions de dollars[86].

83. F. Clemenceau, *Vivre avec les Américains*, p. 230, L'Archipel, 2009.
84. Tribune au *Huffington Post*, 25 avril 2012.
85. Citée dans l'article de Corinne Lesnes, *Chelsea, le nouvel atout des Clinton*, M le Magazine, 31 mai 2014.
86. *Institutionnalinvestor.com*, 25 juin 2013.

Chelsea aura-t-elle le temps de participer activement à la campagne 2016 si sa mère le lui demande? C'est probable car le vote jeune est essentiel pour Hillary. Obama l'avait obtenu sans effort en 2008. Aujourd'hui l'électorat des 18-35 ans sera très tenté, chez les démocrates, de jouer la carte de gauche qu'offrira inévitablement l'adversaire d'Hillary, et chez les républicains celle de Rand Paul ou de Paul Ryan, très convaincants auprès des jeunes avec leurs idées libertaires et leurs promesses d'apporter un peu de fraîcheur à Washington.

Et après? On verra bien. Si Hillary est élue, Chelsea aura le temps de voir venir ou de rebondir. Si sa mère est battue en 2016, ce sera peut-être le signe que les Clinton ont fait leur temps. Ou bien le signal d'une autre revanche ? Interrogée sur cet avenir politique, Chelsea avait répondu: «Aujourd'hui je vis dans une ville, un État et un pays où je soutiens mes représentants élus à tous les niveaux. Si, pour n'importe quelle raison, cela doit cesser parce qu'ils sont incompétents ou qu'ils me posent des problèmes sur le plan éthique, et si je pense que je peux apporter dans l'arène politique une vraie différence, comparable à celle que je suis fière d'apporter à la Fondation Clinton, alors il faudra que je me pose la question et que j'y réponde[87].» C'est avec ce genre de déclaration et de langue de bois que l'on peut s'ouvrir tous les horizons. Ce qui prouve que Chelsea est déjà une fine politique.

---

87. Citée par *Politico* le 27 septembre 2014.

Chine, les pieds dans le plat

Si elle est présidente, saura-t-elle tenir tête à Monsieur Xi ? Les chefs des deux premières puissances du monde composent, depuis l'émergence fulgurante de l'économie chinoise ces vingt dernières années, ce que les experts appellent maintenant le G2. Une relation d'obligés puisque les deux économies sont devenues totalement interdépendantes. Or, Hillary Clinton, aux yeux des Chinois en tout cas, n'est pas des plus accommodantes. Son discours de First Lady en 1995 sur les droits de l'homme est resté en travers de la gorge de bien des dignitaires. Quant à son dernier livre de Mémoires diplomatiques, aucun éditeur chinois n'a pris le risque d'en acheter les droits et le livre en langue anglaise a tout simplement été interdit à la vente en Chine.

« Dans la nouvelle économie mondiale, écrit-elle en 2003, les pays en voie de développement auront du mal à progresser, économiquement et socialement, si une part aussi importante de la population féminine demeure pauvre, privée d'éducation, en mauvaise santé et sans droits politiques. » Voilà le credo d'Hillary Clinton lorsqu'elle est désignée présidente d'honneur de la délégation américaine qui doit participer à la 4ᵉ Conférence mondiale des femmes de l'ONU du 4 au 15 septembre 1995[88]. Le contexte politique à l'époque entre Pékin et Washington n'est pas bon. Un dissident, Harry Wu, a été condamné pour espionnage et il n'a été expulsé vers les États-Unis qu'à condition que l'épouse du président américain vienne en Chine participer à la Conférence de l'ONU et s'abstienne de critiquer le gouvernement chinois. Ce qui, pour Hillary, est naturellement hors de question.

Le discours, prévu pour durer une vingtaine de minutes, a été corrigé une bonne dizaine de fois et jusqu'au dernier moment. Par les diplomates de la Maison Blanche mais aussi, au cours du long trajet en avion entre les États-Unis et la Chine, par Melanne Verveer, directrice de cabinet de la First Lady et par Madeleine

88. Hillary R. Clinton, *Mon Histoire*, p. 374-379, J'ai Lu, 2003.

Albright, ambassadeur de Bill Clinton aux Nations Unies et chef de la délégation. « Je ne voulais pas mettre mon pays dans l'embarras ou lui causer du tort (…) mais je ne voulais pas gaspiller non plus une chance exceptionnelle de faire progresser la cause des droits des femmes », écrit Hillary. Le 5 septembre, vêtue d'un tailleur rose, un peu stressée, elle s'avance vers le podium siglé des Nations Unies et se met à lire, sans trembler, son discours. Il faut attendre dix minutes avant que certains passages soient salués par des applaudissements nourris de l'assistance. « Notre objectif dans cette conférence, qui vise à renforcer les familles en donnant davantage de pouvoir aux femmes pour qu'elles prennent le contrôle de leurs propres destins, ne sera jamais atteint tant que les gouvernements, ici et partout dans le monde, n'acceptent pas de prendre la responsabilité de protéger et de promouvoir les droits de l'homme internationalement reconnus. Et ici, à Pékin, il est temps de dire au monde que les droits des femmes ne peuvent être séparés des droits de l'homme[89]. » Parmi ces droits, enchaîne Hillary, figure le droit de prévoir le nombre d'enfants que l'on veut et de planifier leurs naissances sans être obligées d'avorter ou de se faire stériliser.

Elle va même plus loin en insistant sur le droit des femmes et des hommes à pouvoir se rassembler librement pour s'exprimer librement. « Personne ne doit être obligé de se taire par peur d'être persécuté politiquement ou religieusement, arrêté, battu ou torturé[90]. » Pas franchement de quoi réjouir les dirigeants chinois qui avaient demandé à la délégation américaine de mesurer ses mots. Mais Hillary est célébrée par une « standing ovation », et de nombreuses déléguées se pressent autour d'elle pour la remercier d'avoir parlé haut et fort. Malheureusement, le discours n'a même pas été diffusé sur les écrans de télévision internes du lieu de la conférence et encore moins, il fallait s'y attendre, à l'extérieur. Il ne sera connu du très grand public qu'avec l'aide de l'ONU et des communicants du Département d'État et de la Maison Blanche.

---

89. *Women's Rights are Human Rights*, discours disponible sur le site *UN.org*.
90. *The New York Times*, 6 septembre 1995.

Hillary Clinton n'avait jamais vraiment pu voir de ses propres yeux les mécanismes d'une dictature où la censure et l'intimidation brutale vont de pair. A-t-elle péché par naïveté ? Ou fait preuve d'un courage politique peu commun face à la dureté « des sociétés contrôlées par l'État », et notamment ce communisme tant combattu par son père ? Vingt ans après, en route une deuxième fois vers la Maison Blanche, Hillary Clinton sait que son combat a fait des progrès depuis cette fameuse conférence de l'ONU. Mais à pas de fourmis. Pas seulement en Chine. Dans bien des pays africains ou arabes, le droit des femmes a reculé, le viol comme arme de guerre a augmenté, l'éducation des jeunes filles a stagné. Comme l'avoue un diplomate européen aux Nations Unies, « on va bientôt célébrer le 20ᵉ anniversaire de la conférence de Pékin mais on a peur que, si l'on convoque un nouveau sommet pour aller plus loin, certains participants en profitent, au contraire, pour qu'on revienne sur les acquis obtenus[91]. »

En 2009, lorsqu'elle débarque au Département d'État, Hillary Clinton sait que le dossier chinois est en haut de la pile. Le président Obama a clairement indiqué pendant sa campagne qu'il voulait réorienter l'Amérique vers l'Asie, le continent du XXIᵉ siècle, et singulièrement vers la Chine et son marché d'un milliard trois cent millions de consommateurs. Mais la patronne de la diplomatie américaine n'est plus cette Première Dame en tailleur rose qui donne des leçons à la Chine sur l'universalisme des droits. Certes, Hillary a gardé auprès d'elle Melanne Verveer, pilier de l'Hillaryland, en lui confiant un poste inédit d'ambassadeur extraordinaire sur les questions internationales touchant au statut de la femme. Mais sur l'économie et la sécurité nationale, il va vraiment falloir discuter avec ce partenaire qui, sur la plupart des sujets cruciaux, est en désaccord avec l'Amérique. Alors, c'est décidé, l'Asie sera sa première destination de Secrétaire d'État. Pour faire patienter les successeurs de Mao, la première escale sera pour l'allié japonais. La seconde pour l'Indonésie, le plus grand pays musulman au monde et où vécut Barack Obama enfant. La troisième pour la Corée du Sud,

---

91. Propos tenu en présence de l'auteur le 26 août 2014.

l'autre grand allié des États-Unis dans la région. Et la dernière pour la Chine afin de clôturer en beauté cette première tournée censée illustrer le fameux « pivot » vers l'Asie. Dans l'avion qui l'emmène de Séoul à Pékin, la diplomate-en-chef indique qu'elle abordera la situation des droits de l'homme en Chine mais que ce ne sera qu'un sujet parmi d'autres, le premier d'entre eux concernant la crise économique mondiale[92]. En 42 heures de visite, Hillary Clinton aura vu tout ce que le pouvoir communiste compte de dignitaires. Dans aucun discours public, elle n'évoquera le dossier des droits de l'homme. Elle a salué le nouveau dialogue militaire entre les deux pays, visité une usine, s'est rendu dans une église et participé à des forums. L'un d'entre eux s'est tenu le matin de son départ dans l'enceinte de l'ambassade des États-Unis à Pékin. Avec des femmes. Le clin d'œil était évident. Rien n'a été oublié.

Les Chinois n'oublieront pas non plus sa visite du printemps 2012 au cours de laquelle le dissident et avocat Cheng Guangcheng s'est réfugié au sein de l'ambassade américaine. C'est Hillary qui a supervisé la négociation de son exfiltration vers les États-Unis. Personne ne pourra donc dire qu'elle n'a pas payé de sa personne en évoquant le sujet en privé avec les dirigeants chinois. Dans le même temps, elle a surtout veillé à ce que le dialogue nécessaire avec la Chine soit couplé avec une approche de protection des alliés des États-Unis dans la région[93]. Si la présence économique et militaire américaine est aujourd'hui bien plus forte dans cette partie du monde, c'est à elle, notamment, qu'on le doit. « Le pivot vers l'Asie, c'est elle. Avec Kurt Campbell. C'est sa vision du monde émergent. Kerry ne l'a pas vraiment repris, il a moins de vision stratégique qu'elle[94]. » Ce commentaire d'un diplomate en poste à Washington n'est pas isolé. Kurt Campbell n'est autre que le fondateur du Center for a New *American Strategy*, un *think tank* dont les responsables sont des démocrates conservateurs qui ne veulent pas laisser aux républicains le monopole d'une diplomatie forte et agissante.

---

92. Kim Ghattas, *The Secretary*, p. 43, Picador, 2014.
93. *The New York Times*, 16 avril 2014.
94. Entretien avec l'auteur le 3 juin 2014.

Nommé Secrétaire d'État-adjoint pour l'Asie par Hillary, il a été la cheville ouvrière de cette politique de renforcement des liens entre Washington et les grandes capitales asiatiques.

Reste que les Chinois préféreraient probablement un président américain plus souple qu'Hillary Clinton, si d'aventure elle gagnait son pari de 2016. En censurant, depuis 2009, la plupart de ses déclarations ou prises de positions sur la Chine et les droits de l'homme, en interdisant *de facto*, par une forte pression auprès des éditeurs chinois, la traduction et la vente de ses Mémoires, Pékin montre que le principal créancier des États-Unis n'a pas de leçon à recevoir[95]. Encore moins d'une femme.

95. *The Christian Science Monitor*, 27 juin 2014.

CNN et Fox News, plateaux complices

Le couple Clinton doit beaucoup à deux stratèges devenus indispensables dans leurs campagnes comme dans les médias depuis plus de vingt ans. James Carville et Paul Begala ont été des recrues de choix pendant la présidentielle de 1992. Le premier est l'inventeur de la fameuse formule-slogan « *it's the economy, stupid* » qui permet à Bill Clinton de surfer sur les mauvais résultats économiques de la présidence de George Bush Sr. Longtemps conseiller à la Maison Blanche, il devient après le départ des Clinton de la présidence, un commentateur très recherché pour décrypter l'héritage politique du couple, la stratégie des démocrates et les ambitions d'Hillary. Son plateau favori est celui de la chaine tout-info CNN où il officie avec son compère Paul Begala. Au point que la chaîne se fait surnommer par les conservateurs le «Clinton News Network.» Carville, louisianais au franc parler (parfois incompréhensible dans ses chuintements et son débit sudiste), et Begala, natif du New Jersey mais élevé au Texas, formaient jusqu'à récemment un duo de contradicteurs face aux éditorialistes de droite, notamment dans l'émission *Crossfire* restée célèbre. Or voici qu'en février 2014, dans un mouvement de *mercato* qui coïncide avec l'entrée en pré-campagne d'Hillary Clinton, Carville quitte CNN pour passer chez l'ennemi : Fox News, la chaîne haut-parleur des conservateurs de tout poil aux États-Unis, notamment du Tea Party[96]. Une simple coïncidence ?

Qu'on n'aille pas croire que Carville se soit rendu à ses adversaires. La vérité est que Fox News, à deux ans de la campagne présidentielle 2016, avait besoin de rééquilibrer «à gauche» son pôle de commentateurs sur une antenne qui dévore les démocrates du matin au soir dans les talk-shows des vedettes réacs. Les plus connus s'appellent Bill O'Reilly, Sean Hannity ou Neil Cavuto, tous passés maîtres dans l'art de cogner sur la présidence Obama et ses alliés démocrates ou même sur les républicains jugés trop mous.

---

96. *Huffington Post*, 6 février 2014.

Vivement critiquée pour son bilan à la tête du Département d'État, Hillary Clinton s'était même fendue d'un tweet de soulagement en février 2014 lors d'une interview du président Obama par Fox News, en estimant que c'était « trop drôle de regarder Fox lorsque c'est quelqu'un d'autre que soi qui se fait tacler et plaquer[97]. »

Comment ne pas croire cependant que le camp Hillary bénéficie, avec le recrutement de Carville sur Fox, d'un atout formidable sur le plan médiatique. Ce fidèle viendra défendre les positions et la campagne d'Hillary. Son talent de contre-attaquant se révélera forcément précieux dès que la campagne deviendra impitoyable[98]. D'autant que Carville dispose d'autres cordes à son arc. Sur le plan personnel, ce n'est pas l'un de ces bobos de la côte Est qui flirte avec l'aile gauche du parti tout en regardant les cours de Wall Street. James est un fils d'institutrice et de postier, d'une famille de huit enfants et qui a servi dans le corps des Marines après ses études. Il est aussi le mari de l'une des plus brillantes consultantes du Parti républicain, Mary Matalin. Autrement dit, ce n'est pas un idéologue sectaire. Et s'il n'est pas d'accord avec le président Obama, il le dit sans s'en cacher. Faire gagner des présidentielles, Carville sait faire. Le succès de Tony Blair et du New Labour en 2001, c'est un peu lui. Et celui d'Ehud Barak en Israël deux ans plus tôt contre Benjamin Netanyahou, aussi.

Pour Paul Begala, les choses sont un peu différentes. Lui est resté fidèle à CNN où il défend du mieux qu'il peut dans ses commentaires le parti démocrate et l'administration Obama. CNN est une chaîne où officient sur les plateaux de débat de nombreux autres consultants démocrates. À 53 ans, 17 de moins que Carville, Begala est paradoxalement plus prudent et moins brut de décoffrage que son aîné. Probablement plus à gauche également, il n'en reste pas moins persuadé que les élections se gagnent au centre, raison pour laquelle il vénère les Clinton. Dès le mois d'avril 2012, alors que Barack Obama n'est même pas encore réélu et qu'il reste à Hillary encore une dizaine de mois à passer à la tête de la diplomatie américaine,

97. *USA Today*, 3 février 2014.
98. *The Washington Examiner*, 6 février 2014.

Begala fait partie des premiers clintoniens à évoquer ouvertement la candidature de l'ex-sénatrice à la présidentielle de 2016. Non pas pour dire qu'elle ferait une merveilleuse présidente, mais pour faire passer ce fameux message qui deviendra désormais le credo des supporters d'Hillary : « Elle a appris de ses erreurs. » Begala enfonce même le clou : « J'adore Hillary et j'ai du mal à rester objectif à son propos mais il faut bien avouer que sa campagne de 2008 était une sacrée pagaille[99]. » Begala évoque les rivalités au sein de son équipe et l'incapacité à l'époque d'Hillary de faire preuve d'autorité pour mettre fin au déballage de linge sale. Tout cela pour mieux laisser croire que ses quatre ans au Département d'État au service de son ancien rival l'ont rendue plus disciplinée, déterminée à obtenir des résultats plutôt que de gérer des conflits internes en permanence. Et Begala, lucide, de tempérer : « Tout cela ne durera pas[100]... »

99. Tribune de P. Begala, *The Daily Beast*, 14 avril 2012.
100. Paul Begala, *Why Hillary won't say she's running in 2016*, CNN, 19 septembre 2014.

Coiffure, pourquoi tant de coupes?

« Elle va y aller, regarde, elle a coupé ses cheveux. » Celle qui fait la remarque avec une certaine ironie dans la voix, connaît bien la vie d'Hillary. Spectatrice attentive des joutes politiques depuis des décennies, elle ne doute pas une seconde qu'Hillary sera candidate à la présidentielle de 2016. La nouvelle coupe de cheveux qu'elle arbore pour faire la promotion de son livre en juin 2014 est-elle un signe particulier annonciateur de cette décision[101] ?

Comme beaucoup de femmes, Hillary change de coiffure à des moments clefs de sa vie et non par caprice ou coquetterie. Mais elle en a changé tellement depuis son entrée dans la sphère publique que celle-là en particulier, courte, au ras de la nuque avec la mèche sur le côté qui s'arrête à la frontière du sourcil, dit peut-être quelque chose de subliminal. D'abord parce qu'elle ressemble à s'y méprendre à celle qu'Hillary avait mise en avant pour la photo de couverture de son autobiographie *Mon histoire*, en 2003. Onze ans séparent donc ces deux moments. Or à l'époque, beaucoup suspectaient la sénatrice de New York de se présenter à la présidentielle de 2004. S'agirait-il du même mode opératoire? La coiffure courte et simple de l'*executive woman*, un simple col roulé en 2003, un tailleur aujourd'hui. Un sourire à pleine dents à l'époque, le regard sérieux et les lèvres minces presque pincées en 2014 : les médias sérieux et ceux de la presse people ont tous essayé de jouer à la devinette pour tenter d'anticiper sur le cours des choses. Mais ils se sont souvent trompés.

Elle-même l'avoue, elle a un complexe avec ses cheveux. Garçon manqué à l'âge du primaire, elle a voulu devenir jeune fille à l'entrée au lycée avec tous les attributs de l'adolescence en cette période. Son premier passage dans un salon de coiffure est un naufrage complet. L'homme aux ciseaux se montre si distrait ou médiocre qu'Hillary doit se faire offrir une queue de cheval postiche pour compenser les ravages du Figaro. Et comme un malheur n'arrive jamais seul, un de ses congénères, scalpeur, se fait un plaisir, pour jouer certainement, de

---

101. Entretien avec l'auteur le 4 juin 2014.

lui tirer dessus jusqu'à ce qu'elle lui reste dans les mains. Hillary reste stoïque mais de ce jour date une relation à la coiffure très inégale. Elle a tout essayé: le genre très travaillé avec boucles en dedans comme Pamela Ewing dans le feuilleton *Dallas*. Le style brushing gonflé à la Liz Taylor, le carré timide à la Angela Merkel, le chignon court, la longue frange de côté pour des cheveux à mi-épaule, la queue de cheval courte ou longue, la tresse à la Timochenko comme serre-tête, les chouchous de toutes les couleurs et de toutes les formes... Au point que certains se sont demandé si cela ne traduisait pas une forme d'instabilité. Ou le besoin criant de se faire remarquer.

Elle-même le nie. Pendant la campagne présidentielle de Bill, en 1992, elle recourt aux services d'un styliste de Los Angeles. Le premier d'une longue série: «C'était un univers nouveau qui se révéla très amusant mais l'éclectisme de mes expériences en ce domaine suscita bientôt des histoires selon lesquelles je ne pouvais m'en tenir à aucun style de coiffure, et sur ce que cela révélait de ma psyché[102].» Six mois après son arrivée à la Maison Blanche, elle se laisse convaincre, de passage à New York, de se mettre entre les mains du coiffeur français Frédéric Fekkai. Ses coups de ciseaux dans la suite du Waldorf Astoria où elle réside, transforment tellement le visage d'Hillary, avec une coupe si courte, que toute la presse le remarque[103]. En 1996, lors de la promotion de son premier livre *Il faut tout un village...*, elle reçoit la correspondante de *Libération* à Washington, Marie Guichoux, qui note sec : «Pour avoir donné et encore plus reçu de coups, Hillary Clinton est étonnamment fraîche. Séduisante, même. Un joli teint clair, des yeux bleu-acier, une voix forte, un sourire sous hypnose et une aisance très yankee. Ses 50 ans à venir sont une promesse de rédemption pour les jeunes filles ingrates[104].»

«Cela m'étonne toujours de voir que ce sujet fascine les gens», confie-t-elle en décembre 2012 à Barbara Walters, la doyenne des intervieweuses stars de la télé américaine[105]. Comme si elle-même

---

102. Hillary R. Clinton, *Mon Histoire*, p. 15, J'ai Lu, 2003.
103. *Paris-Match*, 28 avril 2012.
104. *Libération*, le 20 janvier 1997.
105. Interview à ABC le 12 décembre 2012.

n'avait pas créé ce feuilleton capillaire et qu'elle n'avait pas l'intention d'y mettre fin. Depuis qu'elle a quitté la Maison Blanche, elle affirme ne plus avoir de coiffeur personnel à son service. Si bien qu'avec tous les voyages qu'elle effectue, d'abord comme sénatrice puis comme candidate et Secrétaire d'État, elle a décidé de se passer de coiffeur. « Cela devenait un fardeau de chercher à chaque fois un coiffeur dans une nouvelle ville, parfois ne parlant pas même l'anglais pour que je lui explique comment me coiffer. » D'où la coupe courte qui s'allonge et le recours fréquent à la queue de cheval qui lui a été beaucoup reproché par les critiques de mode. Lorsque Barbara Walters signale à Hillary que ce genre de questions sur l'apparence physique n'est jamais posée à des hommes exerçant la même fonction, la Secrétaire d'État, à deux mois de son départ du Département d'État, glisse à mi-voix et l'œil en dessous : « Ah ! vous aussi, vous aviez remarqué ? »

C'est de bonne guerre de la part d'Hillary de jouer du cliché machiste sur la tenue des femmes politiques. Mais Hillary est suffi-samment expérimentée dans ce domaine pour savoir qu'un message ne vaut rien s'il n'est pas véhiculé dans une forme capable de séduire ou d'intéresser le destinataire. Lorsqu'elle s'affiche en robe longue de First Lady pour le bal d'investiture, elle ne reproche à personne de s'y intéresser. Lorsqu'elle est en difficulté face à ses adversaires politiques, c'est bien elle qui choisit de faire la Une de *Vogue* en décembre 1998, en pleine affaire Monica Lewinsky, sur les conseils de son ami grand-couturier Oscar de la Renta[106]. Hillary s'agace de voir que ses fameux tailleur-pantalon de toutes les couleurs retiennent davantage l'attention que ses discours, mais elle ne manque pas de contribuer à cette curiosité futile en adoptant à chaque nouvelle apparition un modèle différent d'une couleur encore plus vive qui ne manque pas d'être photographié sous toutes les coutures. Critique de la misogynie et exploitation de la peopolisation de la vie politique font donc bon ménage.

---

106. *Huffington Post*, 25 septembre 2013.

Complot, la théorie défensive

Nous sommes en 1996 et cela fait déjà trois ans que le procureur spécial Kenneth Starr enquête sur des soupçons de conflit d'intérêts et de délits financiers visant le couple Clinton. Invité du journaliste Jim Lehrer sur la chaîne PBS, le président répond à la question de savoir s'il voit derrière l'activité du ministère de la Justice et des enquêteurs une volonté de ses ennemis « de s'en prendre à lui personnellement ». « N'est-ce pas évident ? », répond Bill Clinton. Défense classique.

Sauf qu'en janvier 1998, après avoir martelé, le doigt pointé vers les caméras, qu'il n'avait « pas eu de relations sexuelles avec mademoiselle Lewinsky », et à quelques heures de son discours annuel sur l'État de l'Union, Hillary pèse ses mots sur NBC avec devant l'interviewer-vedette Matt Lauer :

« Le procureur qui enquête sur notre investissement immobilier raté à *Whitewater* est motivé politiquement, il s'est allié avec les opposants de droite de mon mari. (…) il remue la boue, intimide des témoins et fait tout ce qu'il peut pour que les accusations tiennent la route contre mon mari.

- On parle de Kenneth Starr, il faut dire son nom, parce que c'est un procureur indépendant…

- Oui, mais c'est une opération tout entière, il ne s'agit pas de sa seule personne, c'est une opération tout entière (…) Il est très regrettable que le système de la justice criminelle de notre pays soit utilisé à des fins politiques (…)

- Le conseiller de votre mari, James Carville, dit qu'il y a une guerre désormais entre le président et Kenneth Starr, et vous-même auriez dit à des amis proches qu'il s'agissait de la dernière grande bataille et que l'un des deux camps finirait par tomber.

- Je ne sais pas si j'ai utilisé un ton aussi dramatique (…) mais oui, je crois que c'est une bataille. (…) Il s'agit là d'une grande histoire pour tous ceux qui veulent chercher, écrire et expliquer qu'il s'agit d'une vaste conspiration de la droite et qui a commencé le jour même où mon mari est devenu président. Certains rares journalistes commencent à le comprendre et à le raconter. Mais tout cela n'a pas été révélé entièrement à l'opinion publique américaine[107]. »

Ce jour-là, Hillary Clinton, comme elle l'avait fait lors de l'affaire Gennifer Flowers pendant la campagne de 1992, a décidé de soutenir son mari coûte que coûte. Sur l'affaire Lewinsky, elle sait que son mari n'est pas clair et qu'elle risque d'être une nouvelle fois trahie dans sa confiance. Pire, que son époux met en péril leur projet commun de continuer à réformer la société américaine. Quant à l'affaire *Whitewater*, si elle en est restée à une version officielle d'un investissement raté, elle sait bien qu'elle a tenté de dissimuler certains volets du dossier l'impliquant, elle et son mari, dans des soupçons de conflit d'intérêts. Hillary croit à la théorie du complot parce qu'elle commence à voir d'où viennent les informations, qui s'en empare, qui les relance vers d'autres médias, qui les fait remonter vers les élus républicains pour qu'ils s'en servent dans une entreprise évidente de déstabilisation.

Dans des notes du service juridique de la Maison Blanche rendues publiques en avril 2014, on peut lire noir sur blanc comment les juristes de la présidence ont essayé de remonter le circuit de la *media food chain*, autrement dit la chaîne d'approvisionnement en information des journaux. Les premières révélations sur les Clinton sont ainsi apparues dans la presse tabloïd britannique, puis reprises le lendemain dans leurs équivalents américains (*New York Post*, *Daily News*, *Pittsburgh Tribune-Review*...), puis commentées sur les sites internet les plus conservateurs comme le fameux *Drudge Report* ou dans une publication dénommée *Western Journalism Center* dont a fait partie à un moment David Brock. Ce n'est qu'une fois ces informations moulinées par ces relais que la presse nationale dite « de référence » comme le *Washington Post*, le *New York Times* ou le *Wall Street Journal* s'en emparent. Pour les commenter à leur tour, plus rarement pour se lancer dans des contre-enquêtes. Lorsqu'enfin les grands réseaux de télévision et de radio reprennent les articles des principaux quotidiens nationaux,

---

107. Interview à *Today*, talk-show matinal de NBC, 27 janvier 1998.

le pic est atteint et l'opinion publique peut enfin consommer une information qu'elle croit digne de foi alors qu'elle est née d'enquêtes préfabriquées ou de rumeurs amplifiées et déformées[108].

Dès 1997, grâce aux premiers actes de repentir du journaliste David Brock, on apprend les noms des fameux « mécènes » prêts à payer des sommes folles pour déterrer le moindre ragot ayant trait au passé des Clinton dans l'Arkansas. Le nom de Peter Smith, un financier de Chicago et principal leveur de fonds pour les campagnes du président de la Chambre, le Républicain Newt Gingrich, est cité comme étant l'un des deux « guides » qui l'ont conduit sur la piste des *troopers*, soit-disant fournisseurs de filles pour le gouverneur Clinton et protecteurs de leurs ébats. Le nom d'Eddie Mahe Jr également, l'un des consultants politiques de Newt Gingrich. C'est dans son bureau au Capitole que David Brock aurait été chargé d'enquêter sur une rumeur de liaison extra-conjugale de Bill Clinton ayant donné naissance à une enfant noir[109].

Suite au succès de l'article de David Brock sur les frasques sexuelles du gouverneur, publié dans *The American Spectator*, le millionnaire Richard Mellon Scaife a décidé d'investir sur ce journaliste conservateur. Petit neveu d'un ancien Secrétaire au Trésor dans les années 30, il a continué de faire prospérer la fortune de ses aînés en achetant notamment le *Pittsburgh Tribune-Review*. Une partie de ses contributions financières à la campagne de réélection de Richard Nixon s'est retrouvée dans les enveloppes qui rémunéraient les « plombiers » du fameux Watergate, l'espionnage par la Maison Blanche du comité de campagne nationale des démocrates. En avril 1998, le *Washington Post* finit par révéler que Scaife a investi deux millions de dollars dans le « Arkansas Project », une entreprise de destruction systématique de la vie publique et privée du couple présidentiel par voie de presse. Quitte à inventer des histoires toutes aussi folles les unes que les autres : les Clinton auraient ainsi collaboré avec la CIA pour installer un réseau de trafic de cocaïne

108. *Who's behind all this*, Communication Conspiracy, Box CF426, Clinton Presidential Records, Counsel Office.
109. *New York Observer*, 30 mars 1998.

98

dans l'Arkansas, le président aurait fait assassiner son ami Vince Foster devenu son conseiller juridique à la Maison Blanche. Scaife lui-même n'hésite pas, dans une interview au magazine *George*, à prétendre que Clinton aurait fait «descendre» 60 personnes dans son entourage dont au moins huit de ses gardes du corps[110].

Hillary n'a donc pas rêvé. Le complot existait bien. Le drame, pour elle, était que cette «vaste conspiration de la droite» prenait feu d'autant mieux que les braises des propres errements de la Maison Blanche étaient bien rougeoyantes. Davantage de discipline et moins d'arrogance auraient sans doute permis de mieux maîtriser ce tir à vue de la presse de droite alimentée par des comploteurs si proches de la majorité républicaine au Congrès. Richard Mellon Scaife est mort le 4 juillet 2014 à l'âge de 82 ans. Cancer. En 2008, toutefois, son journal avait «parrainé» la candidature d'Hillary Clinton. Une forme de remords? On apprit également qu'il avait versé 100.000 dollars à la Fondation Clinton[111]. Une générosité de dernière minute? Sans doute essayait-il toujours de comprendre l'ambition de Bill et Hillary Clinton, ce couple qu'il n'avait pas réussi à détruire. Le complot de la droite américaine a-t-il des chances de resurgir en 2016? Hillary Clinton aurait tort de se croire à l'abri d'autres attaques violentes de ses adversaires. Dans les rangs du Tea Party, Hillary fait toujours l'objet d'une haine sans bornes. Propice à déclencher toute sortes de campagnes nuisibles. Surtout si de généreux donateurs aux moyens sans limites s'engagent dans la partie.

---

110. *Daily Beast*, 22 mai 2014.
111. *Associated Press*, MSNBC, 7 juillet 2014.

D

Débats, l'art de la joute

La politique aux États-Unis est souvent «scriptée». Les hommes de communication savent ce que cela veut dire. Pour éviter tout dérapage de leurs clients, dans une société de l'information au cycle ininterrompu, les conseillers en image et les *spin doctors* cisèlent mot pour mot le message essentiel qu'ils doivent délivrer. Le plus souvent dans des exercices courts. Une déclaration de quelques minutes, une interview brève en direct à la radio ou à la télévision dont chaque réplique aura été préparée et apprise. Ou bien, mieux encore, le spot de publicité politique ou le *speech* qui permet en trente secondes ou en trente minutes de dire exactement ce que l'on veut sans se voir barrer la route par une question à laquelle on ne s'attend pas. Hillary Clinton excelle dans cet art. Avec sa voix grave et chaude, un certain talent pour se mettre en scène et se prêter à l'autodérision, et une capacité intellectuelle reconnue pour synthétiser sa pensée et l'exprimer. Mais il en va tout autrement dès que l'on sort du script. Une campagne électorale passe par d'innombrables débats contradictoires obligés. Or, à ce jeu-là, Hillary a montré plus d'une fois qu'elle pouvait se laisser désarçonner.

Le débat aux États-Unis, on s'y prépare depuis l'enfance. Il est enseigné à l'école pour apprendre à se mettre à la place de celui qui a un point de vue différent. La plupart des lycées et toutes les universités ont leur club de débat où l'on organise des concours d'éloquence et de rhétorique devant des jurys avec un classement à l'échelle nationale. Hillary, de surcroît, est avocate. Même si elle a peu plaidé, elle a fait valoir auprès de ses clients ses talents argumentaires. En politique, toutefois, on sent comme une fragilité. Dans les débats qui ont marqué sa première campagne sénatoriale à New York, elle ne s'est pas démontée face au républicain Rick Lazio. Pour sa réélection en 2006, son adversaire était tellement terne qu'elle n'a guère eu de difficultés pour le dominer. Mais dans la campagne de 2008, Hillary a très clairement déçu. Sur les 22 débats auxquels elle a participé, elle a été déstabilisée par ses contradicteurs démocrates à plusieurs reprises. On retiendra cette soirée de Philadelphie le 30 octobre 2007.

Pendant deux heures, ses rivaux démocrates vont la mettre en difficulté sur tous les sujets. Barack Obama, le sénateur de l'Illinois la fait bégayer lorsqu'il lui demande pourquoi elle n'a pas rendu publics tous les documents qui concernent son passage à la Maison Blanche. Le sénateur du Connecticut, Christopher Dodd, pourtant bon ami d'Hillary, la laisse sans voix lorsqu'il soutient qu'elle se rend complice de la politique agressive du président Bush en demandant à cataloguer les Gardiens de la Révolution iranienne parmi les organisations terroristes. Le sénateur de Caroline du Nord, John Edwards, la déstabilise complètement lorsqu'il lui demande si elle approuve ou réprouve l'initiative du gouverneur de New York de laisser aux immigrés clandestins la possibilité de passer le permis de conduire. Hillary répond une chose et son contraire, se fait bousculer alors par les deux journalistes modérateurs, au point que le soir même elle se pose en victime[112]. Seule femme dans ce monde d'hommes, elle se serait sentie défavorisée. Comme si Hillary pouvait s'afficher en héroïne de la parité et en pionnière du féminisme en politique, sans admettre que personne ne lui fera de cadeaux pour autant. Le surlendemain, elle a enfin trouvé l'argument qui fait mouche[113]. Ce n'est plus tant parce que c'est une femme que ses rivaux mâles s'acharnent sur elle, mais parce qu'elle est en tête dans les sondages. Ce qui est tout à fait vrai, même si précisément chaque débat avec ses adversaires lui fait perdre de plus en plus d'avance.

Il n'empêche qu'Hillary a beaucoup appris. Notamment avec Jake Sullivan. Sacré champion de débats lorsqu'il était au lycée, et à l'université, il a été par la suite conseiller à la Cour Suprême. Avant chaque débat des primaires 2008, il s'est entraîné avec Hillary en jouant le rôle de l'adversaire. «Rien de tel que cet exercice pour savoir se débarrasser de ses certitudes et connaître les faiblesses de

---

112. *The Washington Post*, 1ᵉʳ novembre 2007.
113. Margaret Carlson, *Democratic Debate Proves You Can Hit a Girl*, *Bloomberg News*, 1ᵉʳ novembre 2007.

ses propres positions», dit-il à un public d'étudiants[114]. Après la défaite d'Hillary, Jake Sullivan a été «prêté» à l'équipe de Barack Obama pour préparer ses débats contre John McCain puis il rejoint Hillary Clinton au Département d'État où il a servi d'émissaire secret dans le sultanat d'Oman pour négocier avec des représentants du gouvernement iranien.

En 2016, il se peut qu'Hillary soit confrontée à des débats inédits dans son propre camp. Si d'aventure une autre femme s'alignait aux côtés d'autres prétendants dans les primaires, ne serait-ce que pour se faire connaître, Hillary aurait à croiser le fer avec une sœur. Si ce n'est une démocrate dans son camp, pourquoi pas une Républicaine dans l'autre, au cas où elle serait nominée? Cela fera dix ans en 2016 qu'Hillary n'a pas débattu face à un républicain. Si l'homme, ou mieux encore, la femme du camp d'en face, sort de l'ordinaire, Hillary pourrait bien avoir du fil à retordre. Car la tradition des débats présidentiels veut qu'il y en ait au moins trois entre le temps des Conventions et le vote du premier mardi de novembre. Et il est rare de remporter chacun de ces concours qui peuvent faire la différence au fond des urnes.

114. Discours de fin d'année aux diplômés de sciences politiques de l'université du Minnesota, 20 mai 2013.

Département d'État, le vrai bilan

Hillary Clinton a été la première First Lady des États-Unis à devenir sénatrice. Si elle devait se faire élire à la tête du pays en 2016, ce serait aussi la première Secrétaire d'État, depuis les débuts du XXème siècle à s'emparer de la Maison Blanche. D'autres chefs de la diplomatie américaine sont en effet devenus présidents et pas des moindres. Thomas Jefferson, James Monroe ou James Buchanan, entre autres, ont vécu une telle expérience à une époque où la classe politique et les fondements de la nation américaine étaient encore fragiles. Mais pour Hillary, quel destin ce serait ! Et pourtant, elle a bien failli ne pas accepter ce poste prestigieux du Département d'État. « Ça ne se fera pas pour un million de raisons », aurait-elle répondu à son conseiller Philippe Reines, lorsque ce dernier lui a envoyé dès le 8 novembre un email lui signalant l'intention de Barack Obama de lui confier les rênes de la diplomatie[115].

Si Hillary, après trois refus, finit par accepter le 21 novembre l'offre de son rival, c'est après avoir négocié. D'abord sur le fait qu'elle aura un accès illimité au Président et qu'elle pourra composer sa propre équipe. Ensuite sur une stricte séparation entre son champ de compétences et les activités de la Fondation Clinton dirigée par son mari Bill. Dernier point de la tractation : le camp Obama s'engage à rembourser ses dettes de campagne qui avoisinent les 6 millions de dollars. A-t-elle finalement obtenu gain de cause ? Sur la proximité avec le Président, oui. Elle se sera rendue plus de 700 fois à la Maison Blanche en quatre ans. Sur l'arrivée de sa garde rapprochée au Département d'État, oui aussi : « Obama avait promis qu'Hillary pourrait nommer qui elle voulait mais ce n'était écrit nulle part et en fait, il a lui-même choisi le Secrétaire d'État adjoint ainsi que les grands ambassadeurs et il a fait en sorte que les listes pour les postes soient les plus courtes possibles » tempèrent toutefois les enquêteurs Jonathan Allen et Amie Parnes, auteurs

---

115. Jonathan Allen et Amie Parnes, *HRC State secrets and the rebirth of Hillary Clinton*, p.49, Crown, 2014.

du très documenté *HRC*[116]. «Au State, ils n'ont pas apprécié de voir qu'elle y recasait ses amis. Phil Reines ou Huma Abedin par exemple. Mais c'était probablement parce qu'elle avait peur de la Maison Blanche», précise sa biographe Judith Warner, en soulignant que le successeur d'Hillary, John Kerry, prendra sa place sans bouclier et sans en profiter pour caser des proches[117].

Alors le bilan? Une fois n'est pas coutume, laissons parler en premier ceux qui la défendent. À commencer par Julianne Smith, ex-conseiller adjointe à la Sécurité Nationale du vice-président Biden, aujourd'hui chercheur au Center for a New American Security. «On lui reproche de n'avoir pas eu de vision ni de grand projet. Mais elle s'est épuisée à passer quatre ans dans un avion et à visiter des pays où aucun officiel américain ne s'était rendu avant elle. La restauration de l'image de l'Amérique à travers le monde n'était pas gagnée d'avance comme un joli cadeau dans sa boîte. Elle a magnifiquement plaidé la cause des femmes et des filles dans le monde et elle a lancé la politique du *"reset"* avec les russes[118].» Le «*reset*» visait à faire «redémarrer» la relation avec Moscou de façon plus apaisée mais n'en voit-on pas justement les limites avec ce qui s'est passé en Ukraine par la suite? «Avant de quitter le Département d'État, elle a laissé derrière elle une lettre dont j'ai une copie. Elle y affirme qu'elle a soutenu Obama dans sa politique étrangère, qu'elle a fait son devoir, qu'elle a négocié avec son homologue russe Lavrov, notamment sur l'Afghanistan et la guerre anti-drogue, mais qu'elle a le sentiment d'avoir été au bout de la politique du *"reset"*. Elle pensait qu'avec Poutine, ce n'était plus possible. Tout ceci s'est déroulé bien avant les événements de Crimée.» Autre admirateur du bilan d'Hillary, ce diplomate français qui suit son parcours depuis plus de vingt ans après avoir enchaîné trois postes en Amérique du Nord. «Quand on dit qu'elle n'a pas fait grand-chose au Département d'État, on est un peu durs. Car à l'époque, son job était de redorer l'image de l'Amérique et elle l'a fait avec emphase et

---

116. Op. cit.
117. Entretien avec l'auteur le 5 juin 2014.
118. Entretien avec l'auteur le 6 juin 2014.

convictions. Elle a même été brillantissime dans cet exercice[119]. »
Quant à ce diplomate européen toujours en poste à Washington,
lui aussi fin connaisseur de la machine stratégique américaine,
même hommage à celle qu'il qualifie de « meilleure secrétaire d'État
américaine depuis Kissinger ». « Hillary a un mandat *spotless*, sans
taches. C'est elle qui a permis à Obama de mettre fin aux guerres
d'Irak et d'Afghanistan, de restaurer l'image des États-Unis dans
le monde, de faire le "*reset*" avec la Russie, de réussir à relancer la
relation avec la Chine et le retour en Asie. Pas une seule bavure. J'ai
assisté à sept ou huit réunions avec Hillary et Catherine Ashton,
la haute représentante de l'Europe pour la politique étrangère, et
Hillary lui donnait des ordres[120]. » Ce qui fait un peu froid dans le
dos.

Que répondent les procureurs face à ce déluge de compliments ?
Ils affichent moins d'indulgence. Aux États-Unis, l'aile gauche du
Parti démocrate regrette ses positions jugées parfois trop « interventionnistes », d'être trop souvent du côté des « faucons », de
ne pas être suffisamment sensible aux droits de l'homme. Chez
les républicains, on l'assimile complètement à Obama dont on
condamne la posture d'apaisement initiale avec la Russie et surtout
avec l'Iran. On lui reproche d'avoir caché ses ambitions présidentielles derrière sa loyauté, autrement dit une certaine forme
de lâcheté. Et à l'extérieur ? « Quelle est la part d'Hillary Clinton
dans la politique étrangère d'Obama ? Ectoplasmique », tranche
cruellement un officiel français aux premières loges pendant plus
de vingt ans. « Entre timidité et suivi des instructions d'Obama,
elle s'est montrée très impliquée mais on peut dire qu'elle n'a pas
pris d'initiative. Ses quatre ans n'ont pas été marquants. » Et l'émi-
nence de finir par un souvenir personnel : « Je l'ai reçue un jour
à déjeuner. Ce fut l'un de mes entretiens les plus passionnants.
Un vrai plaisir de technicien de la diplomatie. Mais je n'en suis pas
sorti en me disant qu'elle avait une vision[121]. »

---

119. Entretien avec l'auteur le 3 juin 2014.
120. Entretien avec l'auteur le 4 juin 2014.
121. Entretien avec l'auteur le 19 juin 2014.

C'est ce que pense également l'ancien ministre des Affaires étrangères Hubert Védrine : «Je pense personnellement qu'elle sera candidate même si je ne sais pas si elle sera élue. Dans son manifeste, qui est par ailleurs sans doute écrit par des ordinateurs, on voit bien qu'elle va nous dire "*America is back*". Pourtant, regardez le chapitre consacré à l'Afrique dans ses Mémoires, il n'y a pas un mot sur la politique à mener avec les autres pays. Elle raconte ses voyages, le travail des Fondations, ses rencontres humanitaires, tout ça, c'est très bien, mais il n'y a aucune réflexion stratégique avec les pays qui ont un intérêt sur le continent africain[122]. »

Un autre émissaire français sur la scène internationale évalue Hillary en soulignant l'étroitesse de sa marge de manœuvre. «Elle a avalé du mile mais quel est son bilan ? Ce n'est pas évident car il n'y avait au fond qu'une seule personne pour décider, Obama, et même après des mois de débat en interne. Alors, quand on est du même parti et que le président sortant est impopulaire, il faut se démarquer, elle ne peut plus être solidaire d'une politique qui a échoué[123]. » Le diplomate aguerri évoque là le lent travail de démarquage par rapport à Barack Obama entamé par Hillary Clinton depuis la sortie de ses Mémoires. Semaine après semaine, elle livre sa différence. Sur la Russie de Poutine, par exemple, avec lequel il faudrait être bien plus ferme. Sur la Syrie, où la «faute» du Président consiste à avoir promis une riposte au franchissement de la ligne rouge sur les armes chimiques sans la déclencher. Quarante ans après la fin de la guerre au Vietnam contre laquelle elle a manifesté avec ses camarades de Yale, douze ans après son vote en faveur d'une guerre en Irak désastreuse, Hillary ne cesse de se confronter à ses contradictions. Avec la seule excuse d'être prise dans ce paradoxe américain qui consiste à vouloir exercer la puissance sans en subir les affres.

---

122. Propos tenus à Paris le 24 juillet devant la *French American Foundation*.
123. Propos tenus en présence de l'auteur le 26 août 2014.

E

Marian Wright Edelman, l'initiatrice

Hillary Clinton ne serait jamais devenue ce qu'elle est aujourd'hui si elle n'avait pas croisé sur son chemin Marian Wright Edelman en 1970. Celle qui allait embaucher Hillary au service du Fonds national de Défense de l'Enfance est née en 1939 à Bennetsville, dans la campagne des planteurs de tabac en Caroline du Sud. Fille d'un prêcheur baptiste et d'une mère au foyer, petite dernière d'une fratrie de cinq frères et sœurs, elle a retenu l'une des dernières consignes de son père avant qu'il ne meure : « Ne laisse rien entraver ton éducation. » Marian a 14 ans. Son parcours scolaire dans les écoles ségrégées du Sud sera d'une telle exemplarité qu'elle obtiendra une bourse pour intégrer, en Géorgie, l'une des meilleures universités noires du pays. Puis d'autres qui lui permettent de parcourir le monde, de la Sorbonne à Moscou en passant par Genève. De retour aux États-Unis, elle renonce aux études qui auraient dû l'emmener vers la diplomatie pour aller à Yale dont elle sort diplômée en droit public. Elle sera la première femme noire admise au Barreau du Mississippi. Au cours de ses années militantes au service de la campagne des droits civiques, elle rencontre son futur mari, Peter Edelman, un brillant étudiant juif élevé dans le Minnesota, devenu assistant d'un juge à la Cour Suprême puis l'un des jeunes conseillers du sénateur Robert Kennedy[124].

En octobre 1969, lors d'un meeting organisé par la Ligue des Électrices auquel s'est rendue Hillary dans le Colorado, Peter Edelman lui conseille de rencontrer Marian, avec laquelle il a sillonné le *Deep South* lors de campagnes d'inscription des noirs sur les listes électorales. C'est Peter qui a fait venir Hillary à ce rassemblement de « jeunes leaders prometteurs ». Il a été impressionné par son speech de fin d'année à l'université de Wellesley dont la presse a beaucoup parlé.

Marian, à cette époque, a également constaté l'échec de la campagne de désobéissance civile qu'elle a contribué à mener au

---

124. *Gale Encyclopedia of Biographies.*

service de Martin Luther King en faveur des plus pauvres. Elle veut désormais se consacrer à l'aide à l'enfance au profit des familles les plus déshéritées. le pasteur King est mort, Bob Kennedy aussi. L'Amérique de Nixon laisse sur le côté des millions d'exclus[125]. Lors d'un passage à Yale, Marian fait forte impression à Hillary. «Elles partagent toutes deux cette interprétation religieuse selon laquelle le christianisme exige une prise de responsabilité politique et sociale[126].» L'étudiante, propose son aide. Marian n'a pas encore de quoi la rémunérer. Pas grave, Hillary finit par obtenir une bourse du département d'études sur les droits civiques de Yale pour prendre en charge son séjour à Washington au cours de l'été 1970, durant lequel elle participe à une mission d'information sur les conditions de vie des enfants d'immigrés en zone rurale.

De là date l'engagement d'Hillary Rodham en faveur du droit de l'enfant. Ce qui l'amène, cette fois-ci en pratique, à observer de près l'accueil des enfants dans les centres de soin et notamment dans le département psychiatrique de l'hôpital de New Haven. À la fin de ses études en 1973, Hillary est envoyée dans les maisons de correction pour mineurs, sonde les quartiers sur l'absentéisme des enfants de familles modestes, enquête sur les échecs de la déségrégation dans les villes du Sud. Indiscutablement, si Hillary possède une expertise, c'est dans ce domaine où elle a confronté les théories de l'époque à la réalité du terrain. Avec une prescience de l'immensité du travail à accomplir.

En arrivant à la Maison Blanche vingt ans plus tard, la First Lady, qui vient d'être chargée par son époux de la réforme de la santé publique, pense être en cohérence avec elle-même en nommant Marian Edelman membre du vaste comité d'experts chargé d'étudier l'impact du nouveau projet sur les enfants dépourvus d'assurance maladie. Bill Clinton complète ce dispositif en désignant Peter Edelman conseiller de la nouvelle ministre de la Santé, Donna Shalala. Trois ans plus tard, après les multiples déboires rencontrés

125. Conférence de P. Edelmann à l'université du Kentucky, le 8 septembre 2004.
126. Carl Bernstein, *A Woman in charge*, p. 71, Arrow Books, 2007.

par Hillary Clinton dans son absence de concertation avec les leaders du Congrès, le président décide de coopérer avec la nouvelle majorité Républicaine qui s'est emparée de la Chambre en 1994. L'objectif, cette fois, est de rationaliser le *welfare*, de revoir les coûts et les objectifs des subventions sociales accordées aux plus démunis. Hillary, Marian et Peter Edelman tentent d'éliminer des versions soumises par les législateurs toute disposition qui pénaliserait trop lourdement les enfants. Après trois vétos successifs, Bill Clinton finit par recevoir sur son bureau un texte final qui taille dans les dépenses à hauteur de 54 milliards de dollars sur six ans et n'accorde de subventions que pour une durée maximale de cinq ans tout en interdisant aux immigrés de bénéficier de l'aide sociale. Au nom du compromis, Bill, puis Hillary, décident de promulguer la loi.

La réaction de Marian et Peter Edelman est sans appel : Peter démissionne de ses fonctions et écrit dans le mensuel *The Atlantic* que cette loi « est la pire chose jamais commise par Bill Clinton[127]. » Son épouse, Marian, qui avait réussi un an plus tôt à rassembler 200.000 personnes dans les rues de Washington pour soutenir les familles en détresse et l'action du Fonds national de Défense de l'Enfance, dénonce une loi « honteuse » qui ne risque pas de « rendre l'Amérique plus forte au siècle prochain[128]. » Pour Marian, Hillary a trahi les idéaux du Fonds national de Défense de l'Enfance qu'elle venait de présider avant de devenir First Lady.

Pendant des années, les Clinton ont vécu une brouille avec les Edelman. Bill a bien tenté de nommer Peter à divers postes de juge mais, par crainte d'un vote négatif de ratification au Sénat, y a renoncé. Et puis, au fil des années, la colère et le sentiment de trahison se sont dissipés. En 2008, le couple mentor d'Hillary n'a pas fait connaître son soutien publiquement mais il est clair que son profil était plutôt pro-Obama. Par la suite, il est revenu mollement dans l'orbite du clan Clinton. En 2013, l'organisation de Marian a récompensé Hillary pour son œuvre au service de l'enfance[129].

---

127. *The Atlantic*, mars 1997.
128. *State of America's Children Yearbook, Children's Defense Fund* 1997.
129. *The National Journal*, 22 avril 2014.

Elle évoque cette carrière politique en parlant d'une Hillary «qui a beaucoup appris à travers les épreuves d'une expérience locale, nationale et internationale[130].» Comme si une réconciliation était nécessaire avant qu'Hillary n'aborde «le temps des décisions».

---

130. *Huffington Post*, 11 avril 2014.

Éducation, sa croisade française

«La triste vérité, c'est que les Américains, à la différence des Français, n'ont jamais accordé suffisamment de prix au métier qui consiste à s'occuper des enfants.» La phrase est tirée de la page 257 du premier livre d'Hillary Clinton *Il faut tout un village pour élever un enfant*[131]. Écrit en 1996, après avoir encaissé l'échec de sa tentative de réformer le système de l'assurance-santé, ce livre a replacé Hillary sur orbite. S'occuper des enfants, les élever, les éduquer, les respecter, leur donner des droits. S'il est bien un combat qu'Hillary a su et voulu mener de bout en bout, c'est celui-là. Et la France y joue un grand rôle.

Pour Hillary, l'école – et c'est l'un des traits conservateurs de sa personnalité –, n'a pas le monopole de l'éducation. La famille est le premier éducateur, pleinement responsable du type d'instruction que reçoivent les enfants. Sauf que la vie moderne a envoyé, ce dont elle ne se plaint pas, des millions de femmes au travail et que les États-Unis n'ont pas de système de garde d'enfants. À la fin des années 70, l'Amérique ne dispose que de crèches expérimentales, guère plus de maternelles et il n'existe aucun budget d'État ou fédéral, digne de ce nom, pour aller plus loin.

D'où un épisode méconnu qui mérite le détour. Du 6 au 17 mars 1989, Hillary Clinton a passé une dizaine de jours en France, lors d'un voyage d'études, organisé par la *French American Foundation*, destiné à faire découvrir à des spécialistes américains de l'enfance le système français des maternelles et des allocations familiales. Ce n'est pas la première fois qu'Hillary vient en France. En 1983, elle avait été sélectionnée, déjà, par le professeur francophile de sciences politiques Ezra Suleiman pour participer au programme des Young Leaders de cette même Fondation. Avec son mari Bill, gouverneur de l'Arkansas; ils avaient échangé leurs vues avec d'autres jeunes Français prometteurs parmi lesquels Christine Ockrent, Alain

---

131. Hillary R. Clinton, *Il faut tout un village pour élever un enfant*, Denoël, 1996.

Minc, Jacques Toubon ou Jean-Noël Jeanneney. « Hillary avait été choisie parce qu'elle avait acquis une excellente réputation en tant qu'avocate profondément impliquée dans les affaires familiales et le droit de l'enfance », raconte Ezra Suleiman[132].

Lorsqu'elle revient en France en 1989, Hillary est invitée par la Fondation au titre de directrice exécutive du Fonds National pour l'Enfance où elle a fait ses premiers pas avec Marian Wright Edelman. Elle fait partie d'une délégation de pédiatres, de militantes d'associations familiales et de syndicalistes qui est reçue à Paris par des responsables du gouvernement de Michel Rocard. Elle se déplace dans la région nantaise pour visiter des crèches, des maternelles et des caisses d'allocations familiales. « Nous étions fascinés de voir qu'il n'y avait aucune remise en cause partisane sur la politique familiale en France », se souvient Susanne Martinez, à l'époque conseillère législative du sénateur démocrate de Californie Alan Cranston[133]. « Nous avions demandé à nos interlocuteurs français si cette politique d'aide sociale changeait au gré des élections et ils étaient stupéfaits qu'on puisse poser une telle question. » Sur la brochure de la Fondation qui rend compte des travaux du groupe, on peut voir Hillary sur une photo, en train de converser avec un enfant d'une maternelle de Nantes.

Un an plus tard, la First Lady de l'Arkansas publie une tribune dans le *New York Times* où elle mentionne cette visite française qui l'a impressionnée. « En France, le congé maternité obligatoire reconnaît le devoir de la société de contribuer à des relations fortes entre les parents et leurs enfants », écrit-elle[134]. « Mais aux États-Unis, trop peu d'États fédérés obligent les employeurs à accorder le congé maternité, ou alors sans solde, car le coût d'une grossesse est considéré comme un choix personnel à la charge du couple. » Hillary rappelle que la politique familiale en France, imbriquée dans la politique de santé publique, permet à la France, à l'époque, de figurer au 4ᵉ rang mondial pour son taux de mortalité infantile,

---

132. Correspondance avec l'auteur le 7 août 2014.
133. Correspondance avec l'auteur le 5 septembre 2014.
134. *The New York Times*, 7 avril 1990.

alors que les États-Unis sont au 19ᵉ rang dans ce classement. Tout y passe : les congés payés, les allocations familiales universelles, le niveau de qualification des employés des crèches, la vaccination obligatoire pour entrer à l'école, l'absence totale de polémique politicienne sur le sujet en France. Et Hillary de conclure : « Avant de s'enfermer chez nous dans une politique familiale et de la petite enfance inadéquate, nous devrions envisager de valoriser davantage les enfants, à la française » !

Dans *Il faut tout un village pour élever un enfant*, Hillary se rendra très populaire en évoquant deux autres sujets qui fâchent : la télévision et la sexualité. Selon elle, les enfants américains sont gavés de programmes télé et cela nuit à leur développement intellectuel et affectif. Sans compter les effets secondaires de mimétisme qui débouchent sur la violence et la délinquance. Des propos qui, dans une société où Hollywood détient un tel pouvoir d'influence, prennent à rebrousse-poil les piliers de la société de consommation culturelle. Plus choquant encore pour l'aile gauche démocrate et féministe, Hillary prône les bienfaits de l'abstinence sexuelle pour les mineurs, c'est-à-dire les jeunes américains de moins de 21 ans. Le nombre d'avortements à l'époque chez les filles de 16 à 20 ans est alarmant et la contraception n'est pas, selon Hillary, la seule réponse pour y mettre fin. « Hillary est assez conservatrice sur certains sujets, mais moi qui suis une militante de gauche, je suis d'accord avec certaines de ses positions », explique Beth Tomasello, la présidente du Club des femmes démocrates du Maryland[135]. « Je crois qu'elle a raison de revenir aux fondamentaux car l'éducation que nous avons reçue dans les années 60 était la bonne. » Susanne Martinez, compagne du voyage d'études en France d'Hillary à la découverte du « modèle français », 65 ans aujourd'hui, ajoute en évoquant 2016 : « Je crois qu'elle devrait poursuivre cette mission au service des femmes et des enfants, en Amérique et dans le monde. Quel que soit son rôle, elle sera un leader moral pour les États-Unis. »

---

135. Entretien avec l'auteur le 4 juin 2014.

Rahm Emanuel, le centurion

Cette fois-ci, il a choisi. Le maire de Chicago a décidé en mai 2014 de soutenir Hillary Clinton dans son ambition présidentielle. Son nom semble bizarre à ceux qui ne le connaissent pas. Doté d'un sens de l'humour légendaire et d'une propension à caser un gros mot par phrase depuis la tendre enfance, il a lui-même expliqué un jour l'origine de son nom : « Le sénateur Obama et moi ne sommes pas uniquement tous les deux de l'Illinois. Nous partageons aussi des noms exotiques qui nous ont été donnés par nos pères. Barack, qui signifie en swahili «béni» et Rahm, ce qui en traduction très approximative de l'hébreu veut dire «va te faire foutre»! Rahm Emanuel a été le *Chief of staff* de la Maison Blanche au cours du premier mandat du président Obama. Mais il a surtout été, en ce qui concerne Hillary, l'un des conseillers de son mari Bill à la Maison Blanche pendant cinq ans. Banquier, Représentant de l'Illinois au Congrès, artisan principal de la victoire des démocrates en 2006 après six ans de présidence Bush, Rahm Emanuel est probablement l'un de plus brillants officiers de l'armée du Parti démocrate, ce qui ne veut pas dire qu'il ne rêve pas de devenir le chef de l'Amérique tout court. On a longtemps dit en effet qu'il pourrait être candidat en 2016 si Hillary devait renoncer à sa candidature.

Avec Hillary, sa relation n'a jamais été vraiment simple. Si aujourd'hui, il la soutient de toutes ses forces, en tant que maire de la ville où elle est née, il n'en a pas été de même en 2008. À l'époque, Rahm Emanuel avait choisi de rester neutre jusqu'au dernier moment. Ancien proche des Clinton qu'il avait servis à la Maison Blanche, mais ami et admirateur de Barack Obama, il n'avait pas voulu trahir l'un ou l'une pour l'autre en pleine bataille des primaires. Il savait qu'il en allait aussi de son avenir à Washington. Rahm Emanuel a en effet deux immenses talents. Le premier tient à la levée de fonds. C'est d'ailleurs en cette qualité de financier qu'il a mené la campagne présidentielle de Bill Clinton en 1992. En faisant passer son trésor de campagne initial de 600 000 dollars à près de 70 millions en moins d'un an. Certains disent de lui qu'il pratique la récolte de dons avec des méthodes proches de l'extorsion. Cela tient à son comportement qui n'est pas des plus raffinés, sa *chutzpah* en hébreu, un culot désinvolte qui frise la brutalité. S'il n'avait pas réussi ce tour de force de lever plus de 120 millions de dollars pour les campagnes des candidats démocrates aux élections de mi-mandat de 2006, il est clair que George W. Bush aurait sans doute pu tenir la Maison Blanche sans avoir à cohabiter avec un Congrès hostile jusqu'en 2008[136].

L'autre qualité de Rahm Emanuel, c'est sa capacité de négociation dans le rapport de forces. À la Maison Blanche, si l'on n'est pas capable de négocier avec le Congrès, ce n'est même pas la peine de tenter de gouverner. Rahm Emanuel a su composer aux côtés de Bill Clinton entre 1994 et 1998 alors que le Congrès était républicain. Démocrate conservateur, il n'a cessé de rechercher des deals avec l'opposition, à former des coalitions improbables dans les travées de la Chambre ou du Sénat. Un métier qui requiert d'autant plus d'habileté que chaque élu vote avec une liberté qu'il monnaye chèrement auprès de son groupe ou auprès de ses adversaires, davantage encore lorsque la Maison Blanche est à la manœuvre.

Rahm Emanuel a été loyal avec les Clinton. Dire que ses relations avec Hillary ont toujours été au zénith serait exagéré. En tant que conseiller du président à la Maison Blanche, il a parfois trouvé Hillary trop personnelle, trop cassante. « Si vous vous pointez avec un argument moyen et pas très franc du collier, elle ne vous respecte pas » dit-il. « Mais si vous foncez vers elle avec une idée un peu trop sommaire, elle ne vous respecte pas non plus[137]. » Rahm a pourtant plusieurs fois mis en garde Bill contre de possibles dérapages de son épouse, notamment lors de ses sorties à l'étranger. Son discours en Chine sur le droit des femmes en 1995 était clairement à ses yeux un speech qui risquait de causer du tort à la relation entre les deux pays.

À la Maison Blanche avec Barack Obama, le fidèle clintonien a apporté son expérience des années passées. Mais il n'a jamais

136. *The Chicago Tribune*, 18 février 2011.
137. Interview à *Frontline*, PBS, Juin 2000.

vraiment fait partie du clan Obama. Ce qui l'a rapproché un peu de la Secrétaire d'État. Dans ses Mémoires, cette dernière raconte : « Maintenant que nous étions tous réunis, Rahm apportait un peu de la colle nécessaire pour assurer d'emblée la cohésion de cette "équipe de rivaux". Il m'offrait une oreille amie et une porte ouverte dans la West Wing, et nous conversions souvent[138]. »

Lorsqu'il a quitté Washington en 2011 pour aller tenter sa chance à Chicago et en devenir le maire, Rahm Emanuel a renoué avec les Clinton. En juin 2014, il a ainsi accueilli Hillary sur la scène du Harris Theater de Chicago pour un dialogue en public afin qu'elle puisse faire la promotion de son livre. Les deux se sont donné une longue accolade comme s'ils ne s'étaient pas vus depuis un siècle et n'ont cessé de rivaliser de bons mots pour évoquer leur passé commun à la Maison Blanche[139].

Il faut dire aussi qu'Hillary apprécie également Rahm Emanuel pour son engagement aux côtés d'Israël et les messages qu'il a su faire passer auprès du premier ministre Netanyahou. Le père de Rahm, Benjamin Auerbach, est né à Jérusalem en 1927 de parents venus de Russie, et ne s'est installé à Chicago qu'au début des années 1950. Lorsque son frère Emanuel est mort dans des combats contre les groupes armés arabes, le patriarche a décidé de donner à ses enfants le nom du jeune homme mort pour la cause d'Israël. Benjamin lui-même a rejoint les rangs de l'Irgoun où il a servi de messager pour Menachem Begin qui deviendra Premier ministre en 1977. À la différence de beaucoup d'autres Juifs dans l'entourage des Clinton et de Barack Obama, Rahm Emanuel est le seul à avoir cette relation particulière avec la fondation de l'État d'Israël[140]. En 1993, vingt-deux mois après l'élection de Bill Clinton, il reçoit une mission spéciale : organiser la cérémonie de signature des accords d'Oslo à la Maison Blanche avec la première poignée de main publique entre Itzhak Rabin et Yasser Arafat. Pendant des heures, il va répéter le geste, faisant même jouer à John Podesta,

---

138. Hillary R. Clinton, *Le temps des décisions*, p. 46, Fayard, 2014.
139. *Chicago Magazine*, 16 juin 2014.
140. F. Clemenceau, *Le Clan Obama, les anges gardiens de Chicago*, p. 117, Riveneuve..

le *chief of staff* de l'époque le rôle du Premier ministre Rabin, et lui Rahm, celui d'Arafat !

Jeune trésorier de la campagne de Bill Clinton en 1992, bras droit d'Obama à la Maison Blanche à l'âge de 49 ans, le maire de la troisième ville des États-Unis n'aura que 55 ans en 2016. Il a juré qu'il n'avait pour seul objectif que de garder la mairie de Chicago, ce qui n'est pas une sinécure, mais on peut parier qu'Hillary, si d'aventure le destin lui souriait cette fois-ci, devrait rappeler au service le général Rahm.

Emily's list, l'école des femmes

Ellen Malcolm, la fondatrice de cette organisation de soutien financier aux candidats démocrates, est née la même année qu'Hillary Clinton. Féministe de la première heure, codirectrice en 2008 de la campagne de la sénatrice de New York pour la Maison Blanche, elle a révolutionné le mode de représentation des femmes dans les enceintes du pouvoir local et national. Pour elle, une femme peut avoir toute l'ambition du monde, tous les talents et qualifications, si elle n'a pas d'argent pour tenir une campagne d'envergure, son adversaire mâle aura toutes les chances de l'emporter. L'égalité des chances donc, par l'argent. D'où l'acronyme Emily (*Early Money Is Like Yeast*, une formule signifiant que le premier dollar donné agit comme une levure), pour inviter la générosité américaine à investir dans la politique au féminin.

En 29 ans d'activité, Emily's List a contribué à faire élire 19 sénatrices démocrates pro-avortement, 102 Représentantes à la Chambre et 10 gouverneurs. En 1985, aucune femme démocrate n'avait réussi à se faire élire. 385 millions de dollars plus tard, on voit donc le progrès accompli. Naturellement, Emily's List a soutenu en 2008 la candidature d'Hillary Clinton à la présidence en se désolant de son échec. Pour 2016, l'organisation n'a rien voulu laisser au hasard cette fois : avec l'opération *Madam President*, Emily's List veut tout faire pour voir Hillary succéder à Obama.

« Pour Hillary, dans le cadre de notre campagne *Madam President*, nous avons organisé des meetings participatifs pleins à craquer en août 2013 dans l'Iowa », raconte Marcy Stech, la porte-parole d'Emily's List. « La sénatrice McCaskill faisait partie de notre panel[141]. Elle s'est montrée très prolixe en faveur de la candidature d'Hillary. » Le réflexe de l'Iowa est évident. C'est là que tout se décide ou presque. Rien ne sert de se présenter à la nomination démocrate si l'on sait qu'on subira une défaite de taille dans ce

---

141. Claire McCaskill, première sénatrice du Missouri en 2006, l'une des premières élues à soutenir Barack Obama en 2008.

petit État rural, le premier à voter dans la saison des primaires. C'est pourtant là qu'en novembre 2014, les féministes démocrates ont reçu un coup sur le crâne avec l'élection inattendue de Joni Ernst, une fermière éleveuse de cochons passée par la Garde Nationale, soutenue par l'ex-candidate Républicaine à la vice-présidence, Sarah Palin[142].

« En septembre 2013, nous avons organisé le même genre de meeting dans le New Hampshire », poursuit Marcy Stech. « Dans cette salle, il y avait une petite fille vêtue d'un T-Shirt où il était écrit : je serai présidente en 2042[143] » ! Le New Hampshire est le deuxième État à voter dans le calendrier des primaires. Des candidates démocrates ont réussi à y gagner le poste de gouverneur, les deux sièges de l'État au Sénat et l'ensemble des sièges de la délégation du New Hampshire à la Chambre des Représentants. Et dans le camp Hillary, personne n'a oublié que c'est dans cet État-là qu'elle prit sa revanche sur Obama après sa cinglante défaite en 2008 dans l'Iowa.

Les femmes voteraient-elles automatiquement pour Hillary ? Les primaires de 2008 ont prouvé le contraire, les électrices démocrates ayant choisi Obama d'une courte majorité. En revanche, les six dernières élections présidentielles ont montré que les femmes votent majoritairement démocrate, Barack Obama ayant atteint un record en 2012 avec 20 points d'avance au sein de l'électorat féminin contre son adversaire républicain Mitt Romney[144]. Mais il existe malgré tout un risque générationnel. En 2008, les jeunes électrices démocrates ont largement préféré Obama à Hillary tout au long des primaires. Selon une enquête d'opinion réalisée pour la chaîne de télé *Fusion* qui cible un public de jeunes adultes, les 18-35 ans voteront pour Hillary en 2016 à 50% contre 33% en faveur de tout opposant républicain. Ce score est de dix points inférieur à celui de Barack Obama en 2012 face à Mitt Romney dans cet échantillon. Mais chez les jeunes femmes, Hillary ne ferait

---

142. A. Focraud, *Ernst, la militaire qui faisait campagne avec les cochons*, *Le Journal du Dimanche*, 5 novembre 2014.
143. Entretien avec l'auteur le 6 juin 2014.
144. *US News & World Report*, 4 avril 2013.

pas mieux que 54%, ce qui est assez décevant[145]. Selon la journaliste Ann Kornblut, ce déficit n'est pas nouveau. En 2008, Hillary avait également éprouvé des difficultés à rallier les jeunes électrices de moins de 30 ans. «Elle avait décidé de mener campagne en tant que candidate la plus qualifiée plutôt que de mettre en avant son potentiel à faire l'histoire en pouvant devenir la première femme présidente des États-Unis. Ce fut une erreur», affirme-t-elle[146]. Pour Margaret Carlson, qui fut la première femme éditorialiste à *Time Magazine*, Hillary «devrait bénéficier du *gender gap*», autrement dit de cet avantage aux femmes côté démocrate. «Mais si, sur une élection pareille, elle n'obtient pas 90% du vote féminin, c'est qu'il y a vraiment un problème[147].»

Et si Hillary était battue ? Marcy Stech cite les noms de Kirsten Gillibrand, sénatrice de New York après avoir repris le siège d'Hillary Clinton, d'Amy Klobuchar, sénatrice du Minnesota, et d'Elizabeth Warren, sénatrice du Massachussetts. «Toutes feraient également de bonnes candidates en 2020, au cas où», conclut la porte-parole d'*Emily's List* avec des points de suspension dans la voix. Comme si pour Hillary, c'était maintenant ou jamais. Raison pour laquelle, ce lobby des femmes démocrates, fort de trois millions de membres, a choisi de s'associer avec l'organisation Priorities USA Action, plate-forme du candidat démocrate en 2016, présidée par Jim Messina, le pilote de la campagne de réélection de Barack Obama en 2012. Et dont le comité directeur comporte les noms de Harold Ickes, compagnon de route historique des Clinton, David Brock, journaliste anti-Clinton devenu le chef de la riposte argumentaire pour redorer la réputation d'Hillary. Et... Stephanie Shriock, présidente d'Emily's List. Avec l'idée qu'indépendamment des prises de distance d'Hillary avec le bilan d'Obama, il faudrait bien que l'union fasse la force.

---

145. Enquête effectuée du 12 au 22 septembre 2014 et commentée par le site *Politico* le 9 octobre 2014.
146. Citée par CNN le 18 novembre 2013, auteur de *Notes from the Cracked Ceiling* (Broadway Paperbacks, 2007).
147. Entretien avec l'auteur le 6 juin 2014.

Enfance, le berceau ordinaire

C'était l'aînée. Le 26 octobre 1947, Dorothy Rodham donne naissance à Hillary Diane à l'hôpital Edgewater de Chicago. Dorothy Howell et Hugh Rodham, un fils d'immigré anglais et d'une mère d'origine galloise, se sont mariés cinq ans plus tôt, peu après le bombardement de Pearl Harbor. Pourquoi n'ont-ils pas fait d'enfant plus tôt ? Sans doute ont-ils attendu la fin de la guerre. Entre 1942 et 1945, Hugh est en effet engagé dans un programme d'entraînement spécial de l'US Navy et il a été affecté sur une base navale de la région des Grands Lacs à une heure de route de Chicago. Quartier-maître, il forme les jeunes recrues qui vont partir au combat. Dorothy a rencontré Hugh alors qu'elle se présentait à un poste de dactylo dans une entreprise de textile pour laquelle il travaillait en tant que représentant de commerce en tissus d'ameublement. Après leur mariage, ils se sont installés dans un meublé du quartier de Lincoln Park dans la grande capitale du Midwest. Alors que Dorothy est enceinte de son deuxième enfant, les finances du ménage sont suffisantes pour qu'ils aille s'installer dans la banlieue nord de Chicago. La maison de briques rouges à l'angle d'Elm et de Wisner Street Park Ridge, avec ses deux decks, son jardin planté d'un cerisier et sa véranda, a été payée comptant. Tout comme la Cadillac garée dans le *drive-way*. Pas question de s'endetter. Le quartier a été choisi, entre autres, pour l'excellence de ses écoles publiques.

Park Ridge est le prototype des quartiers de la middle-class des années 50 avec ces grandes avenues bordées d'arbres, bien loin des centres villes et où toute la vie s'organise au sein de sa communauté de voisinage[148]. Hillary a été baptisée, comme plus tard ses deux frères cadets, à l'église méthodiste de Court Street à Scranton en Pennsylvanie, la région d'où est originaire son père. L'homme est pieux, fait sa prière le soir à genoux au pied de son lit. Il élève ses

---

148. Jeff Gerth et Don Van Natta, *Hillary Clinton, histoire d'une ambition*, p. 25, J.-C. Lattès, 2008.

enfants à la dure et dans le respect des grands principes conservateurs : on ne dépense pas plus que l'on ne gagne, on doit réussir à
l'école, et chacun est responsable de sa propre vie. Hillary raconte
dans son premier livre de Mémoires que son père l'emmenait
fréquemment, elle et ses frères, visiter les quartiers pauvres de
Chicago pour leur montrer «ce qu'il advenait des gens qui, à ses
yeux, n'avaient pas su trouver discipline et motivations nécessaires
pour s'assurer une vie convenable[149]. »

Hillary estime qu'elle a eu plus de chance que ses frères. Au fond,
elle pense que son père ne savait pas trop comment s'y prendre avec
une fille et qu'il était plus facile d'exiger de ses deux jeunes mâles les
performances qu'il attendait d'eux. Ce qui n'empêchait pas Hugh
et Dorothy Rodham d'encourager Hillary à faire aussi bien si ce
n'est mieux que les garçons. C'est ainsi qu'elle brillait en sport, au
basket et au hockey sur glace, qu'elle était capable de se défendre
en cas d'agression par des jeunes de son âge et qu'elle a appris à se
servir d'une carabine l'été pendant les vacances au chalet que le
grand-père d'Hillary avait construit de ses propres mains dans les
montagnes du lac Winola près de Scranton.

Dorothy ne travaillait plus : elle avait décidé, comme la plupart
des mères de Park Ridge, de rester à la maison pour élever ses enfants.
Elle s'est acquittée de cette tâche avec énormément d'affection et
de dévotion. «Vous ne connaissez pas votre chance» était l'une des
phrases fétiches de Hugh Rodham. Pour lui, ces petits baby-boomers
nés au lendemain de la guerre venaient d'échapper aux misères du
monde et avaient intérêt à comprendre qu'il fallait se servir de cette
période de reconstruction comme d'une folle opportunité.

Hillary a été jeannette puis guide, a appris très jeune à s'occuper
des autres. À douze ans, elle est en photo dans le journal local de son
quartier le *Park Ridge Advocate*, après avoir participé à une collecte
de fonds au profit de United Way, une organisation qui regroupe
des associations humanitaires[150]. Une mère adorable, un père

---

149. Hillary R. Clinton, *Il faut tout un village pour élever un enfant*, p. 27,
Denoël, 1996.
150. Hillary R. Clinton, *Mon histoire*, p. 28, J'ai Lu, 2003.

autocrate? L'un des biographes d'Hillary, le célèbre Carl Bernstein, raconte que cette enfance passée entre une maman dévouée et un patriarche intolérant, parfois brutal, a préparé Hillary à ce qu'elle allait connaître des années plus tard dans son propre mariage : «tenir tête à son père l'a entraînée à la bagarre et au tumulte qui se sont emparés du couple partenaire qu'elle a formé avec Bill et à s'immuniser dans l'arène du combat politique[151]. »

151. Carl Bernstein, *A Woman in charge*, p.16, Arrow Books, 2007.

Europe, entre « amis »

Vareuse jaune doré, pantalon noir, sourire éclatant sous son casque blond, Hillary Clinton salue les Gardes Républicains de la haie d'honneur sur le perron du Quai d'Orsay. Ce 7 juillet 2014, Laurent Fabius reçoit son ancienne collègue sous les ors des salons de réception qui jouxtent son bureau. Ils n'auront travaillé ensemble qu'un peu moins de sept mois mais semblent bien s'entendre. Devant un petit groupe d'anciens ambassadeurs, de diplomates, de chercheurs et de journalistes invités pour ces retrouvailles, Hillary remercie « Laurent » de lui avoir organisé cette petite fête à l'occasion de sa tournée en France pour promouvoir ses Mémoires de secrétaire d'État. Celle qui attend avec impatience d'être grand-mère note avec humour qu'elle est bien plus contente d'avoir à s'occuper de sa fille Chelsea que « des papiers qui encombrent le bureau de Laurent ». Ce qui n'empêche pas le ministre français d'aborder le sujet de la présidentielle de 2016 lorsqu'il évoque le nombre de fois où Hillary fut une pionnière en politique avant de glisser : « Cette liste est trop longue pour que je la cite et elle pourrait, disent certains, s'allonger[152]... » Hillary sourit, visiblement enchantée. Elle sait que son ex-homologue a lu les pages de son livre où elle mentionne que « Juppé et Fabius sont de grands professionnels dont j'ai toujours apprécié la compagnie ».

Pour évoquer l'avenir, elle s'ancre dans le passé. « Il n'y a pas de force plus importante pour le progrès, la prospérité et la paix que l'alliance transatlantique, nous devons constamment la nourrir et l'aider à se maintenir. » Indéniablement, Hillary ne considère pas l'Europe comme une rivale. Culturellement, historiquement, spirituellement, ses racines sont en Europe et, pour une enfant de la guerre froide, elle considère que l'Amérique est un prolongement de l'Europe. Dans ses Mémoires, elle écrit même : « Il y a une chanson scoute que j'ai apprise à l'école primaire. "Fais-toi de nouveaux amis mais garde les anciens. Les premiers sont précieux,

---

152. Propos tenus en présence de l'auteur le 7 juillet 2014.

les seconds plus précieux que l'or". Pour l'Amérique, l'alliance avec l'Europe est plus précieuse que l'or[153]. » Dire qu'Hillary a ses petits préférés dans sa cour européenne n'est pas un secret. En tant que femme, Hillary éprouve le plus grand respect pour Angela Merkel, même si elle a pu constater combien la politique d'austérité de la chancelière rendait difficile le retour de la croissance dans le reste de l'Europe et jusqu'aux États-Unis. Mais pour le reste, ce qui intéresse Hillary dans l'Union Européenne, ce n'est pas tant l'avenir de sa construction que son poids économique et stratégique. Singuliè-rement en ce qui concerne la relation si compliquée avec la Russie.

Croire que l'administration Obama était naïve en tentant une politique dite de « *reset* » avec la Russie n'a pas convaincu grand monde aux États-Unis. Après tout, Barack Obama a voulu donner sa chance à une politique apaisée entre les anciens blocs de la guerre froide. Bush et Poutine n'avaient pas réussi à s'entendre. Il espérait qu'avec le président Medvedev, les choses se lisseraient davantage. Il n'en fut rien. Poutine, premier ministre qui attendait son tour pour reprendre la présidence, était toujours au Kremlin. Hillary et son collègue Serguei Lavrov ont donc tenté de sauver les apparences. Mais la guerre en Libye a cassé le peu de confiance qui restait, si tant est qu'il y en ait jamais eu, entre Moscou et Washington. Les dignitaires russes n'ont en fait jamais supporté que la France, le Royaume-Uni et les États-Unis trahissent la résolution de l'ONU autorisant l'usage de la force afin de protéger les populations civiles libyennes pour intervenir militairement et mettre à bas le régime de Kadhafi. Cette humiliation est à l'origine des nombreux blocages russes dans la crise syrienne et, plus encore, en Ukraine. Si bien que lorsque le 3 avril 2014, Hillary Clinton compare Poutine à Hitler, un cap est franchi. Certes, l'ex-patronne du Département d'État n'est plus en fonction et ce qu'elle dit, devant un rassemblement de soutien au mouvement scout de Long Beach en Californie, n'engage que sa personne[154].

---

153. Hillary R. Clinton, *Le temps des décisions*, p.255, Fayard, 2014.
154. *The Long Beach Press Telegram*, 3 avril 2014.

Mais la question reste posée de savoir si cette comparaison, pour laquelle elle a refusé de s'excuser, illustre le fond de sa pensée ou n'est qu'un dérapage visant la politique étrangère de Barack Obama vis-à-vis du Kremlin. Ce que pense Hillary Clinton de la Russie de Poutine, censé rester au pouvoir jusqu'en mai 2016 avant de se faire réélire pour quatre ans de plus, aura une influence sur l'avenir de l'OTAN. Le temps n'est plus où le général Wesley Clark, compagnon de route des Clinton dans l'Arkansas, dirigeait une Alliance dans les années de dégel qui suivirent la chute du mur de Berlin. L'OTAN s'est depuis ouverte à de nombreux pays d'Europe centrale et orientale et Hillary refuse de fermer la porte à l'Ukraine, la Moldavie ou la Géorgie. « Les portes des négociations devrait rester ouvertes et nous devrions rester fermes et lucides dans nos discussions avec la Russie », écrit-elle. Il faudra sans doute aussi en parler avec les Européens. À moins qu'elle ne commette l'erreur, si elle devait être élue en 2016, de vouloir diviser ses « amis » pour mieux contrôler l'avenir du Vieux Continent.

F

Féminisme, la cause majeure

« Hillary croit que le mariage est une institution comparable à l'esclavage. Eh bien parle pour toi, Hillary ! Mes amis, tout ça c'est du féminisme radical ! » Ainsi éructe le bouillant Pat Buchanan, l'ancien *speechwriter* de Richard Nixon et conseiller de Ronald Reagan, lors de la Convention Républicaine de 1992. Bill Clinton est favori dans les sondages pour le mois de novembre et Hillary est considérée comme son point faible. Alors les conservateurs s'en donnent à cœur joie contre cette femme qui n'a pas renié la formule « vous en aurez deux pour le prix d'un[155]. » Seize ans plus tard, lors des primaires pour la présidentielle de 2008, les sites web de la droite ultra font fleurir l'épithète *Feminazi* pour évoquer les prises de position d'Hillary en faveur de la parité et du libre choix pour l'avortement. Aux États-Unis, tout ce qui est excessif n'est pas insignifiant. Le Tea Party est encore et toujours là pour le rappeler.

Alors Hillary, féministe radicale, féministe tout court, ou les choses sont-elles plus compliquées ? En procédant par élimination, on peut tout de suite dire qu'elle n'est pas radicale. Singulièrement sur la question qui fâche le plus en Amérique, l'avortement. Selon William F. Harrison, son ancien gynécologue dans l'Arkansas et praticien de l'IVG, Hillary a été sensibilisée à cette question parce qu'elle « appartient à une génération dont des femmes, peut-être des amies, se sont fait avorter illégalement ». Lors de leur première rencontre en 1974, l'arrêt de la Cour Suprême qui légalise l'avortement, Roe vs Wade, ne date que de l'année précédente. Harrison estime qu'Hillary est confortée dans sa position en faveur du libre-choix parce que l'Église méthodiste, elle-même, « approuve sans réserves la notion de libre-choix[156]. » Ce n'est pas tout à fait ce que pense vraiment Hillary. Lorsque la question lui est posée au cours de la campagne présidentielle 2008 de savoir si la vie commence

---

155. Carl Bernstein, *A Woman in Charge*, p. 208, Arrow Books, 2007.
156. Paul Kergon, *God and Hillary Clinton*, p. 49-50, Harper Collins, 2007.

à la conception de l'enfant ou à la naissance, Hillary répond de façon très jésuite : « Je crois que le potentiel de vie commence à la conception. Mon Église a longuement débattu de ce sujet. Mais pour moi, il ne s'agit pas uniquement du potentiel de vie mais de la façon dont la vie des autres se trouve transformée par une naissance. C'est pourquoi, après y avoir réfléchi pendant des années dans ma tête et dans mon cœur, je crois que l'on devrait faire confiance aux individus d'une société aussi diverse que la nôtre pour prendre ce genre de décision grave. Sinon, l'intrusion du gouvernement dans la vie des gens serait insupportable. J'en conclus donc que l'avortement doit rester légal mais rare et pratiqué en toute sécurité[157]. » Et Hillary d'ajouter qu'il ne peut y avoir de libre choix que si les alternatives sont sérieuses : l'État et la société civile doivent, selon elle, soutenir l'adoption, l'assistance publique et faire campagne pour prévenir les grossesses des adolescentes.

Au-delà de cette prise de position de principes, il y a de la tactique politique aussi. Hillary s'adresse aux femmes de 40 à 60 ans qui constituent un segment très important de l'électorat. Des femmes qui ont vécu les retombées des conquêtes féministes des années 70 mais également, dans la foulée, l'irruption du SIDA et une plus grande tolérance à la sexualité des mineurs. Selon Beth Tomasello, la présidente du Club des femmes démocrates du Montgomery County dans le Maryland, « une adolescente qui tombe enceinte a toutes les chances de connaître le chemin de la pauvreté. Je préfère la contraception à l'abstinence avant le mariage ainsi que le libre choix d'avorter légalement[158] ». « Hillary Clinton est à l'image de son pays qui est conservateur, par exemple sur la question de l'abstinence des jeunes », commente en France Nathalie Loiseau, directrice de l'ENA après une carrière diplomatique qui lui a fait passer cinq ans aux États-Unis. « Les féministes américaines ont joué leur rôle dans le débat sur le harcèlement. Mais il y a une dimension sacrificielle dans la vie d'Hillary Clinton. Elle est la

---

157. Propos tenus devant le Democratic Compassion Forum au Messiah College, le 13 avril 2008.
158. Entretien avec l'auteur le 4 juin 2014.

femme bafouée qui a décidé de se taire et qui, aujourd'hui, se dit que son heure est venue[159]. »

Féministe tout court en faveur du travail des femmes et de la place des femmes en politique donc ? Dans la lignée de son discours de Pékin, en Chine, sur le droit des femmes, « elle croit, depuis ce qu'a fait Yunus[160] au Bengladesh avec le microcrédit, que les femmes sont des agents du changement », résume une responsable du Département d'État qui a servi sous ses ordres. « Son engagement en faveur des femmes est fantastique. Personne ne l'a aidée. Elle y a consacré une équipe dédiée. C'était sa façon à elle de préparer sa possible candidature à la présidentielle de 2016 », ajoute un diplomate européen en poste aux États-Unis[161]. Encore et toujours la politique et l'ambition d'aller toujours plus haut. Comme si les projets ne valaient pas seulement pour eux-mêmes. Le féminisme d'Hillary repose aussi sur la notion que les femmes sont meilleures en politique. Au sens où leur expérience les conduit à répondre plus précisément que les hommes aux préoccupations des familles. « Les femmes ont un impact différent », avance Marcy Stech, la porte-parole de l'organisation Emily's list : « Kirsten Gillibrand, par exemple, a fait voter une loi pour la sécurité des berceaux. Elles sont en général davantage partantes pour un compromis en cas de blocage à la Chambre ou au Sénat. Elles ont permis de modifier le regard des élus sur le dossier tabou des agressions sexuelles dans l'Armée. Dans le domaine de l'égalité salariale, toutes les élues mettent en avant que les femmes gagnent en moyenne encore 23 % de moins que les hommes à compétences égale[162]. »

Le discours de défaite d'Hillary Clinton de juin 2008, faisant référence au plafond de verre fissuré par ses 18 millions d'électeurs, aurait pu et dû être prononcé plus tôt, donner lieu à des

---

159. Entretien avec l'auteur le 26 août 2014.
160. Muhammad Yunus, économiste du Bengladesh et prix Nobel de la paix 2005 après avoir fondé la première banque de micro-crédit pour favoriser la création d'entreprises par les femmes.
161. Entretien avec l'auteur le 3 juin 2014.
162. Entretien avec l'auteur le 6 juin 2014.

slogans en faveur de l'élection de la première femme présidente. Mais on aurait alors accusé Hillary de jouer la carte du genre. Ce qui prouve que le féminisme est parfois une arme à double tranchant.

First Lady, l'apprentissage du moi

« La première Dame de la nation a maintenu ses habitudes de sa vie d'avant. Ne s'autorisant aucune oisiveté, elle se lève à l'aube et, après le petit-déjeuner, se retire dans sa chambre pour une heure d'étude des Écritures et de dévotions. » Ainsi est évoquée la vie de la première First Lady des États-Unis, Martha Washington, dans un article biographique paru dans le *Boston Courier* du 12 juin 1843, près d'un demi-siècle après la fin des deux mandats de son époux, George Washington. Depuis, des centaines de livres plus ou moins savants ont été écrits sur les First Ladies américaines. Comme dans beaucoup d'autres pays, le rôle de la première Dame n'est pas défini par la Constitution. C'est donc à chacune de s'adapter à une tradition de discrétion jusqu'au début du XXe siècle. Jusqu'à ce que les médias modernes influent fatalement sur la visibilité du couple présidentiel et sur la vie sociale de la Maison Blanche. Mais certaines First Ladies, par envie et intérêt, sont allées plus loin. Eleanor Roosevelt reste ainsi un modèle pour Hillary Clinton. Jackie Kennedy aussi. Mais avant 1992, aucune première Dame n'aura eu autant de poids politique à la Maison Blanche qu'Hillary[163]. Ce qui ne l'a pas forcément servie.

Déjà, dans l'Arkansas, Hillary Rodham avait dû apprendre malgré elle qu'il faut savoir de temps en temps s'effacer derrière son homme. Pas seulement parce que c'était le *Deep South* et qu'il y régnait encore dans les années 80 un conservatisme viril. Mais aussi parce qu'Hillary, en osant s'immiscer, en accord avec son mari, dans la gestion des affaires de l'État, risquait de voir rejaillir doublement n'importe quel échec sur son gouverneur de mari. Si l'Arkansas est reconnaissant envers Hillary d'avoir fait voter des réformes progressives en matière d'éducation et de santé, il a bien fallu plus tard que Hillary abandonne son nom de jeune fille qui lui servait dans son métier d'avocate pour être reconnue comme l'épouse de Bill Clinton afin de ne pas choquer la frange la plus

---

163. *First Ladies, Influence and Image*, a C-Span Serie (2013-2014).

conservatrice de l'électorat démocrate local. À Little Rock comme dans les campagnes électorales qui se sont succédé, surtout celle de 1992 pour la présidentielle, Hillary a joué un rôle majeur.

La fameuse expression « deux pour le prix d'un » est née à cette époque et Hillary ne l'a jamais vraiment rejetée. Pour elle, très clairement, il n'était pas question de s'impliquer autant dans la compétition politique et la conquête du pouvoir sans devenir le premier des partenaires de son mari une fois la présidence acquise. C'est en tout cas comme cela qu'elle le raconte : « Nous avions travaillé ensemble si longtemps que Bill savait pouvoir me faire confiance. Mais nous ne saurions précisément quel serait mon rôle que vers la fin de la transition[164]. C'est alors que Bill me demanda de superviser l'initiative sur l'assurance maladie. (...) En raison de notre expérience précédente en Arkansas, nous ne perdîmes pas de temps à nous préoccuper des réactions négatives que susciterait ma participation. Nous ne nous attendions certainement pas à ce que Washington se révèle plus conservateur que l'Arkansas sur la question des épouses assumant des charges[165]. »

Cette réforme de l'assurance santé, on le sait, a échoué. Plus par les méthodes utilisées par Hillary et par l'ambition des objectifs qu'elle s'était fixés que par un complot interne à la Maison Blanche et jusqu'au Congrès où l'on était furieux de voir la First Lady dicter sa politique aux professionnels du processus législatif. « Après l'échec de son projet de réforme de l'assurance santé, elle est revenue à son rôle de First Lady classique. Mais dès 1995, elle a commencé à faire reparler d'elle en mettant son grain de sel dans les décisions de la Maison Blanche. Ensuite, elle a toujours veillé à ne pas avoir de rôle politique en propre », témoigne François Bujon de l'Etang qui fut ambassadeur de France à Washington à cette époque. « L'affaire Lewinsky a tout changé. C'est à partir de ce moment-là qu'elle a commencé à se bâtir une base politique à elle. Car elle avait acquis la sympathie d'une part importante de l'opinion en n'ayant pas de

---

164. Période qui suit l'élection présidentielle du premier mardi de novembre jusqu'à l'investiture le 20 janvier et pendant laquelle le président-élu se prépare à gouverner tandis que le président sortant gère les affaires courantes.
165. Hillary R. Clinton, *Mon Histoire*, p. 161, J'ai Lu, 2003.

réaction trop brusque contre son mari. Dans l'inconscient collectif des Américains, elle se comportait avec dignité. Elle a beaucoup capitalisé là-dessus avant d'aller soutenir des candidats démocrates à la Chambre et au Sénat. Plus tard, lorsqu'elle s'est présentée elle-même au Sénat, ce réseau l'a beaucoup aidée. Les gens lui devaient des renvois d'ascenseur. C'est au cours de cette campagne que l'on a pu voir tout son savoir-faire et son intelligence[166]. »

Autant on peut la juger entêtée à ses débuts à la Maison Blanche, comme si elle voulait briser les mauvaises habitudes d'une ville où tout ce qui est politique doit se négocier dans des bras de fer, autant Hillary a su par la suite se faire une place où elle était moins contestée. Pas forcément dans l'ombre et la discrétion, le plus souvent en coulisses afin de préparer son propre avenir. Une évolution qui se marque géographiquement par son passage de la West Wing (siège de l'exécutif de la Maison Blanche) à l'East Wing (résidence présidentielle).

Hillary a modernisé, non sans mal, le décor et la vie quotidienne au 1600 Pennsylvania Avenue. Elle a ainsi voulu faire comprendre qu'une nouvelle génération s'emparait de la Maison Blanche, que la vie monotone des Reagan et des Bush pouvait laisser place à davantage de souplesse, de surprises, de transparence et d'ouverture aux autres. Dans les faits, la Maison Blanche fut accueillante pour des milliers d'invités venus de tous les horizons, certains étant tirés au sort pour que chacun tente sa chance. Et si la presse a beaucoup reproché aux Clinton de faire dormir des rock stars, des vedettes d'Hollywood ou des amis milliardaires dans la chambre d'Abraham Lincoln, il restera de cette période que la Maison Blanche fut davantage à l'image de ces années 90 : brouillonnes, innovantes et décomplexées. Internet venait de naître. Mais également CNN, la première chaîne d'information en continu qui avait fait ses débuts sous Reagan mais se fit connaître du monde entier lors de la première guerre du Golfe sous Bush Sr.

Si Bill et Hillary Clinton sont les représentants de cette modernité où tout va plus vite et où les frontières de l'information sont

166. Entretien avec l'auteur le 11 juin 2014.

repoussées chaque jour plus loin, ils en sont, dans cette « nouvelle » maison Blanche, les premières victimes. Chaque gaffe de l'administration Clinton, chaque scandale éclaboussant le couple, chaque maladresse d'Hillary est commentée nuit et jour dans le nouveau cycle de l'information 24/24h. Le pire, pour la First Lady et son mari, venant d'internet, puisque, cachés derrière les remparts du virtuel, les enquêteurs et les échotiers de la presse conservatrice, notamment le fameux *Drudge Report*, ne leur laisseront aucun répit jusqu'à leur départ.

L'avenir est-il aux First Ladies de choc ? Aucune en tout cas n'a osé défier la tradition de rester aux côtés de son mari. Aucune n'a choisi de poursuivre ses activités professionnelles, pour celles qui avaient un métier. Mais si chacune des premières Dames a fait avancer un certain nombre de causes, aucune n'a autant partagé le pouvoir présidentiel qu'Hillary. Même Michelle Obama, dont on dit qu'elle influence considérablement son époux dans ses choix, a toujours publiquement confirmé qu'elle ne se voyait d'autre destin que celui de *First Mom*. Même si, être la première des mamans, montrer l'exemple, notamment dans la lutte contre l'obésité, dont elle est devenue la très populaire championne, n'a pas empêché Michelle de jouer un rôle politique majeur dans les campagnes de son mari et des démocrates au sens large. First Lady unique en son genre, jusqu'à ce qu'une autre prenne la relève pour reprendre en charge le concept de co-présidence, Hillary Clinton s'avance maintenant vers un autre défi. Faire incarner la notion de *First Gentleman* à celui qui l'accompagnera une nouvelle fois à la Maison Blanche. Bill, paraît-il, en rêve… Aboutissement du pacte passé avec son épouse il y a si longtemps[167].

---

167. *The Washington Post*, 2 juillet 2014.

Gennifer Flowers, la fleur vénéneuse

Avec la fonctionnaire de l'État de l'Arkansas, Paula Jones, et la stagiaire à la Maison Blanche, Monica Lewinsky, la troisième femme à s'être fait mondialement connaître, pour illustrer à la fois la sexualité débridée de Bill Clinton et la capacité d'Hillary à le soutenir à travers les scandales que ces liaisons ont suscités, s'appelle Gennifer Flowers. C'est son témoignage rendu public en janvier 1992 par un tabloïd gratuit de supermarché, en pleine primaire du New Hampshire – étape décisive sur la route de la nomination démocrate – qui a failli coûter la victoire présidentielle cette année-là à Bill Clinton. Et qui aurait donc pu changer le cours de l'histoire pour le couple qu'il forme avec Hillary.

La différence entre le scandale Flowers et les deux autres mentionnés plus haut tient au fait que Bill Clinton a, pour une fois, reconnu très vite l'existence d'une liaison avec cette reporter à KARK TV devenue chanteuse de cabaret. Contrairement aux deux autres (un présumé harcèlement sexuel pour Paula Jones et une aventure érotique de quelques mois avec Monica Lewinsky), la relation de Bill Clinton avec Gennifer Flowers aurait duré plus de dix ans. Le top model originaire de l'Oklahoma, toute en mèches blondes à la Dolly Parton, se croyait la maîtresse d'une belle histoire d'amour avec le jeune ministre de la Justice de l'Arkansas. Bill, de son côté, ne voyait dans cette relation qu'amusement et distraction sexuelle. Pour Hillary, en revanche, qui connaissait les penchants de son mari, se rendre compte qu'il ne s'agissait pas d'une passade mais d'une liaison entretenue avec ses codes et ses rendez-vous depuis 1977 a été vécu comme une humiliation et une trahison[168]. Pas forcément parce qu'elle ne savait pas – des indices multiples laissent croire qu'elle était au courant des infidélités de son époux – mais parce que la liaison était devenue publique et risquait de mettre en péril le pacte qu'ils avaient passé ensemble.

---

168. *The Washington Post*, le 13 mars 1998, texte intégral de la déposition de G. Flowers.

Après tout, n'est-ce pas Betsey Wright, futur pilier de l'Hillaryland et précédemment directrice de cabinet du gouverneur Clinton, qui avait collecté la plupart des informations sur ses liaisons extra-conjugales et l'avait dissuadé de se présenter à la présidentielle de 1988 en raison d'un risque de scandale sexuel, à l'image de ce qui venait d'arriver au sénateur du Colorado, Gary Hart, pourtant en tête des primaires cette année-là[169] ?

Dans son autobiographie, Hillary ne consacre à l'affaire Flowers que deux pages sur plus de 600. Pour ne résumer son propre rôle qu'à celui d'une épouse solidaire qui tient bon dans la tempête. La fameuse interview commune dans l'émission *60 minutes* de CBS au soir du Super Bowl a été magnifiquement pensée par leur équipe de stratèges. Ce soir-là, ce ne sont pas tant les mots de Bill, s'excusant d'avoir porté préjudice à son mariage qu'ont retenu les téléspectateurs mais ceux d'Hillary : « Vous voyez, je ne suis pas simplement assise là comme une petite femme défendant son homme (…). Je suis là parce que je l'aime, parce que je le respecte (…) Et si cela ne suffit pas aux gens, eh bien, zut, il leur suffira de ne pas voter pour lui[170]. »

Hillary connaissait-elle l'existence des conversations que Gennifer Flowers, maîtresse abandonnée, avait enregistrées à l'insu de Bill et dont le contenu était publié par la presse à scandales ? Pouvait-elle imaginer que Gennifer Flowers viendrait témoigner six ans plus tard en marge de l'enquête du procureur Kenneth Starr sur les allégations de harcèlement sexuel dont Bill était accusé par Paula Jones ? Jusqu'à ce que l'élargissement de cette enquête débouche sur les confessions de Monica Lewinsky et sur les accusations contre le président de mensonge, d'entrave à la justice et de subornation de témoins ? Comme l'avoue pudiquement l'un des conseillers de la campagne de 1992, Rahm Emanuel, qui deviendra par la suite l'un des conseillers de Bill à la présidence : « Nous avions entendu plein d'histoires sur le candidat avant de venir travailler avec lui,

---

169. Carl Bernstein, *A Woman in charge*, p. 179, Arrow Books, 2007.
170. Hillary R. Clinton, *Mon Histoire*, p. 146, J'ai Lu, 2003.

nous savions à peu près où nous mettions les pieds et nous avons toujours été très lucides depuis le début[171]. »

Ce qui ressort des écrits et des déclarations d'Hillary Clinton depuis l'affaire Flowers indique clairement qu'au-delà des souffrances subies, elle voyait en son mari autre chose qu'un coureur de jupons endiablé. Pour elle, l'homme politique, l'élu, le candidat aux plus hautes fonctions, méritait mieux que d'être traité comme un vagabond sexuel. Et l'exploitation politicienne par leurs adversaires communs de ces frasques méritait une solidarité et une riposte commune. Non pas pour cautionner le comportement de Bill mais pour pouvoir mettre en œuvre au pouvoir leurs idées de réforme de la société américaine. À l'issue de l'émission de *60 minutes*, l'un des volontaires de la campagne Clinton a demandé à Diane Blair, la meilleure amie d'Hillary, pourquoi l'épouse trompée du candidat restait avec lui. Parce qu'elle « savait à quoi s'attendre en l'épousant », répondit-elle[172]. Cynisme ? Pas seulement.

La victoire de Bill en 1992 puis l'accumulation d'autres scandales, sexuels ou politiques, qui s'en suivent sont l'illustration, selon Hillary, de l'incroyable capacité de la droite conservatrice à détruire leur projet commun. Ce qu'elle appellera plus tard « une vaste conspiration », un complot dont les racines et les acteurs existent bel et bien. Cela ne retire rien aux faiblesses de « caractère » de Bill, fils d'alcoolique à l'enfance compliquée, et aux ambitions pour deux d'Hillary, ce qui inclut les siennes propres. Et Gennifer Flowers ? Qu'est-elle devenue ? Elle a 62 ans aujourd'hui. Dans sa dernière interview accordée au tabloïd britannique *Daily Mail*, qui coïncide avec les premiers commentaires sérieux sur une possible candidature d'Hillary Clinton à la présidentielle de 2016, l'ex-maîtresse n'est pas franchement animée par la vengeance. Après avoir posé nue dans le magazine *Penthouse*, dansé à Las Vegas, chanté à la Nouvelle-Orléans, vivoté comme décoratrice d'intérieur et créé sa propre marque de bijoux tout en devenant chroniqueuse

171. Interview à *Frontline*, PBS, Juin 2000.
172. Jeff Gerth et Don Van Natta, *Hillary Clinton, histoire d'une ambition*, p.136, J.-C. Lattès, 2008.

pour un magazine porno, Gennifer Flowers n'en veut plus aux Clinton[173]. Selon elle, il était clair que sa liaison avec Bill n'avait guère de chance de perdurer après la naissance de Chelsea Clinton en 1980. Qu'une fois le couple devenu une famille, leur destin serait protégé. Elle dit aussi d'Hillary, presque avec admiration, qu'elle forme avec Bill un couple «fort» et qu'elle est même prête à voter pour elle! Mais en révélant que l'ancien président l'a rappelée un jour au téléphone en 2005, une information que les Clinton n'ont pas daigné commenter et donc impossible à confirmer[174], Gennifer Flowers fragilise le récit officiel selon lequel l'ancien président et son épouse auraient retrouvé une vie totalement normale.

173. *Mail.Online*, site web du *Daily Mail*, 19 septembre 2013.
174. Interview à la chaîne de télé *WGNO*-New Orleans, le 28 novembre 2012.

Fondation Clinton,
carnet d'adresses conflictuel

Chacun voit midi à sa porte. Pour ses admirateurs, Bill Clinton a voulu se rendre utile lorsqu'il a quitté la Maison Blanche à l'âge de 55 ans. Sa Fondation humanitaire est devenue en treize ans l'un des passages obligés pour toute grande entreprise qui veut se donner une image sociale positive et pour tout gouvernement étranger qui veut promettre au monde qu'il est capable de mieux faire dans le domaine des droits de l'homme, de l'environnement et de la santé publique. Mais pour ses détracteurs, la Fondation est devenue une usine à gaz qui mélange les genres et pourrait bien poser des problèmes à Hillary lors de sa campagne 2016. D'autant qu'en y installant une partie de ses activités et en y accolant son nom, elle doit désormais en assumer toutes les facettes.

« Ce qui est intéressant chez les démocrates centristes de son calibre, c'est qu'ils sont très humanistes, intéressés par l'autre » : dans le rôle du dévot, voici Philippe Douste-Blazy, ancien ministre de la Santé et des Affaires étrangères, fasciné par la capacité de Bill Clinton de faire venir autour de lui tous les talents du monde pour la bonne cause, celle d'améliorer le sort des déshérités. « Donc, il fait des conférences, gagne de l'argent mais cherche à continuer la politique par d'autres moyens, par de la politique utile sur les grands concepts : éducation, lutte contre les épidémies, changement climatique… L'idée de génie, ça a été d'inventer la Clinton Global Initiative (CGI) à New York et de la caler sur la même semaine que l'Assemblée générale des Nations Unies pour pouvoir rameuter le maximum de chefs d'États. Et leur faire rencontrer les meilleurs experts mondiaux de la tuberculose ou du SIDA[175]. » Sauf que la CGI, mise entre parenthèses lors du passage d'Hillary au Département d'État pour éviter tout conflit d'intérêt entre les donateurs internationaux et la diplomatie américaine, a toujours eu pour

---

175. Entretien avec l'auteur le 8 juillet 2014.

but également de servir de vitrine planétaire à la famille Clinton. Bill, Hillary et Chelsea animent au cours de cette conférence dans un grand hôtel de Manhattan chacun des ateliers au cours desquels participent des patrons de multinationales, des dirigeants de Fondations et d'ONG et des chefs d'États. L'avantage est double : sur le plan humanitaire, la cause avance avec des promesses de dons chaque année pour alimenter des programmes de développement humain tandis que diplomatiquement et politiquement les Clinton se rendent incontournables, même lorsqu'ils ne sont plus aux affaires. Ce qui leur permet de rester dans la boucle et de préparer leur retour.

Tout cela est parfaitement légal et honorable. La Fondation jongle chaque année avec quelques centaines de millions de dollars de dons à répartir sur des dizaines de projets, aux États-Unis et dans le reste du monde, et emploie pas loin de 400 personnes dont plusieurs dizaines, à haut niveau, sont des anciens de la galaxie Clinton. Là où les choses deviennent contestables, c'est lorsqu'un grand donateur se montre généreux pour la Fondation Clinton mais également dans le financement des campagnes d'Hillary ou de leurs amis. Ou pire, dans le seul objectif de pouvoir bénéficier d'un retour d'ascenseur lorsque le moment sera venu. Lorsque Hillary sera réélue au Sénat par exemple, ou bien lorsqu'elle accédera au Département d'État ou reviendra à la Maison Blanche avec Bill.

Le *New York Times* a ainsi révélé qu'en 2007 et 2008, la Fondation Clinton s'est retrouvée en déficit de plus de 40 millions de dollars parce que ses donateurs s'étaient reportés sur les comités de soutien d'Hillary[176]. Ce qui fait dire à l'un des responsables d'un Super PAC (comité d'action politique et de récolte de fonds) d'obédience républicaine : « Les Clinton ont un long passif de marchandage de l'accès au pouvoir. Au cours de la dernière décennie, ils l'ont institutionnalisé à travers leurs fondations, leurs discours rémunérés et leurs partenariats public-privé, afin de favoriser leurs amis et leurs

---

176. *The New York Times*, 13 août 2013.

alliés. Une troisième administration Clinton pratiquerait le clientelisme à une échelle inédite[177]. »

C'est ainsi que l'on risque de reparler dans la campagne 2016 de l'affaire Teneo, du nom d'une société de consulting en relations publiques et stratégie d'entreprise créée en 2009 par un l'ancien administrateur de la Fondation Clinton et fidèle lieutenant de l'ex-président, Doug Band. Non seulement Teneo démarchait les principaux donateurs de la Fondation pour qu'ils deviennent ses clients via des abonnements à 250 000 dollars par mois, mais Teneo employait également des consultants déjà salariés de la Fondation, à commencer par Bill Clinton lui-même! Dès le premier dérapage de Teneo signalé dans la presse, l'ancien président a rompu son contrat avec la firme de consulting. Hillary ne pourra pas échapper à cette controverse dans la mesure où certains de ses proches au Département d'État ont été recrutés par Teneo, notamment sa plus proche collaboratrice, Huma Abedin. En 2013, Doug Band a fini par prendre ses distances avec cette société qu'il avait créée[178].

Personne n'a perdu de vue non plus, qu'au cas où Hillary et Bill retourneraient à la Maison Blanche en 2016, la Fondation Clinton devra revoir totalement son fonctionnement et sa stratégie pour éviter de se retrouver en porte à faux avec la présidence. Ce sera la mission de Chelsea Clinton, qui a déjà de facto pris le contrôle de la plupart des activités de l'organisation. Et qui aura donc à assumer l'héritage.

---

177. Propos tenus à l'agence *Bloomberg* repris par CBS News le 6 mai 2014.
178. James Moore, *Bill, Hillary, Chelsea foundation an issue for Clinton 2016*, CNN, 16 août 2013.

Vince Foster, la politique assassine

Six mois jour pour jour après l'investiture de Bill Clinton à la Maison Blanche, le couple présidentiel perd son meilleur ami. Un suicide. Hillary ne s'en est jamais vraiment remise. Vince Foster, un ami d'enfance de Bill, son voisin de rue dans son village natal de Hope dans l'Arkansas, était devenu très vite un collègue précieux d'Hillary. C'est avec ce juriste brillant qu'elle avait réformé le statut de l'aide juridictionnelle dans cet État très pauvre. C'est lui qui s'était mobilisé pour l'embaucher comme avocate, la première au cabinet Rose, dont il était l'un des associés. C'est lui qui avait supervisé juridiquement les campagnes de Bill. C'est enfin lui que Bill et Hillary avaient emmené à la Maison Blanche pour en faire le conseiller juridique adjoint de la présidence.

Le 20 juillet 1993, Vince Foster est retrouvé gisant près d'un parking du Fort Marcy Park dans la banlieue de Washington, au bord du Potomac. Il s'est tiré une balle dans la bouche avec un pistolet de calibre 38, une arme de 1913. Dans les jours qui ont précédé sa mort, il a vu le film *A few good men* (*Officier et gentleman,* en français) de Rob Reiner dans lequel l'un des personnages se suicidait de la même façon[179]. Dans une note déchirée que l'on retrouvera six jours après, Vince Foster a écrit : « J'ai commis des erreurs par ignorance, inexpérience et surcroît de travail. Je n'ai pas sciemment violé de lois ni règles de comportement (…). L'opinion publique ne croira jamais à l'innocence des Clinton et de leurs loyaux collaborateurs. Je n'étais pas fait pour cet emploi ou pour vivre sous les projecteurs de la vie publique à Washington. Ici, détruire la vie des gens est considéré comme un sport[180]. »

Vince Foster fait allusion aux premiers scandales qui ont jalonné les premiers mois de la présidence. Le premier d'entre eux, *Whitewater,* l'implique indirectement dans la mesure où il

---

179. Sally Bedell Smith, *For Love of Politics, the Clintons in the White House,* Aurum Press, 2008.
180. *The Foster Report, Washington Post,* 1997.

concerne un investissement immobilier du couple Clinton dont les retombées financières ne sont pas claires. Il met en relation des individus liés à des soupçons de conflit d'intérêt entre des sociétés clientes d'Hillary et des subventions accordées par le gouvernement de l'Arkansas dont Bill était le gouverneur. Dès les lendemains de sa mort, les dossiers liés à cette affaire qu'il détenait à la Maison Blanche sont transférés chez l'avocat privé du couple Clinton, Robert Bennett. Le deuxième scandale s'appelle Travelgate. Hillary est accusée d'avoir favorisé le licenciement de sept personnes travaillant au bureau des voyages de la Maison Blanche, soupçonné de mauvaise gestion et de fraudes.

Mais c'est aussi l'art et la méthode du couple Clinton, singulièrement d'Hillary, dans sa façon de gérer la Maison Blanche qui auraient conduit Vince Foster au suicide. Maladresses, gaffes, colères, tyrannie de bureau, jalousies, politisation excessive de la moindre mesure prise, décisions brouillonnes et conduite en zigzag à courte vue ont rendu le travail de Vince Foster particulièrement éprouvant. Être dirigé par Hillary, qui avait été quelques années plus tôt sa subordonnée au cabinet Rose, ne devait pas être facile non plus. Et puis Foster a dû assumer l'échec de l'enquête de moralité sur la personne de Zoé Baird. Elle avait occupé des fonctions de conseil juridique auprès du président Carter. Bill Clinton voulait en faire la première femme ministre de la Justice. Foster avait épluché son CV et son passé d'avocate avant qu'elle ne soit soumise au feu des questions des sénateurs devant ratifier sa nomination. Il aurait dû y mettre son véto en sachant qu'elle avait employé à son domicile un couple d'immigrés péruviens illégaux. Mais les Clinton avaient considéré cette affaire comme mineure.

Amateurisme? Sauf qu'on ne peut pas se tromper deux fois. La juge Kimba Wood, sélectionnée pour remplacer Zoe Baird, n'avait pas pu être désignée non plus. Elle aussi avait embauché une nounou en situation irrégulière sur le sol américain. Foster s'en voulait beaucoup d'avoir contribué à cette impression de légèreté et d'improvisation qui régnait au sein de l'équipe Clinton. D'autant qu'Hillary, par féminisme politique, s'était battue pour que ces deux femmes-là soient nommées ministres[181].

«Vince était l'un des meilleurs avocats que j'aie connus et l'un des meilleurs amis que j'aie jamais eus», écrit Hillary dans ses Mémoires[182]. «Il était l'image même du héros et en affichait tous les traits : imperturbable, courtois, doté d'un sens aigu de la répartie mais discret, le genre de personne que vous souhaitez avoir auprès de vous en cas d'ennui.» Beaucoup a été dit sur des rumeurs de liaison entre Vince Foster et Hillary. Mais personne de très sérieux n'y a cru, pas même l'épouse de Vince, Lisa Foster, qui avait décidé de fuir Washington dès l'annonce de la mort de son mari, alors qu'elle venait à peine d'y emménager avec ses enfants contre son gré[183].

Pour les Clinton, c'est Washington qui a tué leur ami Vince. Cette ambiance de complot permanent, les médias à l'affût de la moindre faille, l'opposition républicaine vent debout contre les réformes présidentielles, notamment celle d'Hillary sur la santé. Un climat de haine où l'indulgence n'existe pas. Hillary a pleuré des nuits entières après la mort de Vince Foster. Au-delà des rumeurs selon lesquelles l'ami du couple serait mort «parce qu'il en savait trop», la First Lady s'en voulait surtout de ne pas avoir vu les choses venir. D'avoir négligé le sort personnel de cet homme en qui elle avait toute confiance et qui, dans l'ombre dans laquelle on l'avait laissé, prenait sur lui d'affronter les enquêteurs de la justice et de la presse. «Jusqu'à ma mort, je regretterai de ne pas avoir passé plus de temps auprès de lui ni entrevu sa détresse.» Hillary a-t-elle retenu cette leçon pour le reste de sa carrière politique ? C'est aussi à cela qu'on juge les hommes et les femmes de pouvoir.

---

181. *The New York Times*, 13 janvier 1993.
182. Hillary R. Clinton *Mon Histoire*, p. 113 et 221, J'ai Lu, 2003.
183. *For Love of Politics*, op.cit., extrait paru dans *The Daily Mail*, 15 janvier 2008.

France, l'image d'Épinal

Hillary Clinton aime la France comme les Américains aiment la France. Au-delà des clichés sur notre art de vivre, notre cuisine et nos paysages, Hillary connaît la rose et les épines de notre alliance avec les États-Unis. Lafayette, Rochambeau, l'amiral de Grace sur le navire duquel George Washington organise la bataille de Yorktown contre les Anglais, Pershing, Patton, De Gaulle, font partie des héros que dignitaires américains et français citent à chaque discours officiel. Jean-David Levitte, l'ancien ambassadeur de France à Washington et sherpa de Jacques Chirac et Nicolas Sarkozy, ne manquait jamais une occasion devant ses amis américains de rappeler sur le ton de l'émotion : « *The French will never forget the sacrifice of your soldiers on the beaches of Normandy*», ce qui ne manquait pas d'embuer les yeux de ses interlocuteurs. Le 14 juillet 2012, Hillary a également voulu associer, dans un communiqué à l'occasion de notre fête nationale, Eleanor Roosevelt, son héroïne, et René Cassin, tous deux ayant fait partie du comité de rédaction de la Déclaration universelle des droits de l'homme.

Hillary Rodham a connu la France lors de son premier voyage avec Bill avant qu'ils ne soient mariés. Ils s'étaient arrêtés dans les Pyrénées et sur la Côte d'Azur[184]. La First Lady de l'Arkansas a connu la France de l'époque Mitterrand lorsqu'elle est venue s'inspirer de notre modèle d'éducation des enfants en maternelle. Elle est revenue sous Jacques Chirac comme First Lady des États-Unis. Sénatrice, elle a évité de s'afficher pro-française à l'époque de la guerre en Irak et du *french bashing*. Secrétaire d'État, elle a travaillé avec Bernard Kouchner, Michèle Alliot-Marie, Alain Juppé et Laurent Fabius. Si elle aime la France ? Évidemment, dès lors qu'on joue franc jeu, c'est-à-dire souvent le sien.

Si le scandale Monica Lewinsky a été le plus ravageur de tous dans la vie publique d'Hillary Clinton, elle doit au couple Chirac d'avoir été le plus compréhensif à l'égard du sien. Il faut dire que

---

184. Gilles Delafon, *Dear Jacques, cher Bill*, p. 190, Plon, 1999.

Jacques Chirac ne manquait pas d'admiration pour Bill, même s'ils ont eu du mal à s'entendre sur des dossiers cruciaux comme celui de la Bosnie et plus tard du Kosovo. «Bernadette, elle, ne jure que par Hillary pour qui elle est le prototype de la femme politique», raconte l'ancien ambassadeur de France, François Bujon de l'Etang. «Lors d'une visite à Paris, au cours de laquelle Jacques Chirac et Bill Clinton avaient dîné à l'Ambroisie place des Vosges, Bernadette avait dit à Hillary : « il faut que vous veniez en Corrèze ». Le voyage a lieu en mai 1998 alors que l'affaire Monica est loin d'être éteinte. La première Dame française réserve à son invitée un accueil de reine. «Imaginez un convoi de 17 limousines noires dont deux blindées sinuant sur une route départementale perdue de Corrèze» pour visiter un par un les villages du canton dont Bernadette est la représentante au Conseil général. L'épouse de Jacques Chirac, «était stupéfaite de voir à quel point Hillary était contrôlée et minutée», souligne l'un des organisateurs de cette tournée. «Elle avait pris une demi-heure pour être maquillée en sachant qu'elle serait photographiée et son entourage avait repéré les lieux au cas où une photo serait faite devant des joueurs de pétanque. Cela en dit long sur le professionnalisme de l'équipe de la First Lady.» L'admiration est-elle réciproque? «C'est la seule femme de président que j'ai rencontrée qui exerce personnellement un mandat électif», écrit Hillary dans sa première autobiographie. «Elle a su, et cela me fascinait, s'imposer dans un rôle à sa mesure[185]. Après plus de quinze ans, cet échange indirect sur le rôle des premières Dames sur la scène politique prend toute sa saveur...

«Chirac était assez impressionné et sensible à ce front uni qu'affichaient Bill et Hillary» ajoute l'ambassadeur Bujon de l'Etang. «Quand vous les voyiez, vous sentiez un *partnership*. Il a toujours voulu se montrer très solidaire du couple pour leur manifester son amitié. Lorsqu'il est venu à Washington en tant que patron de la présidence européenne en décembre 2000, il est venu faire ses adieux à Bill.»[186] Et le président américain y a été très sensible.

---

185. Hillary R. Clinton, *Mon Histoire*, p. 418, J'ai Lu, 2003.
186. Entretien avec l'auteur le 11 juin 2014.

Rien à voir avec le lien qui unissait l'Américain et Tony Blair avec lequel la connexion générationnelle et politique était plus évidente.

Avec la France, Hillary Clinton n'est pourtant pas prête à toutes les compromissions. Sénatrice, elle a apprécié à sa juste valeur le *Nous sommes tous des Américains* à la Une du quotidien *Le Monde* au lendemain des attentats du 11-Septembre. Secrétaire d'État, elle a nommé habilement directeur d'Europe le très francophile Philip Gordon, traducteur aux États-Unis du livre-programme *Témoignage* de Nicolas Sarkozy. Mais au Congrès, Hillary « ne faisait pas partie du French Caucus », confie un officiel français au cœur de la relation franco-américaine. Fort d'une vingtaine d'élus, lors de sa création en 2003 pour servir de lieu d'échange en pleine brouille franco-américaine sur la guerre en Irak, le French Caucus s'est élargi progressivement à une centaine de membres dont plusieurs sénateurs. Mais Hillary n'en était pas, alors que deux de ses collègues femmes du Minnesota et de Louisiane ont adhéré à ce club. « Elle ne l'a pas voulu et nous ne l'avons pas non plus sollicitée », poursuit notre source[187]. Seule excuse pour Hillary, aucun candidat à la Maison Blanche n'a rejoint le French Caucus. Même John Kerry, le cousin de Brice Lalonde, candidat en 2004, c'est dire…

Hillary Clinton connaît Nicolas Sarkozy. L'ex-président sur le retour a conservé cette photo prise en 2010 sur les marches de l'Élysée lorsque Hillary perd son escarpin au pied droit. Galant, il lui avait tenu la main le temps qu'elle se rechausse. « Pas sûr que je sois Cendrillon mais vous serez toujours mon Prince charmant » avait écrit Hillary en légende. Lorsqu'elle a publié ses Mémoires de Secrétaire d'État, le président Hollande l'a également accueillie au Palais. Il est venu la chercher au pied du perron. Elle lui a dédicacé son livre. Et il pleuvait…

187. Entretien avec l'auteur le 19 juin 2014.

G

Kirsten Gillibrand, la future Hillary ?

Elle est jeune et brillante. Elle a hérité du siège sénatorial de celle qui allait devenir Secrétaire d'État puis a réussi à se faire réélire haut la main. C'est une « libérale conservatrice », parfait compromis centriste dans la lignée des fondateurs de la Troisième voie clintonienne. Elle aura 50 ans en 2016 et figure déjà parmi les étoiles montantes du parti démocrate. Beaucoup ont vu en elle une Hillary-bis capable de prendre sa place au cas où l'ex-First Lady renoncerait à se présenter pour une deuxième fois à la Maison Blanche. Autant dire qu'avec ou sans Hillary à la tête du pays, il faudra compter avec cette avocate blonde et mère de deux enfants au Sénat où elle s'est habilement repositionnée un peu plus à gauche.

Elle l'avoue elle-même, elle doit beaucoup à Hillary Clinton. À l'évidence parce que c'est elle qui fut choisie par le gouverneur démocrate de l'État de New York, David Paterson, pour remplacer au pied levé Hillary dans sa fonction de sénatrice. Dans certains États en effet, en cas de démission d'un élu on ne procède pas forcément à une élection partielle tout de suite mais le gouverneur nomme un remplaçant jusqu'à l'élection générale suivante. Dans ce cas-ci, Paterson a hésité entre plusieurs personnalités démocrates influentes de la région, à l'image de Caroline Kennedy ou Andrew Cuomo, avant de nommer Kirsten Gillibrand. À charge pour elle de se faire réélire en 2010 puis en 2012, à l'expiration du mandat qu'aurait dû accomplir Hillary. Gillibrand n'a pas été choisie au hasard[188]. Elle était déjà depuis deux ans Représentante du 20ᵉ district de l'État de New York au Congrès, une circonscription de l'Upstate qui comprend la capitale Albany dont elle est native. Or, si Kirsten s'était lancée dans l'arène à l'époque, c'était déjà pour répondre à l'appel d'Hillary Clinton ! Brillante avocate passée par le Dartmouth College de l'Ivy League, employée du cabinet Davis Polk, l'un des plus prestigieux au monde avec ses 800 collaborateurs, Kirsten s'est laissé entraîner un jour à une réunion du

---

188. *Vogue*, novembre 2010.

Women's Leadership Forum, une filiale du Parti démocrate chargée de promouvoir les femmes en politique. Ce jour-là, la First Lady explique à l'assemblée que celles qui ont réussi à se faire une place dans l'élite du monde des affaires doivent penser à servir aussi l'intérêt général et donc à tenter l'aventure des élections. En entendant ce prêche, Kirsten se dit : «Je suis une jeune avocate, que suis-je en train de faire de ma vie et de ma carrière ?» «Je regardais Hillary sur la scène et je me suis demandé pourquoi je n'étais pas à sa place en train de faire la même chose. C'était douloureux comme constat. Mais de là datent mes premiers pas pour me lancer en politique.»[189]

Ni une ni deux, voilà Kirsten qui ne tarde pas à quitter son cocon de verre et d'acier de Manhattan, où elle gagne très confortablement sa vie, pour intégrer le département juridique du ministère du Logement dirigé par Andrew Cuomo, le plus jeune des ministres du gouvernement Clinton. Par la suite, Kirsten s'engage activement dans la campagne sénatoriale d'Hillary. Une fois l'ex-First Lady élue, la jeune militante repart exercer dans le privé. Mais c'est pour mieux se préparer à revenir en première ligne. En 2006 elle se présente dans sa circonscription d'Albany, acquise pourtant aux républicains depuis 1913. Faisant campagne très à droite, fiscalement mais aussi sur le plan des valeurs, elle n'hésite pas à faire feu de tout bois. Si bien que lorsqu'un rapport de police surgit fort opportunément à quelques jours du scrutin pour indiquer que l'épouse de son adversaire républicain est victime de violences conjugales, les électeurs finissent par basculer et Kirsten est élue. Coup de chance? Non. La preuve, elle se fait réélire avec dix points de plus deux ans plus tard. Et lorsqu'il s'agit en 2010 de rester digne d'Hillary Clinton en affrontant cette fois le suffrage de l'ensemble des électeurs de l'État de New York, puisqu'il s'agit d'un siège de sénateur, personne ne pense qu'une petite élue de l'Upstate, restée assez conservatrice, réussira à convaincre les bastions libéraux de Manhattan, de Brooklyn et des banlieues populaires de gauche. Néanmoins, comme les barons du Parti à Washington ont décidé de décourager tout rival démocrate

189. *New York Magazine*, 7 janvier 2007.

nuisible à sa candidature, Kirsten se retrouve sans encombre face à un républicain, lui aussi passé par la Chambre des Représentants. Mais ce fils d'immigré italien, comme Lazio face à Hillary dix ans plus tôt, ne fait pas le poids et Gillibrand rafle la mise avec plus de 63% des voix, devenant à 42 ans la plus jeune élue au Sénat. Deux ans plus tard, en 2012, candidate désormais pour un mandat entier de six ans, pour renouveler celui dont Hillary avait démissionné en cours de route, Kirsten fait encore mieux. Face à une autre femme, une avocate républicaine proche de Mitt Romney, elle triomphe avec 72% des suffrages, du jamais vu dans l'histoire de l'État.

Prodige de la politique? Ou simple météore à la mode Hillary qui ne fera que passer?[190] Comme Hillary, elle a réussi au Sénat à se faire intégrer dans la très sérieuse Commission des Forces armées et dans celle des Affaires étrangères. Elle a mené campagne activement pour faire passer la réforme qui autorise les homosexuels à servir dans l'armée. Elle est parvenue à faire voter une loi, conjointement avec les républicains, qui pénalise davantage les délits d'initiés des élus au Congrès qui font fructifier leur fortune à la Bourse. Elle a échoué en revanche à faire adopter une loi qui aurait retiré aux tribunaux militaires la compétence de juger les actes d'agression sexuelle au sein de l'armée. Un épisode qui a inspiré les scénaristes de la série *House of Cards*.

Et maintenant? Télégénique, populaire, efficace, loyale, Kirsten Gillibrand aurait pu se présenter pour la Maison Blanche en 2016. Un peu jeune certes, mais Barack Obama n'a-t-il pas été élu à 47 ans? «C'est sûr que j'y penserai un jour mais pas dans un proche avenir. Hillary Clinton sera notre première femme présidente. Et je l'aiderai en 2016, je ferai campagne pour elle.»[191] Inutile de dire que si tout cela se réalise, Kirsten Gillibrand sera récompensée de cette fidèle loyauté. Avant de penser à 2020 ou 2024….

190. *Elle* (version US), juillet 2009.
191. Interview à *Time Magazine*, 11 mars 2014.

Al Gore, l'ex-rival

L'ancien vice-président de Bill Clinton, et candidat malchanceux à sa succession en 2000 face à George W. Bush lors de la plus controversée des élections présidentielles américaines, est surtout connu depuis dans le monde entier comme l'un des meilleurs porte-drapeaux de la lutte contre le réchauffement climatique. Retiré de la politique, bien que très actif dans le secteur de « l'énergie verte » aux États-Unis, la relation qu'il a entretenue avec les Clinton permet de mieux comprendre comment fonctionne Hillary.

En 1992, Hillary estime que le choix d'Al Gore comme candidat à la vice-présidence sur le ticket présidentiel est une bonne idée. Même si les deux hommes sont tous deux « sudistes », Al Gore étant sénateur du Tennessee, et Bill gouverneur de l'Arkansas, ils incarnent selon elle la jeunesse et l'énergie dont le pays a besoin. Ce qu'elle ne dit pas, c'est qu'elle compte aussi sur l'expérience washingtonienne des Gore, leurs réseaux forgés depuis presque vingt ans dans la capitale, pour recevoir le meilleur accueil possible. Bien que la famille Gore soit propriétaire terrienne dans la région de Carthage dans le Tennessee, Al est né à Washington où il a grandi, son père ayant été Représentant au Congrès puis sénateur sans discontinuer de 1939 à 1971.

Les deux couples ne se connaissent pas très bien. Ils apprennent pendant la dernière ligne droite de la campagne à nouer des liens. Notamment Hillary et Tipper, une jeune femme du même âge, très conservatrice sur les valeurs familiales, à la santé fragile. Hillary savait dès le départ que le « couple à trois têtes », selon l'expression du consultant politique David Gergen, devrait forcément n'en garder que deux. Le dimanche précédant l'investiture, n'est-ce pas le *New York Times Magazine* qui publie cette analyse prémonitoire et humiliante d'un expert républicain : « Al Gore n'a pas encore réalisé qu'il va y avoir une co-présidence et qu'il n'en sera pas. »[192]

---

192. *New York Times Magazine*, 15 janvier 1993.

Après la victoire, alors que Bill Clinton planche sur son dispositif gouvernemental, Al Gore lui fait savoir qu'il aimerait se charger de la réforme de la santé. Il a l'expérience de la négociation du fait de son passage au Sénat et il considère que ce serait un plus pour le statut de la vice-présidence. Mais Bill s'inquiète du fait que cette réforme risque de lui prendre l'intégralité de son temps alors qu'il a besoin d'un vice-président polyvalent. Plus tard, lorsque Bill apprend qu'Hillary a décidé d'occuper une suite de bureaux de la West Wing qui a jadis été occupée par plusieurs vice-présidents et leur équipe, Al Gore commence à éprouver de la suspicion et de la méfiance à son égard[193].

En août 1994, alors qu'il vient de se blesser au tendon d'Achille, l'un de ses interlocuteurs lui demande en quoi cela affecte son quotidien à la Maison Blanche. Et Gore de répondre avec une ironie qui vient de loin : « cela me prend deux fois plus de temps pour promener Socks », le chat des Clinton[194]... Comme le résume à sa façon l'ambassadeur de France à Washington à l'époque, François Bujon de l'Etang : « Les Clinton et les Gore ne se sont jamais bien entendus. Ils ont mal vécu, de part et d'autre, la vice-présidence. Lui, Al Gore, jouait les "good sports". Il voulait sortir de l'ombre et tuer le père. »[195] Ce qu'il essaiera de faire en tentant, en vain, de succéder à Bill à la présidence des États-Unis.

Le 26 janvier 1998, alors que le scandale Monica Lewinsky atteint son paroxysme avec le fameux épisode de la robe bleue souillée de la stagiaire, Al Gore et Hillary présentent à la presse un nouveau programme d'éducation d'un milliard de dollars destiné aux enfants des classes moyennes et défavorisées, afin de leur offrir un temps supplémentaire après les cours pour faire du sport ou réviser leurs leçons. Hillary s'est beaucoup investie pour que ce projet voit le jour. Et Al Gore souhaite que le Président Clinton s'en serve comme une preuve de sa capacité à se concentrer sur le travail gouvernemental en dépit du scandale Lewinsky. Bill parle

193. Carl Bernstein, *A Woman in charge*, p. 221, Arrow Books, 2007.
194. *Vanity Fair*, novembre 2007.
195. Entretien avec l'auteur le 11 juin 2014.

avec talent du sujet pendant une dizaine de minutes, mais conclut son propos, en fixant des yeux la caméra, par une phrase qui restera dans tous les esprits pendant des années : « Je n'ai pas eu de relations sexuelles avec cette femme, mademoiselle Lewinsky. Je n'ai jamais demandé à quiconque de mentir, pas une seule fois, jamais. Ces accusations sont mensongères. Et maintenant, je vais me remettre au travail, au service du peuple américain. »

Al Gore a mis du temps à se remettre de cette prise d'otages. Qu'il ait dû féliciter Hillary pour le travail accompli dans ce projet éducatif important qui restera dans le bilan de la présidence, passe encore. Mais que le président profite de sa présence pour régler ses comptes avec les médias et avec le procureur Kenneth Starr, voilà qui le liait une fois de plus à ses frasques. Ces mensonges à répétition en présence de qui s'étaient montrés les plus loyaux à son égard, et il en faisait partie, expliquent en partie pourquoi Gore refusera d'être soutenu par Bill Clinton dans sa campagne contre George W. Bush.

Cette loyauté, il la prouve jusqu'au dernier jour du deuxième mandat. Lorsque la Chambre des Représentants met en accusation le président Clinton pour parjure et obstruction à la justice, Al Gore estime que ce vote est « un mauvais service rendu à un homme qui, je crois, sera plus tard présenté dans les livres d'histoire comme l'un de nos plus grands présidents ». Pourtant, juste après avoir déclaré sa candidature le 16 juin 1999 pour lui succéder, Al Gore déclare dans une interview à ABC : « Nous devons maîtriser nos vies personnelles si nous devons préserver l'autorité morale nécessaire pour guider nos enfants. » Bill, qui se trouve en vacances à ce moment-là en Europe avec Hillary et Chelsea, n'a pas franchement apprécié ce tacle à distance.

À la Convention de Los Angeles qui doit nominer Al Gore et son colistier Joe Lieberman, un sénateur démocrate qui a été l'un des premiers à prendre ses distances avec le président suite à l'affaire Lewinsky, Hillary et Bill ont été autorisés à prononcer chacun un discours. C'était la moindre des choses compte tenu de leur statut et de leur expérience commune mais, comme le note Hillary dans ses Mémoires, « là s'arrêta notre rôle et nous étions déjà repartis »[196]. De fait, tout en continuant à piloter la Maison Blanche pendant qu'Al Gore parcourait l'Amérique à la rencontre de ses électeurs, Bill Clinton n'a cessé d'utiliser ses rares moments de liberté pour soutenir l'autre campagne, celle de son épouse pour le siège de sénatrice de l'État de New York. Une élection bien plus importante à ses yeux pour la suite de leur relation intime avec le pouvoir.

On connaît la suite. Al Gore perd, de si peu, la présidentielle. Avec le vote populaire pour lui mais la Cour Suprême contre lui, les juges refusant de recompter les votes litigieux d'une Floride dirigée par le gouverneur Jeb Bush, frère du candidat républicain George W. Bush. Hillary, elle, l'emporte à New York à l'issue d'une campagne d'autant plus facile que son adversaire de départ, Rudy Giuliani, s'était retiré. Comme le reconnaîtra plus tard Robert Boorstin, un consultant électoral de la campagne Gore : « Puis-je dire avec zéro pour cent de doute que nous aurions gagné cette élection si Clinton n'avait pas mis son pénis dans la bouche de Monica ? Oui, c'est certain. »

En 2004, mais surtout en 2008, nombreux furent ceux qui s'attendaient de la part d'Al Gore à une revanche sur le clan Clinton. Son film *Une vérité qui dérange*, était un succès mondial, y compris aux États-Unis où il avait contribué à faire basculer l'opinion en faveur de la lutte contre le réchauffement climatique que niait le président Bush. Mais Gore, d'une certaine manière, a fait pire. En renonçant dès le départ à soutenir la candidature d'Hillary Clinton dans les primaires démocrates, celui qui venait de se voir décerner le Prix Nobel de la paix 2007 pour son action en faveur de l'environnement, a fait comprendre qu'il ne devait plus rien aux Clinton. Certes, il a attendu décemment la Convention de Denver pour soutenir ouvertement Obama. Mais cette absence de Gore dans la campagne d'Hillary fut remarquée. Le soutien d'Al Gore aurait-il fait la différence face à un jeune sénateur noir dans ces primaires si longuement disputées ? C'est possible.

---

196. Hillary R. Clinton, *Mon histoire*, p. 627, J'ai Lu, 2003.

H

Hillaryland, les gardiennes du temple

Ce mot, qui désigna pendant la présidence Clinton le petit groupe de femmes qui travaillaient avec la First Lady, a été inventé par un homme avant même que le couple ne s'installe à la Maison Blanche. Lorsqu'un jour, en pleine campagne présidentielle, Hillary appelle au téléphone le quartier général de l'équipe installé à Little Rock, elle entend une voix d'homme répondre : « Allo, ici Hillaryland. » C'est ainsi que Steve Ravinowitz décrivait en un mot la ruche qui s'agitait autour de la reine abeille. Le jeune homme était à l'époque un stagiaire dans la campagne. Il est devenu après l'élection de Bill, l'un des responsables de l'organisation des grands événements à la Maison Blanche. Plus tard, il a fondé à Washington sa propre agence de communication politique. En juin 2014, il a lancé le mouvement « les juifs américains *Ready for Hillary* », l'un des innombrables outils de la machine de recrutement et de levée de fonds destinés à préparer le lancement de la fusée Hillary dans tous les secteurs de la société américaine.

À la Maison Blanche, le Hillaryland désigne très vite à la fois une équipe et un territoire. Un groupe d'une douzaine d'apôtres au féminin réunies autour de la co-présidente Hillary Clinton dès que cette dernière obtient de pouvoir s'installer en 1993 dans la West Wing de la présidence, là où se gouverne l'Amérique. « Bientôt mon équipe fut connue dans la Maison Blanche comme le Hillaryland. Nous étions pleinement immergés dans le fonctionnement de l'aile ouest », raconte Hillary dans ses Mémoires[197]. « Mon équipe se flattait d'être discrète, fidèle et liée par une extraordinaire camaraderie. » S'il y a bien des moments où Hillary Clinton enjolive la réalité, aucun témoignage de poids ne vient contredire la réalité de cette solidarité et de cette discipline. Il faut dire que parmi la vingtaine de collaborateurs que la First Lady a fait venir à la Maison Blanche, quatorze sont des femmes prêtes à mourir pour elle.

---

197. Hillary R. Clinton, *Mon Histoire*, p. 173, J'ai Lu, 2003.

«Les filles qui ont travaillé pour elle, l'adorent », résume Judith Warner, biographe d'Hillary devenue une fine observatrice du féminisme américain[198]. Parmi ces «filles» qui avaient une trentaine d'années au début des années 90, certaines beaucoup moins comme l'indispensable Huma Abedin, la plupart se sont retrouvées ensuite dans son équipe du Sénat puis dans sa campagne présidentielle de 2008 et jusqu'au Département d'État. Ce qui prouve la difficulté chez les Clinton de faire confiance à de nouvelles générations au regard neuf et au sens critique plus aiguisé. Dire que la totalité des gardiennes du temple se retrouveront aux côtés d'Hillary si elle retourne à la Maison Blanche le 20 janvier 2017 est sans doute prématuré. Mais lorsqu'on rentre dans le Hillaryland, on n'en sort plus. Il n'y a pas de hiérarchie entre les sept femmes dont les noms suivent. Chacune est à sa place, chacune apporte à Hillary ce qu'elle attend d'elle dans une relation horizontale où chaque secteur, chaque priorité est couverte.

1. Lissa Muscatine est celle qui nous donne à écouter et lire Hillary. Âgée aujourd'hui de 59 ans, elle a été depuis plus de vingt ans la plume d'Hillary. C'est à elle qu'on doit notamment la réécriture des *Temps difficiles*, les Mémoires diplomatiques de la Secrétaire d'État. Dans son refuge de Chappaqua, Hillary avait aligné 1.800 pages, Lissa a taillé le texte dans tous les sens pour pouvoir remettre à l'éditeur un format plus digeste de 600 pages. Le journaliste Jean Lesieur, qui l'a connue avant qu'elle ne rentre à la Maison Blanche, à l'occasion d'un *summer camp* de tennis, raconte qu'elle a tapé dans l'œil d'Hillary dès qu'elle a fait ses premiers pas de stagiaire[199]. Et inversement. «Je dois le reconnaître, elle était un modèle d'aînée pour moi, une source d'inspiration dans ma vie personnelle», confiait-elle dans une interview récente. «Faire partie de son univers est follement enrichissant et j'ai avec elle un lien fort et presque invisible. » [200] Fille de militants

198. Entretien avec l'auteur le 5 juin 2014.
199. Entretien avec l'auteur le 4 juillet 2014.
200. Interview au *Washington Post*, le 15 juin 2014.

de gauche très actifs sur le campus de Berkeley dans les années 60, diplômée de Harvard, journaliste au *Washington Post* où elle a rencontré son mari, le journaliste Bradley Graham, c'est à Lissa que l'on doit la forme du fameux discours prononcé à Pékin, en Chine, sur le droit des femmes ou du texte qu'Hillary martèle lors de la Convention de Denver afin d'apporter son soutien et celui de ses millions de supporters à Barack Obama à l'été 2008. Femme de mots et de lettres, Lissa et Bradley ont acheté en 2011 *Politics and Prose,* la librairie des drogués de la politique à Washington. Lissa s'est chargée d'accueillir Hillary dans sa librairie au cours de l'été 2014 pour la faire dialoguer avec les acheteurs des *Temps difficiles*, une étape parmi d'autres de la pré-campagne présidentielle.

2. Patti Solis Doyle, elle aussi, est là depuis 1992. Pilier de l'équipe de campagne présidentielle de Bill Clinton au sein de laquelle elle était affectée à l'équipe d'Hillary, cette fille d'immigrés latinos originaires de Monterrey au Mexique, la sixième de la fratrie, a été de toutes les batailles. Élevée à Chicago, comme Hillary, Patti a été initiée à la politique au sein de l'équipe du maire Richard Daley, héritier de la dynastie du même nom qui a «tenu» la municipalité de Chicago pendant 43 ans pour le Parti démocrate, lequel gouverne la ville sans interruption depuis 1931[201]. Après avoir tenu l'agenda de la First Lady à la Maison Blanche, elle a dirigé sa campagne pour le Sénat en 2000. Puis celle de sa réélection en 2006 avant de prendre les rênes de la machine des primaires en 2008. Jamais avant cette date, une femme, hispanique de surcroît, n'avait dirigé une campagne présidentielle aux États-Unis[202]. Patti Solis Doyle aura 50 ans à l'été 2015. Pas vraiment l'âge de prendre sa retraite lorsqu'on aime la politique, le pouvoir et les Clinton.

3. Maggie Williams a encore toute la vie devant elle également. Née le jour de Noël il y a cinquante ans, cette afro-américaine du Missouri a suivi le parcours exemplaire de la méritocratie.

201. François Clemenceau, *Le Clan Obama, les anges gardiens de Chicago,* p. 29, Riveneuve, 2013.
202. *Chicago Sun Times*, 14 juin 2007.

Diplômée de sciences politiques au Trinity College de Washington, elle a connu Hillary lorsqu'elle dirigeait le département de communications et de relations publiques de la Fondation pour la Défense de l'Enfance de Marian Wright Edelman. Organisatrice hors pair, c'est elle qu'Hillary choisit pour planifier sa période de transition entre la victoire présidentielle de Bill en novembre 1992 et l'arrivée au pouvoir en janvier 1993. Elle devient la directrice de cabinet d'Hillary à la Maison Blanche, la première noire à occuper un tel poste avec le titre d'assistante du Président. En reprenant des mains de Patti Solis Doyle la campagne d'Hillary en 2008, Maggie Williams lui apporte davantage de sérénité et de méthode. Si elle peut mettre à son crédit un deuxième souffle ponctué de victoires importantes dans des primaires qui comptent, Maggie ne peut rien en revanche pour contrer l'abondance de dons d'origine modeste accordés au candidat de la nouveauté, Barack Obama. Reconvertie dans le consulting et la banque, Maggie est aujourd'hui riche et disponible. Tout comme Lissa Muscatine qui rêve de jouer un rôle « non-officiel » après 2016, il est probable que Maggie Williams sera dans le paysage en cas de victoire.

4. Evelyn Lieberman ne sera probablement pas sur le devant de la scène en 2016. Âgée de 70 ans, Evelyn est également passée par le Fonds de la défense de l'enfance où elle y dirigeait les relations publiques. Militante acharnée de la scolarité des enfants en maternelle, c'est surtout pour son autorité qu'Hillary l'emmène à la Maison Blanche. Dans le monde si jeune et si brouillon qui entourait les Clinton, sa maturité et son sens de la discipline se remarque aussitôt. Pour maintenir un bon esprit et une cohésion au sein du groupe des « nanas », Evelyn organise chaque lundi une réunion dans la pièce 100 de la West Wing. On y discute politique et stratégie dans une ambiance informelle où l'on peut tout se dire. Comme l'affirme son chef de l'époque, le fameux Leon Panetta, futur patron de la CIA puis du Pentagone sous Obama, « elle apporte le parfait dosage entre la douceur de la soupe au poulet et un bon coup de pied au cul, tout ce qu'il faut en somme pour ce job ». C'est donc à elle que revient la sale besogne d'exfiltrer Monica Lewinsky vers le Pentagone ? Une stagiaire qui, selon ses

propres mots, « était un peu trop voyante dans les couloirs de la West Wing ». La sévérité et la vigilance d'Evelyn sont redoutées par l'ensemble du personnel. D'où la légende selon laquelle « si Lierberman vous demande d'aller faire une petite balade avec elle, n'y allez pas, c'est pour vous annoncer que vous êtes virés. »[203] Autant dire qu'en cas de retour à la Maison Blanche d'Hillary en 2016, la présidente aura besoin de faire appel à une nouvelle Evelyn.

5. Cheryl Mills est une autre quinqua du groupe et une forte tête. Elle est née en Virginie à l'époque de la ségrégation. En passant par l'armée, pour y jouir des mêmes droits que les blancs, son père, Robert Mills, est un exemple de ténacité. Cheryl a hérité de lui une volonté hors du commun de combattre. Brillante étudiante en droit, cette jeune avocate est recrutée à la Maison Blanche en 1993 pour être l'une des assistantes du conseiller juridique en chef de la présidence où elle fait preuve d'une incroyable force de caractère et d'audace. Sa comparution, à 33 ans, devant le « tribunal » du Congrès pour « plaider » en faveur du Président menacé de destitution est restée dans les annales : « Je me tiens ici devant vous parce que le Président Clinton a cru en moi pour le représenter. Je ne suis pas inquiète pour les droits civiques parce que le bilan de ce président dans ce domaine, dans celui des droits des femmes et de tous nos autres droits est inattaquable à travers une procédure de destitution.. Pas étonnant qu'après, Hillary ait maintenu le contact avec Cheryl pour en faire la patronne du service juridique du Département d'État. Levée à 3h50 tous les matins pour revenir chez elle à 18h30 avant de repartir travailler après le dîner, après avoir couché ses enfants, Cheryl Mills est qualifiée de « pit-bull » par certains proches de Barack Obama[204]. Ce dernier lui écrit pourtant en 2013 : « Hillary et moi avons vraiment apprécié de vous voir transformer ce qui était une équipe de rivaux en une équipe unie et inégalée. »[205]

---

203. *The Washington Post*, 18 août 2010.
204. Jonathan Allen et Amie Parnes, *HRC, State secrets and the rebirth of Hillary Clinton*, p. 65, Crown, 2014.
205. *Politico*, 19 juillet 2013.

6. Capricia Marshall a eu son heure de gloire médiatique en devenant la chef du protocole de la Maison Blanche durant le premier mandat de Barack Obama. On peut reconnaître sur une photo de presse le visage tanné de Capricia à côté de celui du président Nicolas Sarkozy lors de sa rencontre avec Barack Obama en mars 2010. Le rapprochement des deux hommes fut un succès, les pages de *Paris-Match*, seul média autorisé à le photographier, s'en souviennent encore. Ancienne activiste de la campagne de Bill Clinton en 1992, fille d'un père croate et d'une mère mexicaine, Capricia a fait partie du Hillaryland dès le début. D'abord comme assistante d'Hillary puis en tant que *social secretary* de la Maison Blanche. Ce poste que Jackie Kennedy remit en valeur à la suite des années d'après-guerre peu festives, consiste à organiser les événements culturels et mondains de la présidence. En mars 2014, le magazine *Elle* décide d'inclure Capricia Marshall dans son palmarès des 50 femmes de pouvoir à Washington[206]. L'événement qui s'est déroulé à l'ambassade d'Italie rassemblait un nombre considérable de clintoniens. Comme si l'on anticipait les choses avec impatience…

7. L'échantillon serait incomplet sans le nom de Melanne Verveer. «Melanne et son mari Phil étaient les amis de Bill depuis l'université de Georgetown que tous trois avaient fréquentée» écrit Hillary dans ses Mémoires[207]. Hillary et Bill, qui ne disposaient pas en arrivant à Washington de toutes les connexions avec les réseaux d'influence et de levée de fonds, ont donc fait appel à ce couple. Melanne, à l'époque, possédait un Rodolex de cartes de visites de 6.000 noms! En devenant à la Maison Blanche secrétaire générale de l'équipe et première confidente d'Hillary, elle se mobilise également en faveur de l'une des causes premières de la First Lady : le féminisme et le droit des femmes. Melanne est donc du fameux voyage en Chine pour la conférence internationale de l'ONU qui fait tant couler d'encre. Au Département d'État, preuve qu'Hillary a de la suite dans les idées, Melanne est nommée

206. *Women's Wear Daily.com*, 28 mars 2014.
207. Hillary Clinton, *Mon Histoire*, p. 174, J'ai Lu, 2003.

ambassadrice extraordinaire chargée de la question des femmes dans le monde. À 70 ans, elle s'est aujourd'hui retirée à l'université de Georgetown, à la tête d'un Institut pour les femmes, la paix et la sécurité.

Hollywood, la cash machine

Peut-on gagner une élection présidentielle sans le soutien des studios ? La réponse est oui. Les présidents Bush, père et fils, en sont la preuve vivante. Mais les Clinton n'ont pas que de bons souvenirs avec Hollywood. Si l'on ne compte plus les stars et les producteurs qui ont dormi dans la chambre d'Abraham Lincoln du temps de la présidence de Bill et Hillary, à commencer par la troublante Barbara Streisand, la campagne des primaires de 2008 fut tragique pour le camp Clinton. Les vedettes du show-biz s'étaient divisées entre Barack Obama et la sénatrice de New York. Ce qui porta un coup sévère à la campagne d'Hillary. Si bien que lorsqu'elle quitta son poste au Département d'État, l'un de ses premiers déplacements fut pour Los Angeles. Des allers-retours entre New York et la Californie qui ne font que commencer.

Car il ne s'agit pas que d'une question d'image. Hollywood a toujours été profondément démocrate. Depuis les années 60, les pontes de l'industrie du cinéma et de la pop culture ont toujours préféré une société ouverte sur la modernité et tolérante sur le plan des mœurs. Et le financement des campagnes électorales démocrates est donc devenu un outil pour s'assurer d'avoir une Maison Blanche qui soutienne et fasse rayonner l'industrie du spectacle *made in USA* à travers le monde. En 2007, Hollywood s'était déchiré pour savoir qui de Barack Obama ou d'Hillary Clinton serait le meilleur allié de cette cause. L'empire Dream-Works, symbole de la créativité moderne, s'était fissuré dès le mois de février, un an avant les primaires. Avec d'un côté Steven Spielberg, qui n'avait pas voulu trahir les Clinton pour Obama, et de l'autre Jeffrey Katzenberg et David Geffen pour qui le jeune élu noir était un nouveau Kennedy[208]. Geffen avait même été jusqu'à dire à la chroniqueuse célèbrissime du *New York Times*, Maureen Dowd, qu'Hillary l'avait profondément déçu avec son vote en faveur de la guerre en Irak, qualifiant l'ex-First Lady et son mari de

---

208. *Variety*, 13 juin 2007.

« menteurs ». Pour un homme qui avait récolté plus de 18 millions de dollars pour les campagnes de 1992 et de 1996, il fallait vraiment qu'il se sente découragé. D'autant que, selon la légende, *Dream-Works* serait vraiment né à la Maison Blanche après un dîner du trio Spielberg-Geffen-Katzenberg chez les Clinton en 1994. Mais Obama n'a pas uniquement réussi à briser le monopole du financement en faveur des Clinton. Il a également attiré dans son camp des stars de la jeune génération, à l'image de Scarlett Johansson ou du chanteur Will I Am. La nièce du compositeur Quincy Jones, un pro-Clinton, a été récompensée par le président Obama pour son soutien en étant nommée ambassadeur aux Bahamas[209] ! Il l'a même fait revenir à Los Angeles pour s'occuper de sa campagne de réélection de 2012.

Cette fois-ci, il semble que le ton soit à l'unité. Hillary n'a pour l'instant aucun autre adversaire, potentiel ou réel, capable d'entraîner Hollywood derrière lui, et l'enjeu est trop énorme. Si l'industrie du divertissement, pilier des valeurs de progrès en Amérique, ne parvient pas à favoriser l'élection de la première femme président, c'est que quelque chose ne fonctionne plus dans la machine à faire rêver. Voilà pourquoi Hillary Clinton et Jeffrey Katzenberg se sont appelés très tôt dès 2013 pour convenir de la nécessité d'un rassemblement derrière son nom. Le clan de DreamWorks s'est ressoudé politiquement. Pour visser les boulons, Katzenberg a même été sollicité pour devenir membre à part entière de la machine Clinton, via le comité exécutif de l'association USA Priorities, le Super Pac (comité de soutien) destiné à financer et organiser la candidature démocrate en 2016. Katzenberg, homme providentiel ? Fidèle surtout. Malgré son écart de 2008 en faveur d'Obama, il reste l'un des protecteurs et parrains du couple Clinton. N'est-ce pas lui qui, en pleine affaire Monica Lewinsky, prêta son chalet dans l'Utah à la petite famille pour qu'elle puisse fêter les 18 ans de Chelsea en paix ?[210]

---

209. *The Hollywood Reporter*, 8 novembre 2013.
210. *BuzzFeed*, 10 fevrier 2014.

Mais le rassemblement ne suffira pas. Le risque d'un effet boomerang n'est jamais à exclure. « Les électeurs ne se prononcent pas tant en fonction des Oscars et des trésors d'attention qu'Hollywood accorde aux candidats », estime Mathew Vadum, l'un des éditorialistes conservateurs du *American Spectator*.[211] « Cela pourrait aider Hillary auprès des gens qui l'apprécient mais l'entravera davantage auprès des gens qui la détestent déjà ». Or en novembre 2012, deux mois avant de quitter ses fonctions de Secrétaire d'État, la popularité d'Hillary était de 58% contre 33% d'opinions défavorables. Presque deux ans plus tard, en décembre 2014, cet indice était tombé à 47% contre 43% de sentiments négatifs[212]. Comme si, au fur et à mesure de sa progression en dehors du gouvernement, elle suscitait à nouveau l'hostilité ou la méfiance.

211. Fox News, 26 juin 2014.
212. *Huffpost Pollster*, moyenne recoupée de 29 instituts de sondages.

House of cards, based on a true story ?

La série phénomène produite par Netflix est devenue un succès mondial dès le premier épisode. Aux États-Unis, ce genre de feuilleton politique fictionnel fonctionne plutôt bien depuis l'interminable *West Wing* (*À la Maison Blanche*, en français) et *Homeland*. Beaucoup mieux que la plupart des films « politiques » créés pour le grand écran par des maisons de production indépendantes. À chaque fois, la question est la même : qui se cache derrière tel personnage, tel épisode est-il inspiré par une histoire vraie ? Mieux encore, la politique s'inspire-t-elle des séries politiques à la télé ?

Il n'y a pourtant pas de comparaisons évidentes entre le couple héros de *House of Cards* et les Clinton. Si Franck Underwood, remarquablement interprété par Kevin Spacey (coproducteur de la série) est un politicien du sud animé par une ambition démesurée, son épouse Claire (jouée par Robin Wright) est une femme de l'ombre, l'animatrice d'une ONG où l'on n'a guère d'états d'âme. La preuve, ses donateurs sont les mêmes que ceux qui financent les campagnes de son mari et veulent influer sur le cours des événements et des lois à Washington. Mais il y dans ce couple-partenaire, très libre sur le plan sexuel et totalement machiavélique dans sa façon de progresser vers les sommets du pouvoir, la même idée qui anime le couple Clinton[213]. Chacun doit protéger l'autre et servir son ambition sur un échiquier où chaque case du parcours est piégée. Tous les deux méprisent les médias ou les manipulent sans vergogne. L'un comme l'autre jouent de leur charisme et de leur compétence et de leurs réseaux pour déjouer les stratagèmes de leurs adversaires communs. Le premier épisode de la série raconte comment Franck Underwood, chef de son groupe parlementaire à la Chambre des Représentants, se fait écarter du poste de Secrétaire d'État qui lui avait été promis par le président. Et relate donc son opération-vengeance pour revenir plus haut et plus fort

---

213. Kevin Doughten, *House of cards at the age of Hillary Clinton*, *Word & Film*, 14 février 2014.

en «tuant» ceux qui ont osé le freiner dans son parcours. De là à deviner qu'Hillary aurait agi de même en regagnant le Sénat si Barack Obama ne l'avait pas choisie dans son équipe en 2008…

D'ailleurs Kevin Spacey, un ami personnel de l'ancien président, et Beau Willimon, le scénariste de la série, avouent eux-mêmes que les personnages n'ont pas été calqués sur une seule personnalité politique existante mais sur plusieurs. Willimon a concédé toutefois qu'il avait suivi la campagne sénatoriale d'Hillary Clinton en 2000 en compagnie de son ami Jay Carson qui avait été l'un des porte-parole de la campagne d'Hillary en 2008. C'est ce même Jay Carson qui a servi de modèle pour le personnage interprété par Ryan Gosling dans *Ides of March* («Les marches du pouvoir») de George Clooney[214].

Bill et Hillary ont adoré *House of Cards*. Ils ont même avoué avoir visionné toute la saison 1 en quelques jours jusqu'à l'indigestion[215]. S'agit-il de leur part d'un énième besoin de s'identifier à une grande majorité d'Américains qui ont dévoré cette série-événement récompensée par de multiples trophées ? La plupart des hommes et des femmes politiques se livrent souvent à ce genre de confidences pour tenter de faire croire qu'ils ont des loisirs ordinaires. C'est souvent vrai. Ce qui revient aussi pour eux à cautionner la vraisemblance des séries. L'une des autres séries préférées de Bill et Hillary Clinton s'appelle *Scandal* (diffusée sur TF1) qui raconte l'histoire d'un président qui trompe la First Lady avec une spécialiste des gestions de crise, jusqu'à obtenir qu'elle se livre à lui sur la table de travail du Bureau Ovale…

214. Blog de Sabrina Bouarour, *Le Monde*, 28 octobre 2013.
215. *Salon.com*, 4 juin 2014.

I

Iowa, ça passe ou ça casse

Cet État rural du Midwest se fait connaître du monde entier tous les quatre ans. La compétition qui s'y déroule dure douze mois environ. Entre le moment où un candidat à la présidentielle se présente officiellement dans la course à la Maison Blanche jusqu'à cette soirée du début janvier où quelques milliers d'électeurs réunis en «caucus» décident de vous mettre en selle ou de vous éjecter. En 1992, Bill Clinton avait décidé de faire l'impasse sur cette première étape du calendrier des primaires car il avait en face de lui un rival démocrate du nom de Tom Harkin et qui n'était autre que l'un des deux sénateurs de l'Iowa. En 2008, Hillary Clinton n'avait pas suffisamment passé de temps à arpenter ce petit État à l'hiver intense, persuadée qu'elle sortirait en tête des caucus et que Barack Obama, jeune élu noir de l'Illinois sans expérience, ne serait jamais propulsé sur le podium par un électorat à 95% blanc.

Quelques jours plus tôt, de passage à Paris, Bill Clinton s'entretient avec l'ancien ministre Philippe Douste-Blazy devenu l'un des interlocuteurs de sa Fondation. «Il m'avait demandé de passer le voir à son hôtel pour qu'on parle de nos projets. Il m'avait pris à part et m'avait dit : «elle va être battue dans l'Iowa». C'était trois jours avant la primaire. Il était sous le choc. »[216] Ce 3 janvier au soir, Obama, donné à 32% dans le tout dernier sondage du *Des Moines Register,* obtient 37% des suffrages! John Edwards est deuxième avec 29,7% suivi d'un demi-point derrière par Hillary Clinton. Pour la première fois dans l'histoire du Parti démocrate, un noir l'emporte dans l'Iowa, l'État le moins susceptible, sociologiquement et ethniquement, de se livrer à un candidat afro-américain. Hillary termine donc troisième. C'est la plus grandes raclée de sa carrière politique. Les erreurs qu'elle a commises dans l'Iowa, elle ne les refera pas.

D'où cette incroyable apparition, presque sept ans plus tard, le 14 septembre 2014 à Indianola, à une trentaine de kilomètres au sud de Des Moines, la capitale de l'Iowa. Le sénateur Harkin est

---

216. Entretien avec l'auteur le 8 juillet 2014.

toujours là. À 75 ans, il a décidé de fêter dignement son départ à la retraite après cinq mandats successifs, trente ans de carrière législative. Et qui choisit-il d'inviter pour ce dimanche de barbecue face à quelques milliers de ses supporters? Hillary et Bill Clinton. C'est la première fois depuis sa défaite cuisante de 2008 que l'ex-sénatrice de New York revient sur les terres de l'Iowa. Entre quelques ballots de paille et des grills qui n'attendent que les steaks de bœuf, un pupitre a été installé. Le sénateur Harkin n'a nul besoin de présenter Hillary au public. Que dit-elle à cette foule d'agriculteurs et de citadins en chapeau de cow-boy? *I am back*! Elle est de retour et, à l'entendre, elle n'entend pas en rester là. «J'ai beaucoup de choses en tête en ce moment, poursuit-elle l'air entendu. Bien sûr, si Chelsea doit accoucher, je vous quitterai dans l'instant, mais il y a aussi cet autre truc bien sûr et c'est vrai que j'y pense beaucoup.»[217] On ne saurait mieux faire patienter tous ceux qui attendent l'officialisation de sa nouvelle candidature à la présidentielle.

À la différence des autres primaires, celle de l'Iowa est très particulière. D'abord du fait des caucus. Les démocrates se réunissent par petits groupes dans des gymnases, des casernes de pompiers ou même au domicile de *district captains*. Chaque leader de groupe soutenant tel ou tel prétendant invite celles et ceux qui sont d'accord avec lui à le rejoindre dans un coin de la pièce. Il n'y a ni urne ni vote. Juste quelques pas à faire pour s'affilier à tel ou tel groupe. Puis on se compte et chaque organisateur transmet le décompte de son caucus à l'échelon du comté puis de l'État. Autrement dit, le candidat à la nomination démocrate a intérêt à avoir de très bons militants sur le terrain pour que la machine de persuasion soit la plus efficace lorsque les caucus se tiennent. Les électeurs peuvent intervenir, poser des questions, se montrer indécis, partir dans un groupe puis le quitter pour un autre avant de se décider pour un troisième à l'heure du choix final. Mais pour mettre tous les atouts de son côté, mieux vaut avoir labouré cet État de trois millions d'habitants dans tous les sens pour convaincre les électeurs un par un dans les dix à douze mois qui précédent les

217. NBC News, 14 septembre 2014.

caucus. C'est exactement ce qu'avait fait le comité de campagne de Barack Obama en 2007, en ouvrant une permanence électorale dans chacun des 99 comtés de l'Iowa et en recrutant des milliers de jeunes bénévoles sur les campus, tous extrêmement motivés pour faire élire le premier président noir de l'histoire américaine.

Personne ne s'étonnera donc en cet automne 2014 que les trois représentants d'Hillary Clinton dans l'Iowa soient tous des anciens de la campagne Obama. Et que l'organisation Ready For Hillary sillonne depuis des mois cet État pour y embaucher des étudiants en nombre. Au point d'être présents depuis le printemps avec plus de 250 volontaires, vingt mois avant les caucus de 2016, dans 84 comtés de l'Iowa[218]! On notera au sein de la troïka pro-Hillary la présence de Jackie Norris. Originaire des bords de l'Hudson près de New York, enseignante de lycée puis à la fac, elle s'était lancée en politique aux côtés du démocrate Tom Vilsack dans sa campagne de 1998 pour devenir gouverneur. Il est devenu depuis un partenaire essentiel de la conquête du pouvoir pour Obama qui en a fait dès son arrivée à la Maison Blanche son ministre de l'Agriculture. Tandis que Jackie, qui avait dirigé la campagne d'Obama dans l'Iowa, est devenue après la victoire de 2008, la première directrice de cabinet de la First Lady Michelle Obama[219].

Le monde est tout petit… Clairement, Hillary Clinton reprend des méthodes qui ont prouvé leur efficacité et recrute sur des bases de données qui ont été évidemment transmises d'un comité de campagne à un autre. En 2016, plus rien ne sera laissé au hasard. Il faudra cette fois-ci que l'héritière paye de sa personne. Ce qui, en politique, s'appelle revenir dans le droit chemin.

218. *The Daily Beast*, 12 mars 2014.
219. François Clemenceau, *Le Clan Obama, les anges gardiens de Chicago*, p. 256, Riveneuve, 2013.

Irak, le vote perdant

Hillary Clinton n'a toujours pas pu oublier le 10 octobre 2002. Ce jour-là, plus d'un an après le *Nine Eleven*, les attentats du 11-Septembre, la sénatrice de l'État de New York doit se prononcer par un vote qui autorise ou non le président George W. Bush à faire usage de la force contre l'Irak de Saddam Hussein. Personne n'imagine une seconde que cette élue, dont le mari Bill avait déjà fait bombarder l'Irak pour l'obliger à recevoir les inspecteurs de l'ONU, soit en terrain inconnu. Ce jour-là, après avoir été à plusieurs reprises briefée avec ses collègues par les services de renseignement, Hillary Clinton s'empare du micro sous la Coupole du Sénat pour dire ceci : « Après avoir bien réfléchi et envisagé sérieusement les choses, je suis arrivée à la conclusion qu'un vote favorable à cette résolution servira au mieux les intérêts de notre nation. (…) C'est un vote difficile, probablement la décision la plus difficile que j'ai jamais prise, de même que tout vote pouvant nous amener vers la guerre, mais je l'exprime avec conviction. Peut-être ma décision est-elle influencée par mes huit ans passés à la Maison Blanche à observer mon mari aux prises avec les grands défis de notre pays. Je veux que ce président, ou tout autre président à l'avenir, soit dans la position la plus forte pour diriger les États-Unis en cas de guerre. Deuxièmement, je veux que Saddam Hussein sache à quel point notre pays est uni derrière notre président à l'heure de faire la guerre aux terroristes et aux détenteurs d'armes de destruction massive. Troisièmement, je veux que les hommes et les femmes qui servent notre armée, au cas où ils seraient appelés à combattre contre l'Irak, sachent que notre pays se tient résolument derrière eux. »[220]

À sa décharge, Hillary Clinton n'est pas la seule parmi les élus démocrates à voter en faveur de l'usage de la force en Irak. À la Chambre des Représentants, 82 ont voté pour et 126 contre. Quant au Sénat, 29 ont voté pour et 21 contre. Hillary a autorisé

---

220. Carl Bernstein, *A Woman in Charge*, p. 549, Arrow Books, 2007.

le président Bush à faire la guerre en Irak en compagnie de sénateurs on ne peut plus expérimentés et sans aucun lien marqué avec les néoconservateurs qui agissent dans l'ombre du président républicain. C'est le cas par exemple du futur vice-président Joe Biden ; de celui qui sera nominé par le parti démocrate pour la présidentielle à venir en 2004, John Kerry ; du sénateur de Caroline du Nord, un État à forte population militaire, John Edwards ; ou de la sénatrice de Californie et membre de la Commission du Renseignement Diane Feinstein. Mais la résistance, vaine, s'est exprimée par la voix d'autres sénateurs, tout aussi sérieux et légitimes : Ted Kennedy, le porte-étendard de la dynastie ; Bob Graham, sénateur de Floride et patron de la Commission du Renseignement ; ou Jack Reed, sénateur du Rhode Island et membre de la Commission des Forces armées.

Autrement dit, Hillary Clinton ne peut pas, après ce vote, se prévaloir d'un unanimisme ou de circonstances qui prêtaient à confusion. Il sera prouvé par la suite que les renseignements donnés aux élus étaient « arrangés » ou « vagues » et que plusieurs hauts responsables avaient menti sciemment sur la possession par Saddam d'armes de destruction massive dans le seul but de porter la guerre en Irak, afin d'y renverser le dictateur, y apporter une démocratie majoritaire au profit des chiites et favoriser par là-même une diversification d'alliances au Moyen-Orient.

Une fois la guerre lancée en mars 2003, Hillary fait partie de ces élus qui sont intrigués par les méthodes employées : le démantèlement total du parti Baas, la chasse aux réseaux de Saddam, l'installation au pouvoir de responsables chiites peu représentatifs de leur propre communauté, l'incapacité à traiter les premières formes de résistance qualifiées de terroristes. Sauf que le 15 décembre 2003, près de dix mois après le déclenchement de la guerre, Hillary s'obstine. Elle ne veut pas donner l'impression de s'être trompée. Fort heureusement pour elle, il se trouve que Saddam Hussein a été capturé la veille par les troupes américaines. Invitée par le Council of Foreign Relations, voici ce qu'elle déclare : « Hier fut une bonne journée pour l'Irak. (...) Maintenant que Saddam va devoir répondre à la justice, j'espère que les perspectives de paix et de

185

stabilité dans ce pays vont s'améliorer. (…) Je fais partie de ceux qui ont soutenu le président Bush pour utiliser la force contre Saddam Hussein. J'ai eu quelques différends et divergences d'appréciation sur la façon dont cette autorité de faire la guerre a été utilisée. Mais je m'en tiens à ce que j'ai voté parce que c'était une étape indispensable pour obtenir l'unanimité au Conseil de Sécurité des Nations Unies pour renvoyer les inspecteurs en Irak. »[221]

On le voit, Hillary a commencé à changer d'argumentaire. Dans la suite de son allocution, elle suggère même de changer d'approche en Irak, de tenter de trouver d'autres partenaires pour prendre en charge l'avenir politique du pays, ou d'y impliquer davantage les Nations Unies. Il faut dire aussi qu'elle venait de se rendre en Irak, juste avant que Saddam ne soit capturé, et que ce qu'elle avait vu et entendu « sur le terrain » l'avait rendue très dubitative sur les chances de succès de l'armée américaine et de l'administration proconsulaire. Cela ne l'empêche pas « d'applaudir » l'initiative du Secrétaire à la Défense Donald Rumsfeld de solliciter davantage de participation de troupes de l'OTAN en Irak. Bref, Hillary rétropédale mais ne veut pas se déjuger.

Cette attitude qui mêle critique de l'intervention américaine et refus d'autocritiquer sa décision de 2002 va durer jusqu'à la présidentielle de 2008. Dès 2006, lors de la campagne des élections de mi-mandat, au cours de laquelle le camp démocrate joue ouvertement la carte irakienne et le retrait des troupes en bon ordre, Hillary n'est pas en reste pour continuer à pilonner les méthodes et le jusqu'au-boutisme de l'administration Bush. Mais dès les premiers débats contradictoires organisés à partir de 2007 dans le marathon de la Maison Blanche, Hillary est placée à chaque fois devant son choix de 2002. « Son vote au Sénat en faveur de la guerre en Irak lui a certainement coûté sa nomination en 2008 », commente l'ex-ambassadeur de France à Washington, François Bujon de l'Etang[222]. « Obama, lui, n'avait pas eu à voter »,

221. http://www.cfr.org/iraq/remarks-senator-hillary-rodham-clinton-transcript/p6600.
222. Entretien avec l'auteur le 11 juin 2014.

ajoute-t-il, pour mieux souligner que le sénateur de l'Illinois avait «bénéficié» de cette virginité dans le choix pour ou contre la guerre. Et le diplomate de citer un autre sénateur dont aurait pu s'inspirer Hillary en 2002 : Tom Daschle, élu du Dakota du Sud, grand baron progressiste et ancien chef de la majorité au Sénat. Mais la référence est implicite. Daschle a perdu son poste lors du renouvellement du Sénat en 2004. Les républicains, le vice-président Cheney en tête, ne lui avaient pas pardonné son vote contre la guerre en 2002. La campagne contre lui fut terrible, son adversaire l'accusant «d'encourager l'ennemi en Irak». Daschle a tenu bon mais a raté sa réélection de pas grand-chose. Est-ce ce sort là qu'Hillary craignait pour sa propre réélection au Sénat en 2006, tremplin pour sa candidature de 2008 à la Maison Blanche ?

Depuis, Hillary a fini par admettre qu'elle avait eu tort. Dans ses Mémoires de Secrétaire d'État, noyé dans un chapitre sur son implication pour envoyer davantage de renforts en Afghanistan, voici le passage qu'Hillary a ciselé au mot près : «J'aurais dû exprimer mes regrets plus vite et dans les termes les plus clairs et les plus directs possibles. (…) Mais je me suis abstenue de prononcer le mot "erreur". Ce n'était pas par opportunisme politique. (…) Je pensais avoir agi de bonne foi et avoir pris la meilleure décision que je pouvais compte tenu de l'information dont je disposais. Et je n'étais pas la seule à m'être trompée. Mais je me suis trompée. Point final»[223]. Et lorsque, de passage à Paris pour la promotion de son livre, Gilles Bouleau lui demande sur le plateau du 20 heures de TF1 si ce fut la pire erreur de sa carrière politique, Hillary répond en un seul mot : *yes.*[224]

Hillary a-t-elle vraiment agi «de bonne foi» ? Ce n'est pas si certain. Disons que c'était aussi dans son tempérament et que, comme nombre de ses conseillers, dont Madeleine Albright, traumatisés par les attentats du 11-Septembre, elle était convaincue que l'Amérique devait montrer sa force. «Compte tenu de l'information dont je disposais» ? Hillary n'a jamais voulu clairement dire

223. Hillary R. Clinton : *Le temps des décisions*, p. 180, Fayard, 2014.
224. Interview au JT de TF1, le 7 juillet 2014.

si elle avait lu les deux rapports classifiés des services de renseignement relatifs aux armes de destruction massive irakiennes. Sur les six sénateurs qui ont affirmé les avoir lus, quatre ont voté contre la résolution donnant à Bush les moyens légaux d'entrer en guerre. Deux ont voté pour[225].

Par ses aveux tardifs sur son «erreur», Hillary suggère donc que les électeurs américains tournent cette page. Si elle a probablement perdu la nomination démocrate en 2008, c'est en grande partie à cause de ce vote six ans plus tôt. Il est clair qu'en 2016, elle souhaite qu'il en aille autrement.

---

225. *The Atlantic*, 9 juin 2014.

Israël, la relation consentante

Chelsea Clinton n'a pas encore soufflé sa première bougie en décembre 1981 que ses parents s'envolent pour leur premier voyage en Israël. Organisé par leur paroisse de Little Rock, le voyage permet à Bill, qui a perdu un an plus tôt sa réélection au poste de gouverneur de l'Arkansas, et à Hillary de découvrir la Terre sainte. « J'ai adoré Jérusalem », écrit Hillary Clinton 33 ans plus tard dans ses Mémoires diplomatiques. Mais une petite phrase dans un paragraphe suivant suscite immédiatement la fureur du lobby juif américain : « À Jéricho, en Cisjordanie, j'avais pu me faire une idée de ce qu'était la vie sous l'occupation pour les Palestiniens, privés du droit à la dignité et à l'autodétermination que les Américains considèrent comme un dû. »[226] Elle ne s'en excusera pas. Pour la simple raison qu'Hillary est probablement la meilleure avocate de l'État hébreu aux États-Unis depuis des décennies et que, si elle est élue en 2016, elle sera pour Israël un bien meilleur allié que ne le fut Barack Obama.

Il n'y a rien de familial, ni d'affectif ou d'irrationnel dans la démarche pro-Israël d'Hillary Clinton. Si sa religion chrétienne méthodiste la rapproche davantage des juifs que des musulmans, sa conviction politique et historique est que les États-Unis doivent être les garants de la sécurité d'Israël. Cela ne l'a pas empêchée de prendre en considération la souffrance et le sentiment d'injustice des Palestiniens. Oui, elle a cru à la paix au Proche-Orient. Lorsque son mari Bill organise avec Rahm Emanuel la cérémonie de signature des accords d'Oslo et la poignée de main entre Yitzhak Rabin et Yasser Arafat, elle est pleine d'espoir. Qui ne l'est pas ? Et lorsqu'elle assiste malheureusement quelques mois plus tard aux obsèques de Rabin, assassiné par un extrémiste juif, elle pense que son héritage pacifique sera perpétué par Shimon Peres. Elle-même en 1998 devient l'un des premiers responsables politiques américains à souhaiter l'émergence de la solution des deux États vivant

---

226. Hillary R. Clinton, *Le temps des décisions*, p. 365, Fayard, 2014.

côte à côte en paix et en sécurité. À l'époque, elle n'est pas encore sénatrice de l'État de New York et ses contacts officiels et amicaux avec Yasser Arafat et son épouse Souha vont irriter une partie non négligeable de l'électorat juif new-yorkais.

Mais si l'on doit peser le discours proche oriental d'Hillary sur une balance, il penche nettement du côté d'Israël. « Sur le dossier Israël-Palestine, elle a compris que rien ne pouvait marcher tant qu'on n'était pas décidé à sévir contre Israël à propos des colonies. Mais le vote juif de New York est passé par là », résume l'ancien ambassadeur de France, François Bujon de l'Etang en poste à Washington jusqu'en 2002[227]. De fait, le vote de la communauté juive dans l'État de New York est une réalité. C'est là que vit près d'un tiers des juifs américains, devant la Californie et la Floride. Et si les juifs new-yorkais (14% de l'électorat de l'État) votent aux deux tiers environ pour le candidat démocrate à chaque présidentielle, ce ratio peut changer lors d'élections pour la Chambre ou le Sénat[228]. Ce que confirme un autre diplomate européen passé par les Nations Unies : « Hillary était attentive à son électorat quand elle était sénatrice. À New York, j'avais demandé à la voir. Mais son équipe m'avait fait savoir qu'elle ne voyait jamais d'ambassadeur à l'exception de celui d'Israël. »[229] Ce à quoi Hillary répond dans son livre : « Je ne suis pas la seule à me sentir aussi personnellement investie dans la sécurité et la réussite d'Israël. De nombreux Américains admirent ce pays, patrie d'un peuple longtemps opprimé et d'une démocratie qui a constamment dû se défendre. » Sauf qu'il y a des moments où cette alliance sans failles doit rester lucide. Bill Clinton l'admet. Interpellé en septembre 2014 par des militants pro-palestiniens en marge d'un meeting de soutien dans l'Iowa, l'ancien président reconnaît que Benjamin Netanyahou ne fera pas la paix « tant qu'il n'y sera pas forcé. »[230] Ce qui contredit pour le moins la position d'Hillary qui, quelques semaines plus tôt,

227. Entretien avec l'auteur le 11 juin 2014.
228. Jeremy Ben Ami (président du lobby J Street), *America's Jewish Vote*, *The New York Times*, 13 novembre 2012
229. Entretien avec l'auteur le 19 juin 2014.
230. *Haaretz*, 15 septembre 2014.

venait de confier au magazine *The Atlantic* son soutien à «Bibi» et sa solidarité sans réserves avec Israël dans la guerre à Gaza. Selon elle, «Bibi» est un «personnage complexe» mais aussi «un associé et un ami». Comment pouvoir dès lors jouer les intermédiaires honnêtes entre Israéliens et Palestiniens lorsque Barack Obama décide dès le début de son mandat d'obtenir d'Israël un gel de la colonisation dans les territoires occupés? L'historien Peter Beinart, qui a longtemps dénoncé le poids excessif du lobby pro-Israël aux États-Unis, rappelle que dans les mémoires de Dennis Ross, ancien conseiller de la Maison Blanche pour le Proche-Orient dans les années 90 puis sous Obama, «ni le président Clinton ni Madeleine Albright ne croyaient que Bibi avait un intérêt sincère pour faire la paix». Il rappelle que l'adjoint de Ross, Aaron Miller, a écrit également à ce propos: «Nous avons tous vu que Bibi était comme un obstacle avec lequel il faudrait négocier le temps qu'un nouveau premier ministre israélien se présente avec davantage de sérieux pour parler de paix.»[231] La proximité d'Hillary Clinton avec Netanyahou a-t-elle compromis la politique d'Obama? Lorsqu'elle se rend en Israël dès 2009, Hillary finit par obtenir, via son émissaire spécial George Mitchell, un gel de la colonisation, à l'exception de Jérusalem-Est. Mais il n'est prévu pour durer que dix mois. En l'absence de tout progrès dans les négociations indirectes pour avancer en vue de l'établissement d'un État palestinien (ce que Netanyahou a finalement admis comme objectif), c'est le seul résultat obtenu par l'administration américaine. Hillary aurait-elle pu faire plus? Notamment après l'annonce en mars 2010 d'un nouveau chantier de 1.600 nouveaux logements à Jérusalem-Est alors que le vice-président Joe Biden était en visite sur place en Israël? Dans son discours devant l'AIPAC (le plus puissant lobby juif aux États-Unis) quelques jours plus tard, Hillary tente de jouer l'apaisement face à ce camouflet cuisant mais sans succès. «Son discours sur Jérusalem, capitale de deux États laissait parler son moi-profond. Mais celui qui a été le plus humilié par les provocations d'Israël c'était Biden», commente un ambassadeur

---

231. Peter Beinart, *Israël's new lawyer, Hillary Clinton*, *Haaretz*, 11 août 2014.

européen en poste à Washington. « C'est lui qui s'est pris une gifle lorsqu'Israël a annoncé des chantiers de logement supplémentaires alors qu'il était encore sur le sol israélien. Elle, elle a le cuir épais comme ça ! [232] » D'où sa position également très en réserve sur le dossier iranien. Barack Obama veut en effet depuis le début de son premier mandat tenter de normaliser la relation avec cet ennemi de trente ans des États-Unis. Au-delà d'un discours positif de la Maison Blanche à l'égard du peuple iranien, la mission d'Hillary consiste à la fois à rester ferme sur le dossier nucléaire tout en amorçant les premiers pourparlers secrets avec le régime iranien. Ce qu'elle fait mais sans jamais se montrer en première ligne. « Elle ne s'est pas trop mouillée sur l'Iran car elle savait qu'Israël serait toujours vent debout contre toute initiative de rapprochement et que les lobbies hurleraient à la mort », confie un ancien du Quai d'Orsay qui a ses entrées à la Maison Blanche et au Département d'État[233].

John Kerry a donc essayé de donner un nouvel élan au dossier israélo-palestinien. Plus offensif qu'Hillary, plus volontaire et tenace, il n'a pas obtenu lui non plus les résultats escomptés. Trop tard ? Obama et Hillary ont-ils péché par illusions et manque de fermeté ? Un ambassadeur européen qui fut en poste à Tel-Aviv, connu pour ne pas mâcher ses mots, se montre redoutablement cynique : « Il n'y aura jamais de pression américaine sur Israël. Pas uniquement parce que le lobby juif joue son rôle au Congrès. La vérité c'est qu'Obama ne s'est jamais vraiment engagé. Il a envoyé Kerry mais c'est tout, je ne vois pas de rupture. Et pour Israël, le statu quo est confortable tant que les colons continuent de grignoter territorialement le terrain. Résultat, Obama est tout aussi détesté à Jérusalem qu'à Ryad. »[234]

La question se pose donc de savoir si Hillary Clinton pourra, saura ou voudra changer de politique vis-à-vis d'Israël si elle gagne en 2016. Pouvoir dépendra beaucoup de la situation politique en Israël. Benjamin Netanyahou, malgré la guerre à Gaza au cours

---

232. Entretien avec l'auteur le 3 juin 2014.
233. Entretien avec l'auteur le 4 juin 2014.
234. Propos tenus en présence de l'auteur le 26 août 2014.

de l'été 2014, n'est plus aussi populaire auprès de son opinion publique. En décidant de limoger en décembre 2014 deux de ses ministres et de provoquer des élections anticipées (prévues pour le 17 mars 2015) après deux années seulement d'exercice du pouvoir à la tête d'une coalition très à droite, Netanyahou a pris le risque de voir le centre-gauche former une coalition rivale pour l'empêcher de rester à la direction du pays. Savoir n'est pas une difficulté pour une femme politique comme Hillary. S'il est de l'intérêt des États-Unis de prendre des risques pour la paix au Proche-Orient, Hillary saura être dans le camp de la paix, comme elle l'a été au cours des années 90, ou dans le camp de la guerre comme dans les années 2000. Mais vouloir est la plus intéressante des questions. Hillary appréciait Rabin lorsqu'il disait qu'il valait mieux « la paix la plus froide que la guerre la plus chaude ». Mais elle a retenu de son ami « Bibi », contrairement à ce que pense son mari Bill, qu'on ne « force » pas Israël.

J

Jesse Jackson, le pécheur médiateur

Tout le monde a au moins une fois entendu parler du pasteur Jesse Jackson. Pour les junkies de la politique, ce fut l'un des candidats noirs à la présidentielle qui fit le plus parler de lui dans les années 80. Pour les amateurs de diplomatie parallèle, Jackson a été l'un des émissaires de la Maison Blanche pour libérer des prisonniers américains dans des pays infréquentables comme la Syrie ou Cuba ou lors de crises aiguës telles que la guerre des Balkans. Mais pour ceux qui ont suivi les Clinton lors de leur séjour mouvementé à Washington, ce fut surtout le pasteur le plus remarqué parmi les quatre révérends qui ont accepté de guider spirituellement Bill et Hillary à travers les épreuves du scandale Monica Lewinsky, à l'heure où comme l'affirme l'ex-First Lady, « Bill cherchait le pardon ».

Phil Wogaman était un haut représentant de l'Église méthodiste à laquelle appartient Hillary Clinton, un théologien de renom et le patron du séminaire de Wesley à Washington qui compte parmi ses administrateurs le porte-parole de la Maison Blanche à cette époque, Mike McCurry. Tony Campolo était de son côté l'une des figures les plus en vues de la gauche évangélique américaine. Baptiste, comme Bill Clinton, sociologue, l'homme était très présent dans les médias et ses vues sur les grandes questions de l'avortement ou de la peine de mort souvent controversées. Gordon McDonald, enfin, était l'un de ces télévangélistes qui avaient connu une ascension foudroyante à la fin des années 70. Mais il avait un point commun avec le président Clinton : lui aussi avait trompé son épouse. Il l'avait très vite admis mais cela n'avait pas suffi. Du jour au lendemain, il avait perdu son job de pasteur, sa réputation, ses réseaux de soutien. Une déchéance en forme de traversée du désert qui s'est achevée grâce à l'aide de quelques amis. Dans la discrétion et la modestie, il avait fini par revenir auprès des siens et exercer à nouveau son ministère. McDonald a passé des heures à prier avec Bill Clinton. « Je sais ce que c'est, disait-il, que de revenir à la lumière du jour après avoir vécu dans l'ombre un long secret.»[235]

Politiquement, Jesse Jackson et les Clinton ne partagent pas franchement la même philosophie. Le révérend noir, héritier parmi d'autres du combat des droits civiques derrière Martin Luther King, était à l'époque beaucoup plus à gauche que les porte-drapeaux de la Troisième voie installés à la Maison Blanche. Il avait fait campagne en 1984 et en 1988 avec certains succès dans les États à forte population électorale noire mais sans pouvoir faire mieux ailleurs. S'il s'était présenté en 1992, il est probable qu'il aurait rendu le parcours des primaires de Bill Clinton beaucoup moins évident. Mais avec le président et Hillary, ils se retrouvent sur l'essentiel. Ainsi en Afrique du Sud, aux cérémonies d'investiture de Nelson Mandela devenu président, Jesse Jackson, très engagé dans la lutte anti-apartheid, pleure de joie aux côtés d'Hillary en lui glissant à l'oreille: «Avez-vous jamais pensé que nous verrions ce jour?»[236]

Lorsque Bill et Hillary lui demandent de venir les conseiller sur le plan spirituel pour reconstruire un mariage transformé en feuilleton glauque dans tous les médias, le pasteur noir accepte sans trop hésiter. Sauf que personne ne sait, on ne l'apprendra que trois ans plus tard, que Jesse Jackson vient dans le plus grand secret de devenir le père d'une enfant illégitime! Quelques images sont publiées de Jesse Jackson, recueilli avec Bill, Hillary et Chelsea. Le pasteur leur fait lire le passage de la Bible dans lequel David demande pardon à Dieu après avoir séduit Bethsabée: «lave-moi entièrement de mon iniquité et purifie moi de mon péché». Les Clinton savent-ils, comme pour le pasteur McDonald, que le révérend ultra-médiatique est lui aussi dans cette logique de rédemption? Où la fameuse phrase «qui n'a jamais péché jette la première pierre» semble être devenue le slogan de ces hommes de charisme et de pouvoir au tournant de la moitié de leur vie[237]? L'histoire est d'autant plus troublante, dans ce rétroviseur éclairé, que Jesse Jackson n'a pas été

235. *The Washington Post*, 28 septembre 1998.
236. Hillary R. Clinton, *Mon Histoire*, p. 293, J'ai Lu, 2003.
237. *Time Magazine*, 19 janvier 2001.

des plus discrets lors de son arrivée au chevet de la famille Clinton. Il a même hésité à venir mais, selon ses dires, c'est sa femme légitime qui l'aurait convaincu d'aider le Président en ces termes : « C'est moralement juste et en plus, c'est vraiment ce que des amis doivent faire. » Lorsque cette même année, Jesse Jackson est de passage en Californie, il rend visite à Chelsea Clinton qui vient de s'installer sur le campus de Standford. Il prie avec elle et ils se prennent en photo. Une image que Jackson fait encadrer et envoyer à Hillary pour son anniversaire. Cette dernière l'accroche au mur dans sa chambre[238]. L'aurait-elle fait si elle avait su que Jesse aussi avait fauté avec une employée de son organisation Push/Rainbow ? Et qu'il avait payé des dizaines de milliers de dollars pour acheter son silence ?

En août 2000, le président Clinton remet la Medal of Freedom, la plus haute distinction honorifique pour des civils aux États-Unis, au pasteur Jesse Jackson. Sait-il à ce moment-là qu'une petite Ashley est née de la liaison du pasteur avec sa collaboratrice ? Faites ce que je dis et pas ce que je fais. La maxime ne vaut pas que pour les pasteurs et les présidents...

238. *The New York Times*, le 6 mars 1998.

Donald Jones, frère et parrain

Il était jeune et beau, jouait de la guitare et roulait en cabriolet Chevrolet rouge. Il n'est resté que deux ans à Park Ridge, cette banlieue de Chicago où Hillary Clinton a vécu jusqu'à son entrée à l'université. Et il a transformé la vie intellectuelle et religieuse de la future femme politique qu'elle deviendrait. Mieux, le révérend Don Jones a entretenu une correspondance avec Hillary Clinton sur plus de trente ans. Mentor, conseiller spirituel, partenaire philosophique, Don Jones a eu une influence considérable sur ce qui fonde la personnalité d'Hillary encore aujourd'hui. Lorsqu'il est mort en 2009 à l'âge de 78 ans, la Secrétaire d'État a rendu public ce message de condoléances, modeste mais évocateur : « Don m'a appris ce que signifie vraiment la foi en action et l'importance de la justice sociale et des droits humains. Il va me manquer et je lui serai reconnaissante à jamais pour ses cadeaux d'intelligence, de conseil, de gentillesse et de soutien pendant des années[239]. »

S'il avait été plus âgé, Hillary aurait pu considérer Don Jones comme un deuxième père. Il l'était au sens religieux du terme, malgré les seize années seulement qui séparaient ce jeune prêtre, lors de sa première affectation, de l'adolescente. Si Hugh Rodham a eu une influence considérable sur les règles de vie d'Hillary, reposant sur les notions de travail, de responsabilité et du don du meilleur de soi-même, le révérend Jones a très largement contribué à faire d'Hillary la femme de « gauche » qu'elle est devenue. Mais c'est davantage comme un « grand frère » initiateur et décomplexant qu'il a entrepris de créer une « université de la vie » en prenant ses fonctions d'aumônier de la communauté paroissiale de la First United Methodist Church de Park Ridge. Laquelle « université » devait apporter aux adolescents qui la fréquentaient deux fois par semaines (le jeudi et le dimanche) bien plus qu'une activité spirituelle classique. Don Jones emmenait ainsi ses jeunes fidèles voir ce qui se passait de l'autre côté de la frontière qui séparait le Park

---

239. *The New York Times*, 28 avril 2009.

Ridge très conventionnel de la vraie vie. Celle des ghettos noirs de Chicago, de la misère dans les quartiers ouvriers mais aussi des expos de peinture moderne, des films «rebelles» ou des grandes questions de société dans l'air du temps, comme la libération sexuelle ou la guerre du Vietnam.

La plus belle de ces visites en extérieur reste pour Hillary la soirée extraordinaire qu'elle a vécue en avril 1962 au Chicago Orchestra Hall. Ce soir-là, Don Jones a emmené ses jeunes disciples voir et entendre Martin Luther King prêcher. Révolutionnaire! Hillary a 15 ans, son père est un conservateur républicain pur et dur, son prof principal au lycée est un partisan de Dwight Eisenhower et un anti-communiste de base. Et voilà que le grand homme du combat pour les droits civiques prend à témoin la foule : «En fonction des positions que l'on doit prendre, la lâcheté nous fait nous demander si c'est faisable et à partir de là si c'est politique. Puis l'orgueil nous fait nous demander si c'est populaire. Mais la conscience nous demande simplement de savoir si c'est juste ou pas[240].» Et MLK de conclure par son célèbre «*we shall overcome*» qu'Hillary et Bill chanteront tant de fois par la suite avec leurs camarades noirs : «Nous réussirons parce que l'arc de la morale universelle a beau être long, il tend toujours vers la justice.» Ce sermon, King le reprendra dans la cathédrale de Washington en 1968 lors de l'une de ses dernières apparitions avant de mourir assassiné. Hillary en connaît des passages par cœur. «J'étais assise sur le rebord de mon siège alors que ce prêcheur nous défiait de participer à la grande cause de la justice et de ne pas nous endormir pendant que le monde changeait autour de nous. Et cela m'a tellement impressionnée[241]!» Elle l'est encore plus, sans doute, par la poignée de main à laquelle elle a droit lorsque Don Jones présente ses protégés au Dr King.

Faire ce qui est juste, toute la foi protestante méthodiste d'Hillary, portée par ses parents mais surtout, à l'âge des maturations, par le révérend Jones, porte cette devise à bras le corps avec

240. Martin Luther King Jr., *Remaining awake through a Revolution*, The King Center.org.
241. Dan Merica, *The Youth minister who mentored Hillary Clinton*, CNN, 25 avril 2014.

ce que cela sous-entend de questions éthiques sur les moyens et la fin, la morale en politique, le respect de l'adversaire, la résilience dans le combat et cette idée qu'une bataille n'est jamais achevée car il reste toujours du bien à faire. Don Jones à 30 ans n'était pas franchement dans la «ligne». Malgré ses états de service pendant la guerre de Corée, ses études à Sioux Falls, dans son état natal du Dakota du Sud, son parcours théologique sans faute, la majorité des familles de sa paroisse jugent ses méthodes assez peu «ortho-doxes». S'il avait été catholique en Europe dans les années 70, on l'aurait jugé «progressiste». Méthodiste au début des années 60, il est trop atypique, déroge aux critères habituels. Non seulement, il y a ces sorties fréquentes dans le South Side de Chicago, mais également des rencontres avec des musulmans dans une mosquée et avec des juifs dans une synagogue. Et même un jour avec un athée convaincu, chargé d'expliquer aux jeunes les raisons de son incroyance.

Lorsqu'il quitte Park Ridge en 1963, juste après s'être marié, Don Jones garde le contact avec Hillary. Ils vont ainsi s'écrire régulièrement pendant plus de 30 ans. Non seulement lorsque Hillary entre à Wellesley et se retrouve pour la première fois hors du milieu parental, mais également après l'installation du couple qu'elle forme avec Bill Clinton dans l'Arkansas. Ce n'est pas lui qui les marie, mais il viendra leur rendre visite et assistera aux presta-tions de serment de Bill à Washington après ses deux victoires présidentielles. Pendant l'affaire Monica Lewinsky, Don Jones est toujours là, pas physiquement présent mais par correspondance. Du début à la fin, il aura à la fois été de précieux conseil pour Hillary sur la gestion de sa vie personnelle mais aussi dans ses réflexions plus intellectuelles et politiques. En fait, le révérend Jones est resté un admirateur inconditionnel de Franklin Roosevelt. Il pense que le progrès social ne vient pas d'un seul coup mais sur la durée et qu'il ne procède pas de l'action radicale. Il prend racine, selon ses propres mots, dans une forme de «troisième voie», à mi-chemin du fondamentalisme conservateur et de l'interventionnisme de gauche inspiré par le New Deal[242]. Tout cela ne s'invente pas, nous sommes là à la base du corpus d'idées du couple Clinton, indissociable de ce qui continue à construire politiquement l'ambition d'Hillary.

---

242. Kathryn Joyce et Jeff Sharlet, *Hillary Clinton's Religion and Politics*, *Mother Jones*, 1er septembre 2007.

Paula Jones, la détonatrice

Sans elle, il n'y aurait pas eu d'affaire Monica Lewinsky. Sans elle, les juges de la Cour Suprême n'auraient pas eu à statuer si tôt que le président des États-Unis pouvait faire l'objet de poursuites pendant son mandat, à condition qu'un procès ne l'empêche pas de mener à bien ses fonctions constitutionnelles. Sans elle enfin, Hillary Clinton n'aurait pas eu à se battre bec et ongles pour défendre son mari contre «les médias» et la «vaste conspiration de la droite» dont elle croit avoir été l'objet ainsi que son époux.

Au départ, et c'est tout l'intérêt de la thèse d'Hillary, tout démarre avec un article paru dans *The American Spectator* dans son édition de janvier 1994. La revue est clairement de droite et l'enquête, vendue en Une sous le titre *Son cœur d'infidèle*, est accompagnée d'un dessin représentant Bill Clinton courbé sous un clair de lune les chaussures à la main. Le tout est signé David Brock. Le journaliste d'investigation en question s'est fait connaître deux ans plus tôt dans les mêmes colonnes en dénigrant Anita Hill, une employée fédérale qui accusait le deuxième juge noir de la Cour Suprême, le conservateur Clarence Thomas, de l'avoir harcelée sexuellement. Cette fois-ci, Brock publie un long reportage sur ce qu'il appelle le Troopergate : des confidences de policiers au service du gouverneur de l'Arkansas sur ses activités extra-conjugales. Dans le récit, Brock nomme une certaine Paula, affirmant que cette jeune fonctionnaire du gouvernement local a proposé à l'un des gardes du corps du gouverneur de devenir la maîtresse de Bill Clinton, que ce dernier a accepté et qu'elle s'est ainsi retrouvée un jour avec lui dans une suite de l'hôtel Excelsior de Little Rock. Selon Brock, Paula ne serait que l'une des nombreuses femmes attirées dans les bras du gouverneur par l'intermédiaire des *troopers* de l'Arkansas utilisés comme «rabatteurs» de proies féminines.

Or, cette histoire ne plaît pas du tout à celle qui s'est reconnue sous le nom de Paula. Mrs Jones, porte plainte contre Bill Clinton en indiquant que contrairement à la version publiée par *The American Spectator*, c'est elle la victime. Elle aurait été repérée le

8 mai 1991 par le gouverneur en marge d'un colloque qui se tenait à l'hôtel Excelsior. L'un de ses gardes du corps lui aurait demandé de rejoindre le président dans une suite. Là, Bill Clinton aurait sollicité une fellation, ce qu'elle aurait refusé. Circonstance aggravante, le gouverneur, qui n'a pas été plus loin dans ses avances, lui aurait demandé de garder l'incident confidentiel tout en lui faisant comprendre qu'il connaissait bien son supérieur hiérarchique, ce qui correspond à une forme d'intimidation.

Hillary Clinton est effondrée. Là encore, il ne s'agit pas pour elle de savoir si son mari a oui ou non franchi la ligne jaune de la fidélité conjugale. Ce qui la terrifie, c'est la provenance des attaques, le fait que Paula Jones décide de porter plainte pour «harcèlement sexuel» sur les conseils d'un avocat, Cliff Jackson, un ancien condisciple de Bill à l'université, républicain pur et dur qui s'est juré de mettre à terre les Clinton. En outre, Paula Jones, a rendu publique sa plainte le 11 février 1994, en marge d'une conférence tenue par des responsables républicains. Elle réclame 750.000 dollars de dommages et intérêts. Le dilemme pour les Clinton tient alors dans la possibilité de négocier cette somme dans une procédure de conciliation. Mais ce serait reconnaître d'une certaine façon la véracité des dires de Paula Jones. En l'absence d'un tel compromis qu'Hillary refuse fermement, contre l'avis des conseillers juridiques du Président, Paula Jones va devant les tribunaux[243]. Susan Webber Wright, la juge de l'Arkansas chargée du dossier en première instance, a été une élève de Bill Clinton lorsque ce dernier enseignait à la faculté de Droit de Fayetteville. Elle estime que la Cour n'est pas habilitée à juger le Président au cours de son mandat. Les avocats de Paula Jones font appel et gagnent. Le président Clinton fait appel devant la Cour Suprême. Mais, à la grande surprise du couple présidentiel, la plus haute institution judiciaire des États-Unis décide à l'unanimité que le président peut être poursuivi. C'est la première étape

---

243. Jeff Gerth et Don Van Natta, *Hillary Clinton, histoire d'une ambition*, p. 244, J.-C.Lattés, 2008.

d'un long calvaire au cours duquel plus rien d'intime dans la vie de Bill Clinton ne sera épargné au regard du grand public[244].

Entre temps, les médias sérieux ont fait leur travail. Ils ont découvert que les *troopers* de l'Arkansas ont monnayé leurs confidences à David Brock. Qu'ils avaient été impliqués dans des histoires louches qui n'avaient rien à voir avec le gouverneur Clinton. David Brock lui-même avoue plus tard que son enquête faisait partie d'un complot baptisé « Arkansas Project » financé par un milliardaire conservateur et dont l'objet était de couler l'ambition des Clinton. Mais toutes ces précisions arrivent trop tard à la connaissance de l'opinion publique. Le procureur Kenneth Starr a profité de cette faille pour entendre d'autres femmes, dont une, Kathleen Willey, travaillant à la Maison Blanche, prétend elle aussi avoir été harcelée par le président. Dans son dossier figure également le récit d'une certaine Juanita Broddrick, une infirmière qui témoigne avoir été violée en 1978 par Bill Clinton. Une fois enceinte, il aurait accepté qu'elle avorte. Une déclaration qu'elle reniera sous serment avant de revenir dessus une nouvelle fois. Autant de témoignages qui de fil en aiguille conduisent le procureur spécial à entendre une jeune salariée du Pentagone qui a travaillé à la Maison Blanche. Elle s'appelle Monica Lewinsky. La boucle est bouclée.

Finalement, les avocats du président Clinton ont fini par se rendre à l'évidence. Complot de la droite ou pas, il fallait judiciairement en finir. Le 13 novembre 1998, le président accepte de payer à Paula Jones 850.000 dollars pour mettre fin à sa plainte. Hillary Clinton, de son côté, a compris sur le tard son erreur tactique de refuser le compromis financier dès le départ. Lorsque Paula Jones porte plainte, Bill est à son plus haut niveau de popularité, malgré une autre affaire, le scandale immobilier et politico-financier *Whitewater* dans lequel Hillary est impliquée, et qui va déstabiliser également la présidence tout au long du premier mandat. Il était probable que refuser le compromis reviendrait à ouvrir la boîte de Pandore. Seule consolation, Hillary aura pu prouver sur le tard, qu'indépendamment des errances sexuelles de son mari, les cercles

---

244. Paula Jones Civil Suit chronology, *The New York Times*, 13 novembre 1998.

les plus conservateurs s'étaient ligués contre leur couple pour le détruire. Comme si les vieilles haines accumulées par les républicains de l'Arkansas méritaient une punition collective. Contre les Clinton, contre les démocrates, contre l'alternance.

Paula Jones, elle, a encaissé le chèque. Avec lequel elle a dû rembourser ses avocats. Comme Gennifer Flowers, elle a fini nue sur les pages de papier glacé de *Penthouse* pour «mettre de l'argent de côté afin de payer les études supérieures de ses enfants». Elle s'est remariée et s'est reconvertie dans l'immobilier. Entre temps, elle n'a pas hésité à vendre le contenu de ses conversations avec Gennifer Flowers sur leur histoire respective avec Bill Clinton sous forme de clips audio à 1.99 dollar sur internet. Puis à jouer dans un film intitulé *La robe bleue*, en référence évidemment à Monica, et qui au grand dam de ses producteurs, n'a jamais été distribué. Et que dit-elle, Paula Jones, en 2009 à l'occasion du dixième anniversaire du procès en destitution du Président Clinton? Qu'elle regrette qu'on se soit «servi d'elle à des fins politiques [245].» Un peu court et un peu tard...

---

245. *Time Magazine*, 9 janvier 2009.

Vernon Jordan, le consolateur

A-t-on jamais imaginé Barack Obama et Hillary Clinton en train de danser ensemble? Surtout au lendemain des plus sévères attaques jamais portées par l'ancienne secrétaire d'État contre le président. Dans une interview au mensuel *The Atlantic* à l'été 2014, Hillary vient de remettre en cause la doctrine militaire de son ex-patron énoncée lors d'un discours devant l'Académie militaire de West Point. L'entourage présidentiel le prend plutôt mal et Hillary se résout à appeler Barack Obama pour lui expliquer qu'elle ne l'attaquait pas personnellement. Le plus amusant, c'est que tous les deux devaient se retrouver quelques heures plus tard à Marthas' Vineyard, l'île où Barack Obama passait ses vacances en août et où Hillary et Bill étaient de passage également. Celui qui les a réunis s'appelle Vernon Jordan. Un médiateur en terrain neutre? Non, Jordan voulait juste célébrer ce mercredi 13 août, les 80 ans de son épouse Ann. Il a réservé le Farm Neck Golf Club afin d'y recevoir 150 invités triés sur le volet, tous ou presque résidant sur cet île de Ré américaine au sud de Cape Cod dans le Massachussetts. Et l'utile a rejoint l'agréable : l'affichage de Barack et Hillary en train de faire la fête chez leur ami commun a beaucoup fait pour dissiper le nuage de la veille[246]. Ils sont rares, ceux qui peuvent prétendre être un véritable ami de ces deux stars, deux bêtes politiques qui se sont affrontées sans se ménager l'un l'autre, deux partenaires au plus haut niveau du pouvoir exécutif, deux pionniers qui pourraient se succéder au pouvoir après avoir été le premier noir et la première femme élus à la Maison Blanche dans l'histoire de l'Amérique.

Quel chemin parcouru pour Vernon Jordan, cet élégant avocat noir né en 1935 en Géorgie, militant des droits civiques, courageux adversaire sur le terrain des résistants à la déségrégation, activiste résolu pour faire respecter les lois permettant aux noirs de voter sans être intimidés lors de leur inscription sur les listes électorales. C'est précisément dans ses fonctions de patron d'une organisation

---

246. *The Washington Post*, 12 août 2014.

des droits civiques basée à Atlanta que Vernon Jordan rencontre Hillary Rodham. En 1969, celle-ci vient d'être invitée à un congrès de la Ligue des électrices. C'est Peter Edelman qui l'a repérée à la suite de son discours de fin d'année à Wellesley. «Alors Peter, tu ne me présentes pas cette jeune fille qui a l'air si sérieuse», demande Jordan à Edelman[247]. Hillary vient de se faire un ami qui devient celui de Bill quelques mois plus tard. Un ami de confiance qui siège avec elle au Fonds national de protection de l'enfance, un relais des idées du couple au sein de la communauté noire mais également dans le monde des affaires où Vernon a fini par s'installer à la fin des années 70 après avoir dirigé de près ou de loin presque toutes les organisations de défense des droits civiques du pays. Il a même failli devenir le premier ministre de la Justice de Bill mais il a préféré rester dans l'ombre et sur le green comme partenaire de golf. Il est un confident pour Hillary et un conseiller politique du couple. Il n'est pas seulement là pour consoler Bill lors de ses défaites électorales mais également pour l'orienter dans la période de transition qui sépare son élection à la présidence de son installation à la Maison Blanche en 1992. «Je sais que je peux toujours compter sur lui lorsque j'ai envie de passer un moment en agréable compagnie ou lorsque je suis en manque de conseils judicieux», écrit Hillary.

Bien sûr, Vernon Jordan est présent au plus dur de la séquence des scandales successifs entre 1992 et 1998. C'est lui qui exfiltre Monica Lewinsky du Pentagone, où elle a été envoyée après la fin de sa liaison avec Bill, pour lui trouver un emploi à New York. Ce qui est interprété comme une tentative d'acheter son silence ou de l'intimider et amène Jordan à témoigner devant une commission du Sénat. Vernon est en fait l'homme de certaines missions discrètes pour les Clinton. Son carnet d'adresses est volumineux, sa réputation d'avocat est flatteuse et son passé d'activiste lui ouvre beaucoup de portes. Il a même ainsi failli débaucher le général Colin Powell pour un poste au gouvernement alors qu'il venait de

247. Hillary R. Clinton, *Mon Histoire*, p. 72, J'ai Lu, 2003.

servir le président George H. Bush au poste de chef d'état-major des armées[248].

Vernon Jordan est aussi le mari d'Ann Dibble Cook. C'est une femme brillante qui a réussi dans ses études et s'est investie à Chicago dans le domaine social en faveur des exclus et des familles modestes noires. L'amitié avec le couple Clinton a fait d'elle la trésorière des cérémonies d'investiture de la réélection de Bill à la Maison Blanche en 1996. Mais Ann Jordan, est également la cousine de Valerie Jarret, une femme d'influence, l'une des premières à repérer Barack Obama après avoir recruté son épouse Michelle à la mairie de Chicago. Femme d'affaires, Valerie Jarret possède, elle aussi, une maison à Martha's Vineyard. C'est là qu'elle a introduit le couple Obama auprès des plus grandes fortunes du pays, des grands patrons et des entrepreneurs noirs ayant réussi[249]. Sur la terre des Kennedy que Bill Clinton idolâtre, sur cette île où Hillary est souvent venue pour décompresser après les épreuves et les humiliations, il y a comme un symbole de voir que ce sont une femme, Valerie Jarret, et un noir, Vernon Jordan, qui ont acclimaté Barack Obama et Hillary Clinton à un monde très chic mais surtout très influent, à la croisée des ambitions politiques et des fortunes des plus grands patrons du pays.

---

248. *The New York Times*, 25 janvier 1998.
249. François Clemenceau, *Le Clan Obama, les anges gardiens de Chicago*, p. 94, Riveneuve, 2013.

K

Kennedy, mythe et trahison

C'est une photo en noir et blanc qui a vécu. Debout, ce 24 juillet 1963, bien droit, en polo blanc et les cheveux en brosse, au premier rang de cette vingtaine de jeunes gens de la Boys Nation, l'organisation de jeunesse de l'American Legion, il est là, fier comme tout, le regard à la fois émerveillé et maîtrisé. Dans le Rose Garden de la Maison Blanche, Bill Clinton, 17 ans, venu tout droit de son Arkansas, serre la main du président John Fitzgerald Kennedy. Sur le film d'actualité qui est tourné ce jour-là, on voit Bill quelques secondes plus tard regarder sa paume avec émerveillement comme si ce qui venait de se passer était irréel[250]. Il l'a écrit plus tard, c'est au cours de cette année-là, celle de l'assassinat de JFK, qu'il ne cessera de vouloir être un autre Kennedy. Bill a vraiment cru à cet appel lancé par JFK le jour de son investiture demandant à chaque Américain de servir son pays.

Hillary, elle, a eu d'autres modèles. Eleanor Roosevelt pour la First Lady qu'elle fut et la femme d'influence qu'elle est devenue; Martin Luther King pour le courage d'aller au bout de ses idées et son combat contre les injustices; et Lyndon Johnson, pour avoir exaucé en partie les vœux des partisans des droits civiques. Mais le plus important pour elle, dans sa carrière politique, était d'avoir la bénédiction des Kennedy. Lorsqu'elle se présente à la Maison Blanche en 2007, il ne reste plus qu'un seul Kennedy à représenter cette caution: Edward, dit Ted, frère cadet de JFK, surnommé le « vieux lion du Sénat ». Non seulement il refuse de soutenir Hillary mais, offense suprême, il ne veut pas rester neutre. L'engagement personnel de Ted Kennedy et de la fille de JFK, Caroline, en faveur de Barack Obama a été l'un des coups les plus durs subis par Hillary.

Dans son premier livre de Mémoires, Hillary avait pourtant réservé le nombre de pages qu'il fallait pour relier son couple à celui de JFK et Jackie. D'abord en ravivant ses souvenirs de ses

---

250. *A Future President meets JFK*, ABC News, 24 juillet 2009, via *The Clinton Foundation*.

premières rencontres avec l'ex-First Lady à New York pour lui demander conseil sur la vie au quotidien à la Maison Blanche. La nouvelle Première dame parle de celle qui l'a précédée en termes flatteurs, évoque une femme de 63 ans «toujours aussi belle et digne qu'autrefois, lorsque trente ans plus tôt elle était devenue l'incarnation du glamour et l'épouse du président le plus jeune de l'histoire américaine[251].» Et l'on sent bien qu'il s'agit là de se mettre au même niveau, Bill étant le deuxième plus jeune président des États-Unis depuis la Première Guerre mondiale. Elle en rajoute même en faisant dire à Jackie que Bill possède le même magnétisme personnel que JFK, ce qu'Hillary interprète, probablement à tort, comme la possibilité pour son mari de devenir, lui aussi, la cible d'un attentat.

Le couple présidentiel revoit Jackie quelques mois plus tard alors que le suicide de leur ami Vince Foster a plongé la Maison Blanche dans un climat de désolation. Hillary plante le décor d'une virée au large de Martha's Vineyard à bord du yacht de Ted Kennedy et en compagnie des Jordan[252]. On la sent complètement à son aise pour ces quelques jours de vacances au milieu de ces célébrités, comme si elle était déjà entrée dans l'histoire qui lui était due. En reconstituant un dialogue avec Jackie sur la force de caractère des femmes, on devine qu'elle s'approprie le code de transmission. Celui des First Ladies qui se comprennent entre elles, qui comparent leurs souffrances, leurs sacrifices et leurs frustrations. Malheureusement, Jackie meurt moins de deux ans plus tard sans qu'Hillary ait pu bâtir avec elle, dans la durée, une amitié fidèle.

Avec Ted Kennedy, c'est une autre histoire. Déjà en 1992, il n'avait pas choisi de soutenir en premier le gouverneur de l'Arkansas. Il lui avait préféré dans la course des primaires Paul Tsongas, un fils d'immigré grec au parcours méritocratique exemplaire, et surtout un élu du Massachussetts comme lui. Ted Kennedy était d'une rare exigence pour ceux qui se disputaient la Maison Blanche de son frère John. En 1980, déjà, il avait défié

---

251. Hillary R. Clinton, *Mon histoire*, p. 176, J'ai Lu, 2003.
252. Ibid, p. 229.

le président Carter, candidat à sa réélection, dans une primaire sauvage sous forme de guet-apens à la Convention de New York. Ted estimait que la présidence Carter avait affaibli le Parti et qu'il fallait un second souffle à la Maison Blanche pour défier Ronald Reagan. En 2000, il avait soutenu Al Gore mais sans passion, déçu comme beaucoup par le bilan des Clinton. En 2004, il parraine avec talent et vainement, la candidature d'un autre sénateur du Massachussetts, John Kerry.

En 2008, en revanche, sa main n'a pas tremblé pour désigner Obama alors que la plupart des barons du parti s'alignaient massivement derrière Hillary. Cette dernière et son mari ont tout fait, tout, pour tenter d'empêcher ce parrainage à la veille du Super Tuesday, ce regroupement de primaires dans plusieurs États à la fois qui doit permettre à l'un des candidats en tête de creuser la distance. Au cours des trois premières semaines de 2008, Bill Clinton a passé plusieurs coups de téléphone au sénateur Kennedy, chacun d'entre eux devenant de plus en plus tendu au fur et à mesure que les échéances approchaient. Mais Ted Kennedy en veut aux Clinton. D'abord pour le vote d'Hillary de 2002 qui donne autorisation au président Bush de faire la guerre en Irak. Ensuite, il voit à travers Obama un nouveau Kennedy. Résultat, le 27 janvier 2008, Caroline Kennedy, la première, publie une tribune dans le *New York Times* pour dire à quel point Obama lui rappelle son père. Ce dimanche-là, Ted Kennedy lui-même téléphone à Bill et à Hillary pour leur dire qu'en choisissant Obama, il souhaite que l'Amérique écrive «un nouveau chapitre dans l'histoire de l'Amérique»[253]. Le lendemain, devant les étudiants de l'American University à Washington, Ted Kennedy, sa nièce Caroline Kennedy et son fils cadet Patrick Kennedy débarquent en famille pour soutenir Obama. Le patriarche évoque poliment tout le respect que lui inspirent les autres candidats, dont Hillary Clinton, mais appelle à voter pour celui qui est capable d'inspirer une nouvelle génération d'Américains. La «relève[254]». C'est le mot qu'il utilise.

---

253. Jonathan Alter : *The Promise*, p. 71, Simon & Schuster, 2010.
254. *The Boston Herald*, 29 janvier 2008.

Ce jour-là est vécu par Hillary comme un crève-cœur absolu. Obama remporte le Super Tuesday haut la main.

Beaucoup d'eau a coulé sous les ponts du Potomac depuis la défaite d'Hillary à la nomination pour la présidentielle. Le 21 novembre 2013, le président tient à remettre la médaille de la Liberté à Bill Clinton. À la veille du cinquantième anniversaire de l'assassinat de JFK, Obama et Clinton veulent ainsi rendre hommage à celui qui a si fortement inspiré leur vie de jeune homme. Au cimetière d'Arlington, tous deux déposent une couronne de fleur sur la stèle de JFK et tiennent la main de la fragile Ethel Kennedy, veuve de Bob Kennedy, assassiné en 1968. Hillary Clinton ne se souvient sans doute pas de cette petite phrase horrible lâchée en mai 2008, lorsque questionnée sur sa volonté de poursuivre la lutte contre Obama, elle répond : « Mon mari n'a gagné la nomination en 1992 qu'après avoir remporté la primaire de Californie à la mi-juin. Et tout le monde se souvient que Bob Kennedy fut assassiné en juin en Californie [255] ! » La référence au meurtre du frère de JFK alors qu'il était au coude à coude avec son rival démocrate McCarthy en juin 1968, afin de démontrer que tout peut arriver, y compris la mort de l'un des deux concurrents, est dénoncée par le clan Obama et dans tous les médias. Hillary doit s'excuser platement.

En avril 2014, Caroline Kennedy est interrogée à la télévision. Ambassadrice du président Obama au Japon, où elle a été nommée après le départ d'Hillary Clinton du Département d'État, la fille de JFK confie que si l'ancienne sénatrice de New York se présente pour la présidence en 2016, elle la soutiendra « absolument ». Mais elle sait qu'à Hyannis Port, dans le fief de la dynastie, d'autres membres du clan Kennedy sondent en privé les chances de la sénatrice du Massachussetts Elizabeth Warren. Plus à gauche qu'Hillary, les Kennedy croient qu'elle serait davantage dans la lignée d'Obama...

255. *The New York Times*, 24 mai 2008.

John Kerry, le successeur

Avec sa grande taille légèrement voutée, comme s'il avait peur de heurter le plafond, son menton en galoche, son élégance aristocratique, sa voix inimitable et articulée aux accents de la Nouvelle Angleterre, John Kerry revient de loin. Comme Hillary en 2008, il aurait pu devenir président des États-Unis quatre ans plus tôt. Comme Hillary, il est devenu Secrétaire d'État. Son combat politique s'est arrêté aux portes de Foggy Bottom, ce tertre depuis lequel la diplomatie américaine se trame dans les brumes du Potomac. Hillary Clinton n'a rien fait pour lui faciliter une éventuelle victoire en 2004. De son côté, il s'est beaucoup agité pour se distinguer d'elle en lui succédant à la tête de la diplomatie américaine. Autant dire que ces deux-là ont des comptes à régler.

On n'a jamais vraiment su si Hillary voulait vraiment partir à la conquête de la Maison Blanche dès 2004, quatre ans seulement après l'avoir quittée. Tous les témoignages de ses proches concordent pour estimer qu'elle s'y était intellectuellement préparée. D'ailleurs, la sortie de ses Mémoires, en 2003, constituait l'un des exercices obligés pour tout candidat aussi ambitieux. Est-ce Bill qui n'est pas d'accord, qui pense que c'est trop tôt? En apprenant cette année-là que son mari négocie la production d'une émission politique avec les dirigeants de la chaîne CBS, Hillary donne quelques mois plus tard une interview au magazine allemand *Bunte*: «Ce sera peut-être pour la prochaine fois», dit-elle en évoquant la possibilité d'une candidature présidentielle. «Avec Bill, c'est en fait une rotation d'emplois. Dans un premier temps il s'est concentré sur sa carrière. Maintenant c'est mon tour[256].» Rarement elle n'aura été aussi franche sur le pacte qu'elle aurait passé avec Bill avant leur mariage.

Mais si Hillary a donc décidé de faire l'impasse sur 2004, il ne faut donc pas rater «la prochaine fois». Autrement dit, ne

---

256. *Bunte*, 25 novembre 2003.

rien faire qui puisse faciliter la victoire d'un démocrate en 2004 et sa réélection en 2008. Pourtant, elle clame à qui veut l'entendre qu'elle soutiendra «de toutes ses forces» le nominé démocrate de 2004 et qu'elle fera de même en 2008 pour le faire réélire. De fait, c'est exactement le contraire que l'on constate. «Bill fait le minimum pour son propre camp en 2004. Au fond, les Clinton ne peuvent que souhaiter la défaite des démocrates. Cela laisserait le champ libre à Hillary en 2008», écrit l'historien Thomas Snégaroff[257]. Non seulement, Bill et Hillary vont laisser John Kerry se battre seul contre l'équipe du président sortant, George Bush, lequel laisse son stratège Karl Rove lancer les attaques les plus odieuses contre le sénateur du Massachussetts, mais les Clinton commencent même par mobiliser l'attention des médias. En 2004, Bill publie à son tour ses Mémoires alors que les sondages lui donnent plus de 60% d'opinions favorables. Et à la Convention de Boston, au cours de laquelle brille le jeune Barack Obama, Bill n'a qu'un seul mot pour John Kerry. Un seul, alors qu'il cite abondamment celui d'Hillary. En septembre, alors que les intentions de vote pour Kerry fléchissent dangereusement, l'hospitalisation de Bill pour un quadruple pontage braque les projecteurs sur les Clinton et non pas sur le candidat démocrate à la Maison Blanche.

Leur soutien sans réserve pour John Kerry aurait-il changé la donne face à un Bush président « de guerre», trois ans seulement après les attentats du 11-Septembre? Pas sûr. Mais la mémoire de Kerry à ce sujet est intacte... «Comme prévu et souhaité par les Clinton, Kerry est battu. Le crédit de Bill et Hillary n'est pas entamé. Dans quatre ans, elle sera candidate. Personne ne peut lui faire de l'ombre chez les démocrates», conclut Snégaroff.

John Kerry passera donc quatre ans de plus au Sénat en compagnie d'Hillary. Lui à la commission des Affaires étrangères et elle à la commission des Forces armées où chacun fait preuve du plus grand sérieux. Mais on ne verra pas

---

257. Thomas Snégaroff, *Bill et Hillary Clinton: le mariage de l'amour et du pouvoir*, p. 307-310, Taillandier, 2014.

beaucoup non plus le battu de 2004 s'activer dans la campagne présidentielle d'Hillary qui commence dès 2007. Pire, dès le lendemain des caucus de l'Iowa en janvier 2008, Kerry apporte son soutien officiel à Barack Obama. «Qui mieux que lui peut apporter une nouvelle crédibilité au rôle de l'Amérique dans le monde et aider à restaurer notre autorité morale», interroge Kerry en visant le bilan de George Bush mais en creux le passé de la rivale Hillary[258]. Une fois la victoire d'Obama et de son colistier Joe Biden acquise, et avec l'arrivée d'Hillary au Département d'État, un certain nombre de places se libèrent. Dont le fauteuil de Biden qui préside la commission des Affaires étrangères. C'est donc assez naturellement Kerry qui le récupère, ce qui le place en situation de favori pour succéder à Hillary à la tête de la machine diplomatique américaine

Dire qu'à partir de janvier 2013, il a tout fait pour se démarquer d'Hillary serait grandement exagéré. Mais les interlocuteurs de l'Amérique vont vite constater une différence d'approche et de style. «La diplomatie d'Hillary, c'est comme chez Picard. Tous les produits surgelés sont alignés et pas question de changer la vitrine et les prix au dernier moment», commente un diplomate américain en poste en Europe[259]. «En fait, elle n'a jamais voulu prendre de risques parce qu'elle veut être présidente et qu'elle sera sans doute présidente. Alors qu'avec Kerry, il y a là un gars qui est dans l'improvisation en permanence, qui change d'idées à toute vitesse en fonction de la situation et qui essaye chaque possibilité de solution en se disant que si ça ne marche pas, il essaiera autre chose. Il ne le fait pas seulement parce qu'il n'a rien à perdre et qu'il n'a pas de destin national mais aussi pour laisser quelque chose dans l'histoire de son pays.» C'est évidemment au Proche-Orient que l'on constate cette énergie folle de Kerry comparée aux approches très feutrées d'Hillary. L'ancienne élue de New York avait même adopté avec Israël un comportement qui frisait la complaisance, y compris lorsque le gouvernement Netanyahou

258. *The New York Times*, 10 janvier 2008.
259. Entretien avec l'auteur le 13 février 2014.

avait humilié la présidence Obama en multipliant les chantiers de colonies. «Kerry, lui, a une mentalité de *special envoy*», ajoute un bon connaisseur de la politique étrangère américaine pour qui la mission d'un secrétaire d'État ne doit jamais s'abaisser à un rôle subalterne de chargé de mission en espérant que les crises vont se dénouer en fonction de son seul pouvoir de persuasion. «Kerry, n'a rien réussi et n'a plus d'autorité», conclut-il[260]. Cela ne dédouane pas Hillary pour autant, mais au palmarès de l'efficacité, balle au centre, même s'il reste encore deux ans à Obama pour tenter d'autres approches.

D'autant que tout peut aller très vite en politique, surtout avec les crises. Qui aurait pu croire que la Secrétaire d'État se retrouverait si vite égratignée pour sa gestion des conséquences du raid terroriste contre le consulat américain de Benghazi au cours duquel l'ambassadeur Stevens fut tué? Qui aurait pu croire que John Kerry, critiqué pour ses gesticulations permanentes parviendrait à réconcilier les frères ennemis candidats à la succession d'Hamid Karzaï en Afghanistan et à constituer cette immense coalition destinée à défaire l'État islamique en Irak et en Syrie? John Kerry n'était pourtant pas le favori d'Obama pour remplacer Hillary. Le président aurait préféré imposer son ambassadrice aux Nations Unies, Susan Rice. Et pas seulement parce que c'est une femme et une afro-américaine. Mais avec Kerry, il y a cette assurance que la maison est tenue et que l'homme a de l'énergie à revendre dans un monde qui en exige tant.

Qui Hillary choisira-t-elle pour remplacer Kerry, si d'aventure il allait au bout du mandat et qu'elle raflait la mise en 2016? Pas certain qu'elle aille piocher dans le vivier du Conseil de sécurité nationale du président Obama. Pas évident non plus d'aller recruter des barons de la vieille garde clintonienne. Question de génération. Deux ou trois noms circulent d'ores et déjà: celui de Michèle Flournoy, stratège de niveau exceptionnel qui a servi de N°2 au Pentagone, aujourd'hui à la tête du Center for a New American Security. En refusant de succéder au secrétaire à la

260. Entretien avec l'auteur le 4 juin 2014.

Défense, Chuck Hagel, qui a démissionné à la fin du mois de novembre 2014, Michèle Flournoy s'est laissée les mains libres pour 2016. L'autre nom évoqué dans la presse est celui de Kurt Campbell, l'homme qui a mis en œuvre aux côtés d'Hillary la politique d'Obama du «pivot» vers l'Asie, et patron du Asia Group, une société de consulting stratégique[261]. John Kerry, lui, aura 73 ans en 2016. L'ancien héros de la guerre du Vietnam aura servi du mieux qu'il peut.

261. *100 Most Influential People, Defense News.com*, 2013.

Martin Luther King, Hillary et le vote black

Si Hillary reste mystérieuse à bien des égards, il y a au moins un qualificatif qui ne peut pas s'appliquer à sa personnalité comme à son histoire : elle n'est pas raciste. D'autres, y compris chez les démocrates, le sont mais ne l'admettent pas. D'autres, y compris chez les républicains, ne le sont pas mais se conduisent parfois comme tels. Le racisme aux États-Unis n'a pas disparu, loin de là. Les événements de Ferguson en 2014 suivis de nombreuses marches à travers tout le pays ont montré qu'il subsistait un gouffre de relations des plus médiocres entre les populations noires des grandes villes du Middle West et la police, souvent à majorité blanche. Surtout lorsque cette police reste impunie par des jurys blancs qui ne comprennent pas à quel point des policiers mal formés bénéficient d'une interprétation beaucoup trop large de la légitime défense. La ségrégation reste ancrée, si ce n'est dans les mœurs, dans la topographie des grandes villes et, malgré de réels progrès, dans le système éducatif américain.

Hillary est née et a été élevée dans un monde sans noirs. Elle n'a su qu'ils existaient qu'en allant visiter les quartiers du South et de l'East Side de Chicago avec le révérend Jones, l'aumônier de sa paroisse méthodiste. En se rendant avec lui un soir au Concert Hall de Chicago pour écouter Martin Luther King prêcher le combat pour les droits civiques, Hillary a compris que la politique n'était pas un vain mot. En s'affichant publiquement avec une camarade noire de l'université de Wellesley et en se rendant avec elle à l'office du dimanche, Hillary n'a pas cherché à provoquer qui que ce soit mais à mettre en pratique l'enseignement reçu : s'ouvrir aux autres ne peut pas être uniquement un acte de façade. Son engagement public premier, au service du Fonds de Défense de l'Enfance, c'est avec Marian Wright Edelman qu'elle le conduit. Une noire mariée avec un juif. Étrange ? Non, Barack Obama lui-même a recherché inversement cette proximité avec les juifs, persuadé que dans leur bataille commune pour le droit des minorités et contre les persé-cutions il y avait une réminiscence de leur mémoire ancienne de l'esclavage. Tout au long de sa carrière juridique puis politique, Hillary a privilégié la présence à ses côtés de femmes noires talentueuses et combatives, singulièrement dans son Hillaryland à la Maison Blanche. Les convictions également très sincères de Bill Clinton dans la solidarité avec le combat des noirs pour l'égalité ont contribué à l'image de très grande proximité dont jouissent les Clinton avec la communauté afro-américaine. N'est-ce pas la poétesse Maya Angelou qui décréta un jour que Bill Clinton était le premier président « noir » américain ?

Mais toutes ces vérités ont trouvé leurs limites lors de l'affrontement entre Hillary et Obama à partir de l'hiver 2007. Tous les deux le savaient, une nomination démocrate pour la présidentielle ne peut se gagner sans le vote noir. Si Obama n'avait pas été candidat, les afro-américains du parti auraient fini par ventiler leurs voix entre Hillary Clinton et John Edwards, le sénateur de Caroline du Nord. Mais avec Obama tout change. Les Clinton ont tout fait pour attirer vers eux les parrainages des grandes voix de la communauté. Le pire supplice a été enduré par John Lewis, élu de Géorgie, l'un des derniers lieutenants encore vivants de Martin Luther King. Neutre au départ, il a fini très vite par basculer dans le camp Obama, ce qui a déchaîné les foudres de Bill. On peut en dire autant du soutien précoce et ô combien crucial d'Oprah Winfrey, la grande prêtresse des shows télévisés. Ses apparitions fréquentes dans l'Iowa, mais surtout en Caroline du Sud lors de la primaire du 26 janvier 2008, furent déterminantes.

Or, c'est bien en Caroline du Sud que les masques tombent. Bien sûr, il arrive à Bill de déraper. Mais ce qu'il dit au lendemain de la victoire d'Obama en Caroline du Sud, en comparant le rival d'Hillary au Jesse Jackson des années 80, c'est-à-dire à un leader communautaire incapable de rassembler au-delà de sa couleur de peau, est terrible. Est-ce le ressentiment qui explique cette réaction ? Et Hillary ? Que cherche-t-elle à prouver lorsqu'elle dénonce les « beaux discours » d'Obama tout en expliquant que les harangues des leaders du mouvement pour les droits civiques dans les années 60 n'auraient rien donné sans une traduction « en actes » par le président démocrate Lyndon Johnson, sous-entendu, un blanc ?

Pire, lorsque Obama est aux prises avec ses pires ennemis de la droite radicale, l'accusant de ne pas être né sur le sol américain et d'être musulman malgré son appartenance à la Trinity Church de Chicago, Hillary ne cherche pas à rejoindre le camp des indignés par cette campagne de haine. À la question qui lui est posée en mars 2008, alors que la bataille des primaires est relancée, de savoir si Obama est musulman, elle répond : « Il n'y a pas de fondements pour le dire, à ce que je sache[262]...». Certes, elle a dû dire deux fois au cours de cet entretien qu'elle ne croyait pas en cette rumeur mais ses cinq derniers mots (*as far as I know*) étaient de trop et furent vécus par l'équipe Obama comme une agression. D'autant que dans la paranoïa qui accompagne chaque campagne, les lieutenants du sénateur de l'Illinois étaient persuadés que la plupart des fuites dans la presse sur ses origines musulmanes et les discours de haine de son pasteur noir, Jeremiah Wright, étaient orchestrées par le camp Clinton.

Vu leur âge lors des événements des années 70, elle et Bill n'ont connu du mouvement noir américain que la phase la plus radicale, celle des Black Panthers ou de Malcom X. Plus tôt, ils ont vécu dans l'admiration de Martin Luther King jusqu'à son assassinat en 1968. Dans les faits, Bill et Hillary se sont battus aux côtés des noirs contre les fléaux de leur époque : la guerre, la pauvreté et les inégalités. Plus tard, dans l'Arkansas, dans une société bien plus traditionnelle et conservatrice, cette question ne se pose plus avec autant d'acuité. Que ce soit pour Bill dans son métier de gouverneur ou pour Hillary en tant qu'avocate au cabinet Rose, même si la question raciale reste omniprésente dans leurs autres fonctions, au Fonds de Défense de l'Enfance. Ensuite, à la Maison Blanche, la politique des Clinton favorise clairement les réformes sociales jusqu'au raz-de marée conservateur de 1994. Autrement dit, et en dehors de leur ami Vernon Jordan et de bien d'autres leaders de la communauté noire engagée dans le monde des affaires ou du show business, ils ne connaissent pas vraiment la jeune classe politique noire qui s'est émancipée des luttes de ses aînés.

---

262. Interview à *60 Minutes*, CBS, le 2 mars 2008.

Voilà l'une des raisons pour lesquelles, ils ont sous-estimé Barack Obama. Lui-même d'ailleurs ne se définit pas comme un noir dans la mesure où il est métis. Concrètement, et sans savoir trop comment, les Clinton apprennent à connaître, à travers Obama, un représentant de ce que lui-même tente de définir comme une société «post-raciale».

Cela leur permet-il de deviner ce que sera le vote noir en 2016 en l'absence d'un candidat noir? À Silver Spring, ville très métissée de la banlieue nord de Washington, Robbeyell McCormick, la présidente du club des démocrates afro-américains du Montgomery County ne cache pas que la donne a vraiment changé par rapport à 2008: «En 2016, je soutiendrai Hillary à 100%, c'est un moment historique. Obama a été un leader qui a fait l'histoire. Mais Hillary sera la première femme président. Pour construire, on ne bâtit pas sur du sable et Hillary dispose de bases solides. Il lui passera le témoin. Et ce sera plus facile pour elle de faire campagne sans que le facteur ethnique entre en compte[263].» Cette dernière phrase en dit long sur ce qu'Hillary a dû souffrir en 2008.

---

263. Entretien avec l'auteur le 4 juin 2014.

L

Monica Lewinsky, la plaie

Est-ce vraiment la peine de reparler d'elle ? Que ne sait-on pas sur cette stagiaire de 20 ans qui a failli provoquer la destitution d'un président des États-Unis à la fin du xxe siècle ? Tout a été tellement déballé à l'époque qu'on se souvient davantage du jour où le procureur Kenneth Starr a fait expertiser la petite robe bleue de Monica Lewinsky, avant de vérifier par prise de sang sur la personne de Bill Clinton que l'ADN relevé sur la robe était bien le sien, que de tout autre événement digne d'intérêt. L'impact de cette affaire sur Hillary Clinton fut considérable. Pas seulement sur le plan conjugal, bien que le couple traversa cette année-là sa pire crise, mais sur le plan politique également. À tous ceux qui pensent que l'affaire Monica risque de revenir perturber la candidature d'Hillary Clinton en 2016, il faut se rendre à l'évidence. Ce n'est pas tant le contenu de toute nouvelle révélation qui menace Hillary que la façon dont elle réagira.

Car l'opinion publique, et c'est probablement le plus extraordinaire dans cette affaire, ne s'est pas laissée embarquer à l'époque par le populisme ambiant. Hillary Clinton a retenu de ces longues semaines que les Américains pouvaient considérer leur président comme un menteur, un homme incapable de résister à la moindre tentation féminine, un dirigeant sournois passé maître dans l'art de passer entre les mailles du filet pour éviter de se confronter à sa propre légèreté, mais en même temps comme un chef d'État à même d'accomplir sa mission. Au fond, que retient-on de cette affaire qui a ridiculisé l'Amérique au moins autant que le recomptage des voix en Floride deux ans plus tard, laissant l'Amérique sans président, à la merci d'une bataille des nerfs et de quelques juges ? C'est que le président Clinton est sorti de ce dossier empoisonné avec un taux de popularité paradoxalement élevé. Comme si les citoyens américains avaient déconnecté l'affaire Monica de la gestion du pays.

Depuis que les Américains savent qu'Hillary Clinton sera très probablement candidate en 2016, le nom de Monica Lewinsky est revenu trois fois dans l'actualité. La première, lorsque Rand Paul, pilier du Tea Party, sénateur du Kentucky et probable candidat républicain à la prochaine présidentielle, se livre dans l'émission *Meet the Press* à une attaque de Bill Clinton, en le qualifiant de « prédateur sexuel »[264]. L'épouse de Rand Paul, venait de dire dans une interview au magazine *Vogue* que les électeurs feraient bien de se souvenir de cette affaire lorsque Hillary sera dans la compétition pour revenir à la Maison Blanche. Pourquoi Hillary devrait-elle porter sur ses épaules les erreurs de son mari ? « Il y a des moments où il est difficile de séparer l'une de l'autre », répond Rand Paul. Dans la foulée, le patron du Parti républicain, Reince Priebus, n'y va pas de son côté avec le dos de la cuiller : « Je crois qu'on mettra tout sur la table » car « je ne vois pas pourquoi quelqu'un pourrait échapper à tout examen ». « Nous creuserons donc dans toutes les directions sur Hillary et j'imagine qu'il y aura des vieux dossiers mais aussi des nouveaux[265]. »

Hillary a-t-elle répondu à cet appel à sortir les vieux cadavres des placards ? Non. Elle sait que tout ce qu'elle dira se retournera contre elle. Ce qu'elle pense de l'affaire Monica, elle l'a dit à sa façon dans ses Mémoires en quatre mots une fois que son époux a fini par présenter ses excuses au peuple américain : « profonde tristesse » et « fureur tenace ». Les deux premiers évoquent le naufrage de son couple, les deux seconds son état d'esprit vis-à-vis de ses ennemis, essentiellement les médias et les républicains.

Le deuxième épisode qui ressuscite l'affaire Monica en 2014 correspond à l'exhumation dans la presse des archives de l'ancienne meilleure amie d'Hillary, Diane Blair[266]. Cette dernière, décédée en 2000 et qui avait entretenu une longue correspondance avec la First Lady, y compris après le déménagement de Little Rock vers Washington, reprend un commentaire prononcé par Hillary sur Monica lors d'une conversation téléphonique en septembre 1998. L'épouse de Bill Clinton aurait qualifié Monica de « cinglée narcissique ». Était-ce une façon de dédouaner son mari de ses errements,

---

264. Interview à *Meet the Press* sur NBC, le 26 janvier 2014.
265. Interview à MSNBC, le 10 février 2014.
266. *The Hillary Papers*, *The Washington Free Beacon*, 9 février 2014.

comme s'il était la victime d'une jeune nymphomane en quête d'une relation à tout prix avec le Président des États-Unis? Le contenu des archives de Diane Blair montre qu'Hillary met l'affaire Monica sur le dos d'un conjoint psychologiquement marqué par les addictions de ses parents, le harcèlement de la droite américaine et ses «propres erreurs» en tant qu'épouse. Hillary choisit «de ne pas répondre» à ce nouveau déballage. Toujours cette même sagesse de ne pas remettre de l'huile sur le feu et de ne pas donner d'armes supplémentaires à ses adversaires.

Mais le troisième épisode est incarné par Monica Lewinsky elle-même. En mai 2014, *Vanity Fair* publie un long article signé de sa propre main. Intitulé «Honte et survie», le texte revient sur la terrible épreuve qu'elle a subie à travers le scandale et ses difficultés à retrouver une vie normale depuis[267]. L'ex-stagiaire, 40 ans aujourd'hui, n'a toujours pas retrouvé de travail stable et ne s'est pas mariée non plus. Elle s'active au sein d'une association qui lutte contre le harcèlement sur les réseaux sociaux. Monica semble comprendre Hillary et ses remords d'avoir négligé les tourments émotifs de son époux. Elle répète qu'elle est la victime dans cette affaire. Mais pas celle de Bill Clinton, dont elle dit avoir été follement amoureuse. Il s'agissait d'une relation sexuelle librement consentie, martèle-t-elle, une relation qu'elle «regrette profondément». Comme Paula Jones, elle dénonce l'instrumentalisation dont elle a été l'objet de la part de l'opposition républicaine. Mais en signalant qu'elle vote démocrate et qu'elle aimerait voir la classe politique s'intéresser davantage au respect de la vie privée ou à la parité homme-femme, Monica prend le risque de passer pour une alliée d'Hillary. Dans un premier temps, Hillary, une fois de plus, choisit de rester à l'écart et de ne pas répondre au texte de Monica. Mais la publication de l'article par *Vanity Fair* coïncide avec la sortie de son livre *Le temps des décisions*, récit de ses quatre années passées au Département d'État. Et dans la campagne de promotion du livre, impossible de refuser de répondre aux questions sur Monica.

---

267. *Shame and Survival, Vanity Fair*, Mai 2014, repris par la version française de la revue en septembre 2014.

Interrogée par la présentatrice vedette de la chaîne ABC, Diane Sawyer, sur ce qu'elle pense de l'article de Monica, Hillary cisèle chaque mot : « Je lui souhaite d'aller bien, j'espère qu'elle est capable de penser à son avenir et de se construire une vie qui ait un sens et lui donne satisfaction. » Hillary a-t-elle pardonné à la « cinglée narcissique » et à son mari Bill ? La question de Diane Sawyer ne mentionne pas nommément ces deux-là mais demande à Hillary ce qu'elle pense de la vertu du pardon. « Je suis à 100% dans le camp de ceux qui voient dans le pardon, celui ou celle qui pardonne. Le pardon est une façon de rouvrir les portes et de repartir en avant, qu'il s'agisse de sa vie privée ou de sa vie publique[268]. »

C'est ce qui s'appelle avoir tourné la page. Et promettre à ceux qui souhaiteraient la relire encore mépris et contre-attaque. N'a-t-elle d'ailleurs pas confié au cours de cette même interview que si Rand Paul se présentait à la présidentielle 2016, il deviendrait gibier et que ce serait de « bonne guerre » ?

---

268. Interview à ABC News, le 9 juin 2014.

Libye, la guerre de Sarko

Au départ, Hillary Clinton ne voulait pas faire la guerre en Libye. Le 10 mars 2011, dix jours seulement avant que les avions français partent à l'attaque des chars du colonel Kadhafi qui menacent la population civile de Benghazi, la secrétaire d'État répond aux élus du Congrès qui l'auditionnent : « Je fais partie de ceux qui pensent que, en l'absence d'un mandat international, les États-Unis, agissant seuls, s'engageraient dans une situation aux conséquences imprévisibles. Et je sais que notre armée est du même avis [269]. » Si on la comprend bien, cela signifie que si les États-Unis avaient un mandat et l'assurance de ne pas intervenir militairement seuls, les choses seraient différentes. Or que dit Hillary à propos du président français et de la Libye ? « Sarkozy m'a rebattu les oreilles à propos d'une intervention militaire. C'est une personnalité dynamique, d'une énergie exubérante, qui adore être au centre de l'action (…) La révolution qui avait éclaté en Tunisie avait pris Sarkozy par surprise (…) Les Français voyaient donc dans la rébellion libyenne l'occasion ou jamais d'entrer en lice en faveur du Printemps arabe et de démontrer qu'ils étaient, eux aussi, dans le camp du changement. »

Question subsidiaire : la France a-t-elle obligé l'Amérique à intervenir à son corps défendant en Libye ? La réponse est oui. Et Hillary en veut d'autant plus à la France que cet épisode a contraint la diplomatie américaine à inventer l'expression « *leading from behind* », qui va à l'opposé des convictions d'Hillary. La formule est née dans l'esprit de Ben Rhodes, l'un des *speechwriters* de Barack Obama. C'est lui qui a écrit le fameux discours du Caire dans lequel le président américain initie sa politique étrangère en tendant la main au monde arabo-musulman. « Lorsque Ben Rhodes, avec sa mentalité de tweeter, a rendu public ce slogan stupide " *Leading from behind* ", j'ai tout de suite envoyé un SMS à mon chef pour lui dire de rester en ville tellement c'était énorme »,

---

269. Hillary R. Clinton, *Le Temps des décisions*, p. 443-453, Fayard, 2014.

confie une source dans l'entourage d'Hillary Clinton[270]. Car pour Hillary, il est impossible d'un point de vue doctrinal que l'Amérique soit leader sans être devant, en première ligne, à condition naturellement d'être accompagnée par des alliés. C'est parce qu'elle pressent que l'affaire libyenne risque de se terminer par une intervention américaine mal assumée, qu'Hillary se montre d'une extrême prudence dans les préparatifs de cette intervention. Certes, elle a contribué à contraindre les Russes de ne pas mettre leur véto à la résolution 1973 du Conseil de Sécurité autorisant l'usage de la force pour protéger les civils de Benghazi.

Mais voici comment l'Élysée présente les choses lorsque le 19 mars, Nicolas Sarkozy veut déclencher les opérations en forçant la main de ses partenaires : « Les Américains pensaient qu'après l'Irak c'était une mauvaise idée de repartir en guerre. Ce n'est qu'une fois après avoir compris et s'être assuré qu'on voulait y aller qu'ils ont décidé d'apporter leur concours », raconte une source qui a participé aux débats et qui poursuit son récit :

« Deux jours après l'adoption de la résolution 1973 au Conseil de Sécurité de l'ONU par dix voix sur quinze, le président Sarkozy a reçu à l'Élysée David Cameron, Hillary et leurs généraux.

– J'ai souhaité vous voir avant le déjeuner car Kadhafi envoie ses chars sur Benghazi. S'ils rentrent, on ne pourra plus frapper car ils seront en ville. Si on ne frappe pas, il y aura des morts et imaginez quelles seront les images ce soir à La télé lorsqu'on comparera ces images avec celles de notre déjeuner. Je vous le demande donc : êtes-vous prêts à frapper dès cet après-midi ?

Hillary appelle son général qui se met au garde-à-vous.

– Madam Secretary, nous avons des règles, on n'engage l'aviation qu'après avoir éliminé les défenses anti-aériennes, sinon il y a des risques de perte. Or nous ne pouvons pas lancer nos Tomahawk avant la nuit. La réponse est donc oui mais pas avant demain matin.

---

270. Entretien avec l'auteur le 4 juin 2014.

Sarkozy se retourne vers Cameron dont le chef d'état-major lui répond qu'ils ne sont pas prêts. Puis c'est le tour de Pugua[271].

– On peut frapper cet après-midi mais il y a des risques. Si vous donnez l'ordre, on ira mais il y aura peut-être un ou deux avions au tapis.

Sarkozy dit alors à Hillary :

– Eh bien, si vous n'y voyez pas d'objection, je donne l'instruction d'y aller.

On termine l'apéro puis on passe à table. Et au moment du café, Sarkozy dit à Hillary et Cameron :

– Avant qu'on se sépare, sachez que nos avions sont en route vers Benghazi car Kadhafi vient de lancer ses chars[272]. »

Ce récit semble montrer qu'à aucun moment, dans cet épisode pourtant crucial, la patronne du Département d'État ne cherche à favoriser ou freiner ce départ en guerre. Comme si elle était en retrait et qu'elle laissait les chefs d'État concernés (Sarkozy, Cameron et Obama) prendre leurs responsabilités. « Hillary aurait pu interrompre la séance en demandant à appeler le Président Obama pour lui demander son avis. Nous, on ne lui demandait ni son feu vert, ni son feu rouge. Mais on peut s'interroger sur cette absence », ajoute notre source présente ce jour-là à l'Élysée. Hillary répond par l'écriture dans ses Mémoires : « Avant même le début de la réunion officielle, Sarkozy m'a prise à l'écart avec le premier ministre britannique David Cameron et nous a confié que des avions militaires français avaient déjà décollé en direction de la Libye. Quand le reste du groupe a appris que la France avait ainsi pris les devants, l'émotion a été vive. »

Apparemment, les deux parties n'ont pas vu le même film. Une source indirecte ajoute à ces deux versions la sienne : « Le jour de l'attaque sur la Libye, c'est elle qui a dit à Sarko : à vous d'appeler Obama et vous ne le lâcherez que lorsqu'il a aura dit oui. Je ne crois pas que c'était de la lâcheté de sa part mais au contraire de la grande

---

271. Chef d'état-major particulier du président de la République, encore en fonction aujourd'hui à l'Elysée.
272. Entretien avec l'auteur le 19 juin 2014.

finesse psychologique parce qu'elle connaissait bien le personnage d'Obama[273].» Mais le dénominateur commun à ces témoignages, c'est cette volonté d'Hillary Clinton de rester au centre du jeu. Lors des réunions de crise initiales à la Maison Blanche, elle n'était pas dans le camp des interventionnistes incarné par Susan Rice, ambassadrice aux Nations Unies, et Samantha Power, membre du Conseil de sécurité nationale du Président. Ni dans le camp du Pentagone ou de la CIA qui ne voyaient pas dans la crise libyenne une atteinte aux intérêts vitaux des États-Unis. En clair, Hillary Clinton, sur le dossier libyen comme sur tant d'autres, a été une parfaite exécutante. Essayer d'y voir, a posteriori, une clef de lecture pour comprendre son comportement lors des attentats de Benghazi un an plus tard n'est pas exercice facile. Mais il est plus que probable que l'assassinat de l'ambassadeur Stevens est le contrecoup d'une guerre qu'elle n'a pas voulue.

---

273. Entretien avec l'auteur le 12 août 2014.

Little Rock, la grande valse

La capitale de l'Arkansas doit tout à un Français. Jean-Baptiste Bénard de la Harpe était un gars de Saint-Malo. Explorateur qui n'avait pas froid aux yeux, il établit un premier poste de commerce sur la Red River en 1721, non loin de ce qui allait devenir plus tard la frontière entre le Texas et l'Arkansas. Un an plus tard, en remontant plus au nord, le long de l'Arkansas River, il distingue deux points de cartographie pour lui servir de repères : la Petite et la Grande Roche. C'est sur la première des deux que sera fondée Little Rock[274].

Voici donc un point commun de plus entre le jeune ambitieux Bill Clinton, de retour sur ses terres après ses études à Yale, et la France. Avec Hillary, il ne s'installe à Little Rock qu'après avoir été élu ministre de la Justice de l'État (Attorney General). Sans être offensant pour cette ville de 200.000 habitants, on ne peut pas dire que son pouvoir d'attraction soit considérable. Au lendemain de la guerre de Sécession, Little Rock ne comptait que 12.000 âmes. Et il faudra attendre 1910 et 1915, respectivement, pour qu'une bibliothèque publique et un Capitole abritant les assemblées législatives de l'État n'y soient construites.

En 1957, Little Rock se fait connaître du reste du pays lorsqu'un lycée de la ville refuse d'intégrer dans ses classes neuf élèves noirs, comme l'y oblige, depuis trois ans, le fameux arrêt *Brown vs Board of Education of Topeka* adopté par la Cour Suprême des États-Unis. À l'époque, l'Arkansas était l'État le plus ségrégationniste des États-Unis. Le maire de Little Rock était favorable à l'admission des jeunes noirs mais le gouverneur était contre. Ce dernier fera même protéger le lycée en question par la Garde Nationale de l'Arkansas. Le président Eisenhower devra se résoudre à envoyer sur place la 101e division aéroportée (sans ses soldats noirs) pour que la Garde Nationale soit dissoute et que l'ordre revienne[275].

---

274. *Encyclopedia of Arkansas History & Culture.*
275. *Time magazine*, 23 septembre 1957.

Les Little Rock Nine ne seront admis que deux ans plus tard. Entretemps, le gouverneur avait carrément fait fermer tous les lycées de la ville! Dans les années 70 et 80, Little Rock se développe. On en voit les signes avec ces quelques gratte-ciel qui ont poussé dans le centre-ville. Lorsque Bill Clinton est élu gouverneur en 1978, lui et Hillary emménagent dans la résidence du chef de l'exécutif au coin de la 18ème rue et de Center Street. Ils la quittent deux ans plus tard, après la réélection ratée de Bill en 1980 mais la retrouvent pour dix ans entre 1982 et 1992. Le couple aime à raconter combien la cuisine de la *mansion* leur a servi de lieu de débats infinis sur les stratégies politiques à mettre en place pour gagner chaque élection suivante ou pour mettre au point les ripostes contre leurs adversaires républicains.

Mais Little Rock, c'est aussi la Old State House sur le perron de laquelle Bill Clinton annonce sa candidature à la présidentielle de 1992 et prononce ses discours de victoire. Et le *Old Gazette Building* où le couple installe son quartier général de campagne présidentielle. Baptisé aussi War Room, il abrite les débats de l'équipe, autour de James Carville et de George Stephanopoulos, dans une ambiance souvent qualifiée de «brouillonne», pour les plus polis, et de «bordélique» pour les plus directs.

La presse locale et nationale s'est également intéressée de près à l'hôtel Excelsior, devenu le Peabody, puis le Marriott, sur Markham Street, prolongée aujourd'hui par l'avenue du Président Clinton... Selon les nombreuses rumeurs qui n'ont cessé de circuler durant l'intégralité du séjour des Clinton en ville, c'est dans cet établissement de luxe de 400 chambres que Bill Clinton aurait établi une partie de sa vie extra-conjugale. Notamment avec la fameuse Paula Jones, qui prétendra en 1998 avoir été harcelée sexuellement sept ans plus tôt par le gouverneur, en marge d'un symposium, dans une suite gardée par un State trooper de l'équipe de protection de Bill Clinton.

En 2004, Little Rock accueille la cérémonie d'inauguration de la Bibliothèque présidentielle Clinton. Quatre ans seulement après son départ de la Maison Blanche, ce bâtiment en forme de passerelle au bord de l'Arkansas River, abrite les archives de la présidence Clinton. Avec une ardoise finale de plus de 160 millions de dollars (dont près d'un quart a été financé par les familles royales saoudienne et émirati[276]), c'est le plus cher de la vingtaine de centres présidentiels existants[277]. 80 millions de pages de documents divers, 20 millions d'emails, 2 millions de photos et près de 80 000 objets sont accessibles en partie aux chercheurs mais aussi au grand public, via un musée où a été reconstitué le Bureau Ovale du président Clinton à la Maison Blanche. Au rez-de-chaussée, on peut aussi admirer la Cadillac One de l'ancien président. Les esprits critiques continuent de regretter l'absence dans les 1.000 mètres cubes d'archives de documents relatifs aux scandales qui ont émaillé les deux mandats du couple Clinton, notamment ceux liés à l'affaire *Whitewater*.

Ceux qui ont vécu les festivités de novembre 2004 se souviennent de la pluie qui tombait sans discontinuer sur les jardins du Centre Présidentiel. Sous une forêt de plus de 20 000 parapluies et devant près de 2.000 journalistes, les observateurs avaient repéré la présence de trois anciens présidents (George Bush père et fils, ainsi que Jimmy Carter), mais également de grandes stars d'Hollywood et amies du couple Clinton, à l'image de Robin Williams ou Barbara Streisand. Nelson Mandela avait envoyé un message vidéo et Bill Clinton, qui venait d'être hospitalisé après un quadruple pontage cardiaque, s'était servi de son discours pour critiquer la guerre en Irak que venait de lancer son successeur[278].

Pour Hillary, Little Rock reste donc le lieu d'un apprentissage de la vie politique à haut niveau. First Lady de l'Arkansas, elle a testé ses capacités d'influencer la politique menée par son mari. Épouse d'un être pour le moins volage, elle a subi les affres d'un mariage jalonné par les humiliations. Mère de Chelsea, qui a vu le jour à Little Rock, elle a essayé de préserver son avenir à l'abri des tempêtes politiques et intimes, jusqu'à envisager le divorce. Fille de Hugh Rodham, elle est revenue à Little Rock en avril 1993 pour

---

276. Thomas Snégaroff, *Bill et Hillary Clinton, le mariage de l'amour et de la politique*, p. 311, Taillandier, 2014.
277. *The Arkansas Democrat-Gazette*, 4 novembre 2004.
278. Discours en présence de l'auteur.

voir son père agoniser et mourir des suites d'une crise cardiaque. Ses parents avaient en effet emménagé à proximité de la résidence du gouverneur pour être au plus près d'Hillary et de Chelsea. Dire que Little Rock a été un havre de paix et de prospérité pour Hillary relève naturellement de l'imagination ou de la légende. Si elle y a dansé la valse lors des bals d'investiture du gouverneur, elle y a appris que l'escalade des rochers, les petits comme les grands, était un exercice d'endurance.

Livres, la bibliothèque tournante

La candidate à la présidentielle 2016 connaît le pouvoir des mots. Bien qu'elle ait un jour apostrophé Barack Obama pour expliquer que la politique ne se résumait pas seulement à de « beaux discours » mais à des « actes », Hillary Clinton a su utiliser le langage de l'écriture pour s'adresser au plus grand nombre. À trois reprises, elle a décidé d'écrire dans un objectif exclusivement politique. La première fois, en 1996 avec *Il faut tout un village pour élever un enfant*. « Cet éloge des valeurs familiales au service du bien-être et de l'équilibre des enfants, visait avant tout à gommer l'image dominatrice et manipulatrice que s'était forgée Hillary Clinton », commente alors le rédacteur-en-chef de *Libération*, Jacques Amalric. Aux États-Unis, le taux de popularité d'Hillary repassera très vite dans le positif lors de la campagne de promotion du livre. La deuxième, en 2003, pour livrer sa vérité de huit ans passés à la Maison Blanche. *Mon Histoire* aurait pu accompagner une candidature pour la présidentielle de 2004 mais servit à installer son personnage de femme incontournable dans la vie politique américaine. La troisième enfin, avec *Le temps des décisions*, qui a été écrit et publié en 2014 pour préparer sa candidature à la présidentielle de 2016. Elle y raconte ses quatre années passées au Département d'État, au sommet du monde, avec pour objectif d'apparaître comme ce qu'elle est devenue : une femme d'État.

Ses deux autres travaux d'écriture, bien que tous ses livres aient été co-écrits par des plumes amies fidèles entourées de bataillons de chercheurs et autres stagiaires, n'ont pas de résonnance politique. L'un, sous la forme d'un album photos publié en 2000, relate son bilan de First Lady dans son rôle purement domestique. L'autre est une préface à la collection de lettres que des enfants américains ont écrites à Buddy et Socks, le chien et le chat des Clinton !

Mais les trois ouvrages autobiographiques cités plus haut avaient aussi pour but de contrer la prose volumineuse écrite à son sujet. Les biographies, enquêtes, pamphlets et autres essais sur Hillary, se comptent par dizaines depuis la parution de *The inside story* de

Judith Warner en 1993. Certains sont clairement hagiographiques et se sont assez mal vendus. D'autres sont des sommets de recherche journalistique, à l'image du livre de 650 pages de l'un des enquêteurs du Watergate, Carl Bernstein, intitulé *A Woman in Charge* publié en 2007. « Il l'écrivait depuis 10 ans déjà et on commençait à se demander s'il paraîtrait réellement un jour », raconte son éditrice en France, Cynthia Liebow[279]. La majorité des autres livres sont des brûlots. Écrits par des journalistes ou des auteurs conservateurs, ce sont des enquêtes à charge qui noircissent la vie privée et publique d'Hillary, souvent avec des demi-preuves, et qui, promus par les médias les plus réactionnaires du pays et la blogosphère de droite, contribuent à alimenter les campagnes des adversaires républicains de l'ex-First Lady.

Il y a donc les livres qu'elle a écrits, et qui accessoirement lui ont permis de gagner beaucoup d'argent pour renflouer ses comptes, et ceux qu'elle ne lira jamais. Mais l'ancienne étudiante de Wellesley a gardé un peu d'amour pour les humanités, les belles choses écrites qui forgent une psychologie. Lorsque le *New York Times* lui demande à l'été 2014 de parler des livres qu'elle aime le plus, Hillary cite Les *Frères Karamazov*, les œuvres du poète irlandais Seamus Heaney ou de Pablo Neruda. Elle convoque Shakespeare aussi bien que la Bible dont cette méthodiste ne se sépare jamais. Admet qu'elle lit les essais de certains élus républicains, dont John McCain, mais aussi des ouvrages d'enquête sur les défaillances du système économique[280]. À l'évidence, il faut déchiffrer dans cette pile de livres de tables de chevet, les messages qu'elle entend faire passer. Si les Américains se moquent de savoir si elle a lu ou non, *À la recherche du temps perdu* de Marcel Proust (la réponse est non), ils ne seront pas fâchés de se reconnaître dans une femme qui feuillette le dernier Harlan Coben ou l'énième John Grisham. Quant aux amis noirs de la galaxie Clinton, ils seront réconfortés de savoir que les opus de Toni Morrison ne sont jamais loin.

279. Correspondance avec l'auteur le 8 août 2014.
280. *The New York Times*, Sunday Book Review, 11 juin 2014.

C'est bien ce qui est parfois désolant avec Hillary. Son profession-nalisme de la politique est tel que la moindre question sur ce qu'elle est vraiment ricoche toujours sur l'image qu'elle veut donner d'elle, avec un souci permanent du contrôle du message. Personne n'est naïf, c'est le lot commun des politiques que de répondre en perma-nence à ce genre de questions sur la lecture, la musique, les goûts artistiques pour mieux se faire connaître de l'opinion. Mais «on a l'impression qu'elle se cache derrière le plexiglas, comme si on ne pouvait pas l'atteindre ou derrière un mur d'amis qui l'admirent», confie Judith Warner[281]. Parmi ces amis figurent un écrivain, un vrai. William Styron est l'un des rares hommes de lettres, avec la poétesse Maya Angelou, à avoir vécu dans l'intimité des Clinton. L'auteur du *Choix de Sophie* a été l'un de ceux qui ont personnel-lement consolé Hillary Clinton dans les heures les plus noires qui ont suivi le suicide de Vince Foster. Il avait même été envisagé à la Maison Blanche qu'il écrive une pièce pour dénoncer le complot de la droite contre le couple présidentiel[282]. En attendant 2016, Hillary continue donc de se cacher derrière ses mots, sa vérité officielle.

281. Entretien avec l'auteur le 5 juin 1994.
282. *The Washington Times*, 11 octobre 2014.

M

Machine, la force de frappe

« Je me rappelle que le jour de l'investiture de Barack Obama en janvier 2013, je faisais la fête dans un hôtel du centre-ville. Il y avait là une femme du Texas qui se présentait comme l'une des principales récolteuses de fonds du parti démocrate. Et elle m'a dit que dès le lendemain, elle commencerait avec ses amis à se mettre au travail pour l'élection d'Hillary[283].» Ce témoin, observateur affûté de la vie politique américaine, souligne à quel point une présidentielle aux États-Unis ne s'improvise pas. D'ailleurs, quelques semaines plus tard, la machine à laquelle elle faisait allusion se mettait effectivement en marche. Hillary Clinton, en quittant le Département d'État, laissait ses partisans mettre en place le rouleau compresseur qui lui permettrait, dans un premier temps, d'écarter la moindre candidature démocrate rivale.

L'organisation Ready For Hillary est ce qu'on appelle un Super PAC. À la différence des Comités d'action politique traditionnels, qui sont rattachés au candidat et donc soumis à la législation fédérale qui plafonne la capacité à recevoir des dons de particuliers, les Super PAC ont été autorisés par la Cour Suprême à récolter des dons illimités de toute provenance à condition qu'ils soient rendus publics. Bien qu'en théorie ils ne sont pas censés travailler avec le candidat, ils œuvrent au profit dudit candidat, majoritairement sous forme de dépenses publicitaires[284]. Aujourd'hui, trois Super PAC sont d'ores et déjà au service de la campagne d'Hillary Clinton. À la fin octobre 2014 ils avaient déjà récolté près de 25 millions de dollars[285].

« Notre base de données repose en partie sur celle que nous ont confié les responsables de la campagne d'Hillary en 2008 », signalait cinq mois plus tôt Sean England, le porte-parole de Ready For Hillary[286]. « Mais aujourd'hui, elle dispose de 2 millions de

---

283. Entretien avec l'auteur le 4 juin 2014.
284. *USpolitics.about.com*
285. *Politico*, 29 octobre 2014.
286. Entretien avec l'auteur le 5 juin 2014.

noms et nous espérons bien à notre tour la redonner à la campagne d'Hillary 2016. À ce stade, nous avons 23 salariés, 4 directeurs régionaux, et plus de 55.000 donateurs. » Depuis ce premier bilan d'étape, les listings de destinataires, pour un appel au volontariat ou aux dons, ont vu leur taille doubler et à l'automne 2014, Ready For Hillary disposait déjà de 35 employés salariés répartis dans 14 États. Comme dirait Bill Clinton, qui a vu ces jeunes à l'œuvre sur le terrain lors d'une visite dans l'Iowa en septembre 2014, « on dirait des lapins Duracell, ils sont partout[287] ».

Cette force de frappe, à quinze mois du début d'une primaire est inédite. L'organisation, qui a voyagé au plus près de la campagne de promotion d'Hillary après la sortie de ses Mémoires diplomatiques, a continué d'étoffer son réseau au cours de la campagne des *midterms* de novembre 2014. Chaque meeting de soutien d'Hillary au profit d'un candidat au Congrès ou au Sénat a permis de recruter en coulisses ou de récolter des dons. Mais Ready For Hillary ne fonctionne pas en électron libre. Elle coordonne son activité avec deux autres Super PAC. Priorities USA Action a été créé pour soutenir la campagne de réélection de Barack Obama. Cofondé par l'ancien porte-parole adjoint de la Maison Blanche, Bill Burton, il est aujourd'hui animé par des personnalités qui viennent tout à la fois de la galaxie Obama et de celle des Clinton. C'est le cas, pour les proches d'Hillary, de Paul Begala (ancien stratège de la campagne de Bill Clinton en 1992 et consultant sur CNN) mais surtout d'Harold Ickes (ancien secrétaire général adjoint de la Maison Blanche entre 1993 et 1996). La présidence du Super PAC est assurée par Jim Messina. Avant de devenir le grand architecte de la campagne victorieuse d'Obama en 2012, il avait été surnommé « le Réparateur » lorsqu'il travaillait avec le *Chief of staff* Rahm Emanuel. Dès le mois de janvier 2014, Priorities USA Action a annoncé qu'il soutenait la candidature d'Hillary Clinton alors que cette dernière n'avait pas encore fait connaître ses choix. Pour avoir une idée de ce que ce Super PAC est capable d'engranger une fois que son réseau de *fundraising* est en vitesse de croisière, il

---

287. ABC News, 14 septembre 2014.

a dépensé en 2012 près de 80 millions de dollars rien qu'en publicités négatives pour discréditer le programme et la candidature du républicain Mitt Romney.

Troisième canon de la batterie d'artillerie au service d'Hillary Clinton, American Bridge 21st Century est un Super PAC fondé en 2010 par David Brock, l'ancien pourfendeur repenti des Clinton. Créé au départ pour «enquêter» sur les profils des adversaires républicains des candidats démocrates, il est présidé par Kathleen Kennedy Townsend, la fille aînée de Bob Kennedy, et financé en partie par la fortune de plusieurs milliardaires, dont George Soros. American Bridge est connecté à sa maison mère Mediamatters et à son organisation sœur Correct the Record, de quoi le transformer en fer de lance de la campagne Clinton afin de répondre du tac au tac à l'argumentaire des candidats républicains en 2016 tout en ripostant à la moindre attaque visant à ternir la réputation ou le programme d'Hillary.

Maison Blanche, pas que le pouvoir

On s'imagine tous que la Maison Blanche a toujours été ce qu'on en voit aujourd'hui à la télévision et dans les films : une grande demeure blanche au 1 600 Pennsylvania Avenue, coincée entre le square Lafayette et Constitution Avenue, devant les pelouses du Mall qui traverse le centre-ville du Capitole jusqu'au Mémorial Lincoln. Elle paraît grande de loin mais elle est en fait beaucoup plus petite une fois qu'on circule à l'intérieur. De ce point de vue, et malgré ses 132 pièces, ce n'est pas un palais à l'européenne, mais une vaste maison de style colonial qui, au départ, n'avait pas d'aile ouest, ce qu'on appelle aujourd'hui la West Wing et où se trouvent les bureaux du Président. Contrairement à ce qu'on croit, la Maison Blanche n'a pas servi à George Washington qui présida le pays depuis Philadelphie. Sauf que son bureau présidentiel en Pennsylvanie était doté d'un bow-window et que c'est cette forme ovale qui a servi de modèle pour ses successeurs, à partir de l'installation de John Adams à la Maison Blanche. Et encore, pas tout à fait. Car le vrai Bureau Ovale, celui qui nous est familier, dans la West Wing, ne date que de la présidence de Théodore Roosevelt, qui fit agrandir la Maison Blanche en séparant la partie résidentielle des bureaux exécutifs proprement dits. L'ensemble a fière allure si l'on y ajoute le gros gâteau de l'Eisenhower Executive Building rattaché à la West Wing et où travaillent tous les collaborateurs subalternes qui n'ont pas leur place dans le premier cercle du Président. C'est d'ailleurs là qu'Hillary établit ses quartiers lorsque, First Lady, elle tente de co-présider le gouvernement des États-Unis à la demande de Bill. Si elle l'emporte en 2016, ce sera la première fois qu'une locataire de la Maison Blanche retourne prendre possession des lieux. Et il ne fait aucun doute qu'elle y reviendra pour la marquer de son empreinte.

On a beaucoup reproché à Hillary en 1993 d'en avoir un peu trop fait dans le *refurbishing*, un exercice qui tient à la fois de la rénovation et de la restauration et qui permet à chaque couple présidentiel, en fonction de ses besoins et de ses goûts, de décorer les lieux. Hillary a ses idées bien à elle lorsqu'elle arrive à la Maison Blanche. Elle y a déjà été invitée du temps du président Carter et a lu une quarantaine de livres sur l'histoire de ce bâtiment et les travaux effectués par les prédécesseurs de son mari. La surprise vient de la décoratrice d'intérieur à laquelle Hillary fait appel[288]. Kaki Hockersmith débarque directement de Little Rock dans l'Arkansas où elle avait déjà « arrangé » la *mansion* du gouverneur Clinton. Directrice du design de la chaîne de magasins de luxe Dillard's, les conservateurs craignent qu'elle ne donne une touche tape à l'œil aux pièces les plus historiques de la résidence présiden- tielle. Kaki, elle, souhaite juste que la maison ressemble à ceux qui l'habitent, un couple encore jeune avec une fille unique, et qu'elle soit ouverte aux humeurs du temps. Elle ose donc des couleurs un peu plus vives (le bleu saphir dans la Blue Room, par exemple), remet au goût du jour les papiers peints plutôt que les tentures murales, tente de limiter la présence de pièces de mobilier pour dénuder un peu les pièces, rénove les appartements privés pour les rendre plus *cosy*, ou recommande aux Clinton d'exposer des statues contemporaines dans les jardins. La facture d'environ 400.000 dollars est très critiquée mais la somme est payée par des dons privés à la White House Historical Association, ce qui permet aux Clinton de ne pas utiliser l'enveloppe de 50.000 dollars votée par le Congrès pour la rénovation de la Maison Blanche.

Hillary, tout comme Bill d'ailleurs, après douze ans de présidence républicaine de Ronald Reagan et George Bush Sr, souhaitaient que la Maison Blanche s'ouvre davantage au peuple américain. Il y a beaucoup de démagogie dans cette posture de tout nouvel arrivant démocrate à la présidence, mais c'est vrai que les Clinton ont essayé. « Ils ont fait des efforts pour ouvrir les portes de cette maison à une très grande diversité d'Américains », estime l'historien de la Maison Blanche, Carl Anthony. Dès leur premier jour, juste après la cérémonie d'investiture, le couple renoue avec une tradition ancienne qui consiste à inviter 2.000 américains tirés au sort pour visiter la résidence présidentielle. Par la suite, « presque chaque

288. *The New York Times*, 24 novembre 1993.

liste d'invités établie par Hillary inclut des gens qui n'ont jamais imaginé recevoir un jour une invitation à la Maison Blanche», ajoute Anthony[289].

Le style de la décoration qui colle au style de vie? Les Clinton ont clairement modernisé certaines habitudes. Non pas tant dans les dîners d'État, toujours très protocolaires, bien qu'Hillary ait décidé qu'on y servirait davantage de cuisine américaine, ce qui vaut au chef français de quitter les lieux. Mais voir un jour débarquer Eric Clapton ou Lou Reed en concert privé dans les salons de réception a certainement été un choc pour beaucoup, même si le violoniste Isaac Stern a honoré les lieux également. Plus tolérants, les Clinton ont décidé aussi de ne pas faire de Noël la seule fête célébrée par l'illumination du sapin géant sur la pelouse de la Maison Blanche. Ils ont ajouté à cette cérémonie, très prisée des Washingtoniens et diffusée à la télévision, une célébration publique des fêtes juive et musulmane qui marquent cette saison. Il a aussi été décidé pour la première fois de retransmettre en direct certains dîners de gala, comme celui offert en 1993 à Nelson Mandela, ou de faire participer les premiers internautes à des conférences *on line* depuis la Maison Blanche.

Le reste est une question de personnalité et de besoins. Les Nixon avaient fait supprimer la piscine d'intérieur pour y construire par-dessus ce qui deviendra la salle de presse de la présidence. Les Ford avaient fait creuser un bassin mais cette fois dans les jardins. Les Reagan avaient installé une salle de gym dans la petite chambre bleue du deuxième étage. Hillary, elle, a dédié l'un des bureaux du troisième étage de la résidence à Eleanor Roosevelt, celle qui était son modèle de Première Dame et dont la vie continue de l'inspirer encore aujourd'hui. Elle a aussi créé un studio de musique insonorisé dans l'une des chambres inoccupées du troisième étage ainsi qu'une autre salle de fitness[290].

---

289. Carl S. Anthony, préface de *An Invitation to the White House* par Hillary R. Clinton, Simon & Schuster, 2000.
290. *WhiteHouseMuseum.org*

Autant dire que la Maison Blanche est une demeure souvent en chantier. Si Hillary y retourne ce sera une première. Il lui faudra trouver l'art et la manière de ne pas donner l'impression de revenir à la maison, ce qui ne ferait qu'accentuer cette notion que c'est un peu la sienne, qu'on la lui devait et qu'elle retombe entre les mains d'une dynastie.

Mariage, pour le pire du meilleur
et vice-versa

Ils célébreront le 11 octobre 2015 leur 40ᵉ anniversaire de mariage. Noces d'émeraude pour cœurs de pierre ? Lorsqu'on revoit l'une des photos prises après la cérémonie, sur le perron de leur petite maison de briques de Fayetteville dans l'Arkansas, on se dit que les tourtereaux ont tout pour eux. Il est beau dans son costume rayé avec sa cravate à poids et elle est charmante dans sa robe blanche en dentelles à la mode des années 70. Ils se regardent l'un l'autre les yeux dans les yeux comme si leur amour allait durer toujours. Tout dépend de ce qu'on appelle l'amour. Si le seul critère pour le définir dépend de la fidélité, il est clair que Bill a été en-dessous de tout. À l'une de ses conquêtes, il aurait avoué avoir couché avec plus d'une centaine de femmes différentes. Hillary savait dès sa rencontre avec Bill à Yale, que le jeune homme était des plus séduisants. Elle a deviné, au fur et à mesure que sa vie conjugale prenait forme, que Bill était aussi un être psychologiquement très perturbé par une enfance malheureuse, un père alcoolique et brutal et des séparations déstabilisatrices. Hillary de son côté a avoué après l'affaire Monica Lewinsky qu'elle avait négligé Bill. Sans rentrer dans les détails. Si lui est un *sex-addict*, elle ne semble pas l'être du tout. Bill est un instinctif, elle est plutôt cérébrale. Bref, dire qu'ils se complètent est évident, mais ce couple tient davantage du partenariat affectif et politique que du mariage idéal confiné dans les plus stricts principes du puritanisme.

Lorsqu'éclate l'affaire Gennifer Flowers, les conseillers en communication de Bill et Hillary leur recommandent de donner une interview conjointe à l'émission dominicale *60 Minutes* sur CBS. Après avoir admis qu'il connaissait la pulpeuse reporter d'une télévision locale de l'Arkansas, tout en démentant qu'il ait eu avec elle une liaison sexuelle (ce qu'il reconnaîtra pourtant plus tard), Bill Clinton veut défendre son couple : « Attendez une minute, répète-t-il trois fois, vous êtes en face de deux êtres qui s'aiment. Il ne s'agit pas d'un arrangement ou d'un accord. C'est notre mariage, et c'est très différent. » Sous-entendu, nous sommes comme tous les couples, nous passons par des hauts et des bas. Ce à quoi Hillary ajoute : « Vous voyez, je ne suis pas simplement assise là comme une petite femme défendant son homme, comme Tammy Wynette. Je suis là parce que je l'aime, parce que je le respecte, parce que je rends hommage à ce par quoi il est passé, à ce par quoi nous sommes passés[291]. » Cette petite phrase va faire bondir les conservateurs. Tammy Wynette est en effet connue à travers toute l'Amérique, et même au-delà, pour être une chanteuse de country des plus populaires, notamment depuis que sa chanson *Stand by your man* est devenue un tube à l'automne 1968. Loin des textes les plus permissifs de l'époque hippie, c'est au contraire un hymne au couple traditionnel américain :

Parfois c'est dur d'être une femme Donner tout ton amour à un seul homme, Tu auras des mauvais moments et il aura des bons moments En faisant des choses que tu ne comprends pas. Mais si tu l'aimes, tu lui pardonneras, Même si il est dur à comprendre. Et si tu l'aimes, sois fière de lui Car après tout il n'est qu'un homme.

Défends ton homme, donne-lui deux bras pour qu'il s'accroche. Et quelque chose de chaud quand les nuits sont froides et solitaires. Défends ton homme et montre au monde entier que tu l'aimes. Continue de donner tout l'amour que tu peux.

Comment ne pas comprendre Hillary lorsqu'elle affirme ne pas être de ces femmes interpellées par Tammy Wynette ? Et pourtant, dans les heures qui suivent l'interview, des milliers d'Américaines font connaître leur désapprobation. À la fois parce qu'Hillary refuse de prendre pour modèle l'épouse qui pardonne à son mari dans une attitude « du meilleur et pour le pire ». Mais aussi parce que bien d'autres Américaines de la même génération qu'Hillary, qui se sont émancipées dans le féminisme des années 70, lui en veulent de « défendre » son homme alors qu'on se doute bien que Bill est un incorrigible coureur de jupons. L'histoire, évidemment, ne s'est pas arrêtée là. Les frasques de Bill ont continué à la Maison Blanche

---

291. Interview conjointe à *60 Minutes* sur CBS le 26 janvier 1992.

et même après si l'on en croit les adversaires du couple[292]. Hillary et Bill avaient déjà songé au divorce avant de devenir un couple présidentiel. Si le mariage a tenu, c'est en partie à cause de leur fille Chelsea à qui ils n'ont pas voulu imposer l'épreuve d'une rupture. Mais surtout parce qu'ils ont transformé cette union en un compagnonnage indéfectible, «une conversation qui dure depuis plus de 40 ans», selon les mots d'Hillary. «L'élément déterminant de notre union est plus profond que tout ce que je peux exprimer par des mots», écrit-elle dans ses Mémoires. D'aucuns pourraient qualifier cette relation de partenariat, mais rien n'oblige des partenaires à vivre ensemble. Déjà en 2005, alors qu'elle murissait le projet de se présenter à la Maison Blanche, sa vie de sénatrice à Washington était professionnellement séparée de celle de Bill qui dirigeait sa Fondation à New York. Un journal avait même fait le calcul, en fonction de leurs agendas publics, qu'ils passaient en moyenne 15 jours par mois ensemble, sans préciser l'intimité de couple de ces deux semaines[293]. En février de la même année 2005, ils ne se sont vus qu'un seul jour, celui de la saint Valentin…

Hillary écrit même parfois que son Bill-Valentin est son «meilleur ami». En 2009, alors qu'elle entame sa première tournée de Secrétaire d'État en Asie, elle confie à une assemblée d'étudiantes coréennes à Séoul: «Je me sens incroyablement chanceuse d'avoir une relation qui m'a tant apporté dans ma vie d'adulte.» Avant de conclure sur sa définition de l'amour, selon l'épitaphe que souhaitait son amie, la féministe Estelle Ramey, avant de mourir: «J'ai aimé et j'ai été aimée et tout le reste n'est qu'une musique d'ambiance[294].» Jusqu'à quand durera ce contrat? Dans leurs cœurs, probablement jusqu'au bout. Mais il y a un calendrier dans le pacte non-écrit que ces deux-là ont passé il y a si longtemps. C'est Bill qui en parle le mieux. Dans une interview à la BBC en juillet 2014, l'ancien président revient sur cette notion de «après mon tour, c'est son tour». Et Bill de faire le calcul qu'il est parti de

---

292. Ronald Kessler, *The First Family Detail*, Crown Forum, 2014.
293. *The New York Times*, 23 mai 2006.
294. *Tribute to Dr Estelle Ramey by Senator Hillary Clinton, Congressional Record*, 18 septembre 2006.

la Maison Blanche en 2001 et qu'il lui reste douze ans à passer au service d'Hillary pour égaliser les 26 ans que son épouse a passé à ses côtés pour le «défendre[295]». «Il faudra donc que je vive jusqu'à 80 ans pour pouvoir être enfin libre»! En ponctuant cette phrase d'un grand sourire, Bill écarte les bras sans que l'on comprenne s'il s'agit d'exprimer à l'avance un soulagement ou le sentiment du devoir accompli.

---

295. Interview à *Newsnight*, BBC, le 20 juillet 2014.

Marjorie Margolies, l'autre grand-mère

Hillary Clinton partage depuis le 26 septembre 2014 avec la belle-mère de sa fille Chelsea la joie de pouponner. Marjorie Margolies n'est pas une inconnue pour les Clinton. Les deux familles se connaissent depuis plus de vingt ans. Le parcours de Marjorie, 72 ans, a fait la une des journaux à plusieurs reprises. La première, lorsqu'après quinze ans de journalisme pour la chaîne locale de NBC à Washington, elle décide de se présenter au Congrès. Née en Pennsylvanie, elle se bat en 1992 pour le siège d'une circonscription de la banlieue de Philadelphie qui est républicaine depuis 1916. Or non seulement Marjorie bat aisément son rival lors de la primaire démocrate mais elle parvient à l'emporter face au candidat républicain sortant avec un petit demi-point d'avance. Un triomphe donc. Mais il se trouve que dès le printemps suivant, alors que le Président Clinton tente de faire passer son premier budget fédéral, Marjorie est la seule Représentante démocrate à la Chambre sur laquelle repose l'issue du scrutin. Le budget de réduction du déficit public prévoit de lourdes augmentations d'impôts, notamment pour les plus fortunés, et les électeurs de Marjorie y sont très opposés.

Il faut que Bill Clinton lui-même convainque Marjorie de voter oui pour que la loi de finances passe. Autant dire que l'élue démocrate est conspuée par les républicains et qu'ils lui font payer cher le prix de sa loyauté à la Maison Blanche. Elle est balayée par la vague conservatrice qui s'empare du Congrès en 1994 mais conserve l'amitié des Clinton[296]. En 1995, ce n'est tout de même pas le fait du hasard, Marjorie est nommée adjointe de la directrice de la délégation américaine à la conférence des Nations Unies sur les Femmes de Pékin, en Chine, au cours de laquelle Hillary délivre son premier grand discours de femme politique…

C'est en 1993 que l'un des fils de Marjorie, Marc, commence à fréquenter Chelsea. Notamment à l'occasion des fameux

---

296. *The New York Times*, 7 août 1993.

week-ends Renaissance organisés par le secrétaire général adjoint de la Maison Blanche, Philippe Lader. Il s'agit de séminaires haut de gamme regroupant des hommes et des femmes politiques, des chefs d'entreprise, des leaders de la société civile, tous invités avec leur famille. Chelsea est fille unique mais chez les Margolies-Mezvinsky il y a onze enfants. Marjorie a en effet épousé en 1975 un Représentant au Congrès de l'Iowa qui avait quatre enfants de son premier mariage. Marjorie, de son côté, en avait adopté deux alors qu'elle était célibataire. Puis, le couple a eu deux fils, dont Marc, avant d'adopter trois autres enfants.

Hormis le mariage de Chelsea et Marc en 2010, l'histoire de la belle famille est jalonnée d'épisodes malheureux. Avec d'abord l'échec de Marjorie dans sa tentative de se faire élire gouverneur-adjoint de Pennsylvanie en 1998. Puis en 2001, Edward Mezvinsky est inculpé d'escroquerie. L'ancien patron du Parti démocrate de Pennsylvanie s'est lancé dans une activité de récolte de fonds destinés à des investissements fictifs et où, parfois, le nom des Clinton a été cité pour mieux allécher le client. Courriels prometteurs à la nigériane, mandats postaux frauduleux, virements bancaires extorqués, les sommes obtenues illégalement atteignent les 10 millions de dollars[297]. Il est envoyé en prison et n'en sort qu'en 2008 sous contrôle judiciaire, à charge pour lui de rembourser ses victimes. C'est parce que les sommes sont si élevées que Marjorie doit se déclarer en faillite personnelle. Ce qui l'empêche de continuer sa campagne pour le Sénat. En 2007, le couple divorce.

Marjorie est une âme positive. En 2014, en attendant la naissance du bébé Clinton, elle se présente une nouvelle fois à la Chambre des Représentants. Pour essayer de profiter d'une nouvelle et plus sage notoriété? Allez savoir. Toujours est-il que le premier meeting de l'année auquel Hillary Clinton participe est une récolte de fonds en faveur de Marjorie. Solidarité féminine, et familiale désormais. Mais trois jours plus tard, la belle-mère de Chelsea perd la primaire démocrate. Le soutien serait-il arrivé un peu tard? C'est

---

297. ABC News, 8 décembre 2006.

bien probable[298]. Le 20 janvier 2017, la petite Charlotte Clinton-Mezvinsky aura vingt-huit mois. Si sa grand-mère Hillary réussit à gagner la Maison Blanche, ce qui n'est pas un job de nounou, il lui restera toujours une deuxième grand-mère pour la promener sur les pelouses de Central Park…

298. *Huffington Post*, 16 mai 2014.

Médias, la haine tout simplement

La phrase a été lâchée par l'un des anciens lieutenants d'Hillary au printemps 2014 lors d'une enquête du journal *Politico* sur les rapports entre l'ancienne First Lady et la presse. « Écoutez, elle vous hait. Point final et ça ne risque pas de changer[299]. » Ce à quoi l'auteur de la première biographie d'Hillary, Judith Warner, répond : « De toute façon, les journalistes ne l'aiment pas non plus[300]. » Quelle est la réalité de cette détestation réciproque ? Et en quoi est-ce si important dans la campagne 2016 qui commence et si jamais Hillary Clinton s'installe à la Maison Blanche ?

Avant même de se lancer dans l'élection présidentielle de 1992 avec son mari et d'affronter huit ans de révélations de presse qui ont sérieusement endommagé l'image de son couple, Hillary aurait déclaré en 1977 : « L'un de nos problèmes est d'essayer de contrôler la presse qui est allée beaucoup trop loin depuis le Watergate[301]. » De fait, l'avocate et militante démocrate ne fait à l'époque que constater une réalité : les médias américains jouissent d'une très grande liberté d'investigation qui leur est garantie par la Constitution et l'affaire Watergate, révélée par le *Washington Post*, a stimulé l'ambition de ses confrères de parvenir à des résultats comparables. Mais la première partie de la phrase pose problème : « essayer de contrôler ». On ne contrôle que lorsqu'on a quelque chose à se reprocher. L'effort considérable entamé en 1992, pour soustraire à l'attention des médias le moindre document qui aurait pu servir à nuire à la candidature de Bill, a été très mal vécu par la presse. Les journalistes politiques n'ont eu de cesse depuis de suspecter les Clinton de leur cacher une partie de la réalité. Les médias conservateurs ont décidé à cette époque, chacun avec leurs moyens, de déstabiliser la volonté des Clinton de « contrôler » les médias. « Hillary a été tellement égratignée par la presse qu'elle est

---

299. Maggie Haberman et Glenn Thrush, *What is Hillary Clinton afraid of?*, *Politico*, mai-juin 2014.
300. Entretien avec l'auteur le 5 juin 2014.
301. Carl Bernstein, *A Woman in Charge*, p. 199, Arrow Books, 2007.

devenue otage dans sa propre maison» raconte Margaret Carlson, chroniqueuse politique à l'agence *Bloomberg* et première femme éditorialiste à *Time Magazine*. «Si sa famille est une nouvelle fois attaquée comme elle l'a été dans le passé, alors elle sera intraitable pour des années[302].»

Le porte-parole d'Hillary Clinton depuis 2003 s'appelle Philippe Reines. À 43 ans, ce jeune spécialiste de la communication a fait ses premières armes lors de la présidentielle d'Al Gore en 2000. Il s'est une fois décrit comme étant «un goal de hockey sur glace défendant la cage de Hillary contre les galets volleyés à toute vitesse par la presse[303]». D'une manière générale, c'est vrai que la presse new-yorkaise, du temps où Hillary était sénatrice de l'État de New York, a été dure avec elle. Lors d'un déplacement dans l'Upstate pendant la campagne de réélection de 2006, elle avait même refusé de parler cinq minutes avec le grand journaliste du *Washington Post*, David Ignatius, alors qu'elle l'avait invité à venir depuis Washington pour la suivre du matin au soir[304]. En 2008, le sentiment qui prévalait à l'époque dans son équipe était que Barack Obama bénéficiait de davantage d'indulgence de la part des médias. Sans doute parce qu'il était «neuf» et qu'Hillary donnait l'impression, malgré elle, de revenir chercher ce qui lui était dû. «Aujourd'hui, elle est un peu le nouvel Obama», poursuit Margaret Carlson. «Pour l'instant, la presse n'a pas encore vraiment essayé de l'attaquer.» Hillary a l'avantage également d'avoir été suivie pendant quatre ans au Département d'État par un pool de journalistes spécialisés dans les questions de politique étrangère. «Ils travaillent sur le fond. Ils ne sont pas comme nous, ils se moquent de savoir si elle a changé de coiffure ou pas. La seule histoire où ils ont un peu creusé, c'est sur Benghazi, parce que c'était la guerre.»

---

302. Entretien avec l'auteur le 6 juin 2014.
303. Jonathan Allen et Amie Parnes, *HRC, State Secrets and the Rebirth of Hillary Clinton*, p. 49, Crown, 2014.
304. F. Clemenceau, *Mes questions pour Hillary*, Blog Bureau Ovale sur Europe1. fr, 29 janvier 2010.

Mais tout cela risque de changer dès lors que la campagne commencera vraiment. D'abord aux primaires démocrates puis, en cas de nomination, face à l'adversaire républicain. Les médias américains ont-ils déjà «fait» une élection? Sur le fond, non. Leurs prises de position éditoriales n'ont que peu d'impact sur le choix final des électeurs. Mais sur la forme, oui. Par leurs enquêtes de personnalité, par leurs investigations sur les zones d'ombre des candidats, par l'exploitation de tel incident de campagne relayé en boucle dans le cycle du tout-info et sur les réseaux sociaux, les médias peuvent compromettre les chances d'un prétendant.

Il a été souvent recommandé à Hillary Clinton d'être plus aimable et plus ouverte avec la presse. Pas forcément pour obtenir une meilleure «couverture» mais pour ne pas trop générer de suspicion ou de ressentiments. Cependant, sa relation avec les journalistes accrédités au Département d'État mise à part, elle n'a jamais vraiment essayé de faire cet effort dans la durée. «Elle a de toute façon le sentiment que cela ne changera pas grand-chose et qu'elle sera toujours traitée de façon injuste», explique James Carville, stratège de la campagne de 1992 et l'un de ses plus ardents défenseurs. Ce n'est d'ailleurs pas une question de droite ou de gauche. «Elle est probablement la seule démocrate qui déteste aussi bien le *New York Times* que Fox News[305].»

---

305. Interview de J. Carville à Fox News, dont il est devenu l'un des consultants, le 11 mai 2014.

Méthodisme, la religion en action

Hillary Clinton est religieuse. Vraiment. Si l'on s'est beaucoup gaussé en Europe de voir arriver à la Maison Blanche en 2000 un gouverneur texan qui se présentait lui-même comme un *born again christian* et qui croyait être inspiré par Dieu dans ses décisions de Commandant en chef, il faut savoir qu'il en va un peu de même pour Hillary Clinton. Tous les deux sont des protestants de l'Église méthodiste, même s'ils n'en tirent pas les mêmes conclusions politiques. George W. Bush prêchait un conservatisme compassionnel, un peu à l'image du père d'Hillary, Hugh Rodham. Hillary, elle, n'est pas une convertie. Sa mère, Dorothy, catéchiste à la United Methodist Church, lui a enseigné la justesse de la charité chrétienne. Quant au jeune révérend Don Jones, il a invité Hillary et les jeunes de son aumônerie à comprendre que la foi sans action, y compris politique, ne sert à rien.

Le 24 avril 1996 devant les 3.700 délégués de la Conférence générale de l'Église méthodiste réunie à Denver, la First Lady déclare : « Au nom de Jésus-Christ, nous sommes appelés à travailler au sein de notre diversité tout en faisant preuve de patience et d'indulgence les uns pour les autres. Mais cette patience ne doit jamais procéder d'une indifférence à la vérité ni d'une tolérance pour l'erreur[306]. » Dix-huit ans plus tard, presque jour pour jour, le 6 avril 2014, Hillary Clinton s'adresse à l'Assemblée des femmes méthodistes à Louisville dans le Kentucky : « Comme les disciples de Jésus, nous ne pouvons pas tourner le dos à ceux qui sont dans le besoin et vivre entre nous. Nous sommes tous dans le même batea. » Hillary n'a jamais eu honte de parler de sa spiritualité. Ses ennemis se sont pourtant souvent demandé si elle n'instrumentalisait pas la foi qui l'anime en fonction de son seul agenda électoral[307].

306. *Hillary Clinton and the Bible*, script du discours sur gbgm-umc.org, United Methodist Church.
307. Carl Bernstein, *A Woman in Charge*, p. 314, Arrow Books, 2007.

Les partisans d'Hillary ont des tonnes d'histoires à raconter pour prouver que cette thèse est totalement fausse. Déjà à la Maison Blanche, Hillary n'avait attendu personne pour accepter de faire partie d'un groupe de prières avec des épouses d'élus majoritairement républicains. Parmi elles, Susan Baker, la femme de James Baker, secrétaire d'État de George Bush Sr et plus tard, avocat zélé de l'équipe de George W. Bush devant les tribunaux de Floride pour arracher la victoire républicaine suspectée de fraude. Ce petit groupe de femmes pieuses se réunissait sous l'ombrelle du mystérieux Fellowship, une organisation qui met en scène chaque année le National Prayer Breakfast, événement qui voit se rassembler des centaines d'hommes et de femmes politiques de toutes confessions autour du Président pour prier et réfléchir sur des objectifs de bien commun[308].

Dans toutes les épreuves qu'elle a traversées à la Maison Blanche, Hillary a été souvent réconfortée par des fax quotidiens de solidarité spirituelle envoyés par son petit groupe de femmes en prière. Dans sa vie quotidienne, elle a toujours dans son sac une Bible pour pouvoir la feuilleter en cas de besoin. Et si Chelsea a été baptisée dans la tradition de l'Église méthodiste et non pas baptiste, l'obédience à laquelle appartient culturellement Bill Clinton, c'est parce qu'elle y a particulièrement tenu. Tout comme le prêtre qui a marié Bill et Hillary, le révérend Vic Nixon, est un pasteur de l'Église méthodiste de Little Rock. C'est d'ailleurs lui, bien plus tard, lors d'un pique-nique dans les jardins de la résidence du gouverneur, qui lui remet une nouvelle édition du *Livre de discipline méthodiste* grâce auquel elle décide de « s'intéresser à nouveau aux problèmes spirituels[309] ».

Fondée par John Wesley au XVIIIe siècle, l'Église méthodiste n'est pas très différente des autres églises protestantes européennes. C'est, avec l'Église épiscopalienne, la plus proche du culte et de la pastorale anglicane. Autrement dit, bien plus voisine dans le monde anglo-saxon de l'univers catholique que des Églises évangéliques, pente-

---

308. *Mother Jones*, 1er septembre 2007.
309. Judith Warner, *L'énigme Hillary*, p. 263, éditions N°1, 1999.

côtistes ou baptistes du Sud des États-Unis, où une grande place est dédiée à l'Esprit Saint. Chez les méthodistes, où l'esclavage fut dénoncé très tôt, on essaie d'appliquer le message évangélique, non pas au pied de la lettre mais sur le fond. Ce qui s'illustre dans deux courants : l'un, plutôt conservateur, pour qui c'est aux croyants de se montrer les plus charitables envers les déshérités. Et l'autre, plus progressiste, qui cherche à influencer l'instrument de la puissance publique pour accélérer la mission de réduction des inégalités[310].

Hillary se situe très clairement dans cette deuxième sphère, plus progressiste. « J'ai toujours chéri l'Église méthodiste parce qu'elle nous offre ce grand cadeau du salut personnel mais aussi la grande obligation sociale de l'Évangile », ajoute Hillary devant ses sœurs du Kentucky au printemps 2014. Hillary se sent bien, « comme à la maison », devant cette assemblée de femmes méthodistes dans le *Deep South*. Mais on voit bien qu'avec elle la politique n'est jamais loin. Elle s'exprime sur sa foi chrétienne quelques heures après le lancement par Burns Strider, son ancien conseiller spirituel pendant la campagne 2008, d'un site internet destiné aux croyants[311]. Intitulé Faith Voters for Hillary, il surfe sur le succès d'un compte Twitter du même nom qui a déjà 34 000 *followers*. Strider, un baptiste et militant démocrate de choc, travaille pour l'état-major du Parti depuis longtemps, tentant de réconcilier le programme économique et social des démocrates avec les valeurs évangéliques, souvent kidnappées par les républicains.

---

310. Elizabeth Dias, *Hillary Clinton anchored by Faith, Time Magazine,* 27 juin 2014.
311. *The Washington Post,* 26 avril 2014.

Miles, le kilométrage politique

« Elle a avalé du mile, mais quel est son bilan » ? La question est des plus insolentes de la part d'un diplomate étranger en poste aux États-Unis mais l'homme est un habitué du franc-parler[312]. Et il ne se serait pas interrogé de la sorte si l'équipe d'Hillary n'avait pas tenu à déclencher son *mileage* dès son arrivée au Département d'État. Lorsqu'elle passe le témoin à John Kerry en janvier 2013, la patronne de la diplomatie américaine rend public son « compteur », visible sur un site internet relié à celui de son ministère : 956.733 miles, ce qui fait plus d'un million et demi de kilomètres ! En moins de quatre ans. Comme le fait remarquer alors la revue *The Atlantic*, « Hillary s'est transformée en une sorte de George Clooney des affaires mondiales, passant presque autant de temps dans un avion que sur la terre ferme[313] ». L'allusion à Clooney fait référence au film *In the Air* où le séduisant acteur interprète un cadre d'entreprise spécialiste du licenciement et qui ne cesse de voyager, jusqu'à ne plus avoir de vie privée, tout en rêvant de gagner le cadeau offert au *traveller* qui atteint les 10 millions de miles. Efficacité en manière de présence et d'affichage, oui, mais déconnexion par rapport au monde réel aussi ?

Entre janvier 2009 et décembre 2013, Hillary a visité 112 pays, dont certains, naturellement, plusieurs fois. C'est le cas de la France ou d'Israël. Plus de 200 voyages qui lui ont pris plus de quatre cents jours, autrement dit plus d'une année sur les quatre de son séjour au Département d'État. 38 fois le tour de la Terre ! Avec Hillary, tous les records de ses prédécesseurs ont été battus.

On pourrait croire que la première année a été la plus mobile puisque la mission première de la Secrétaire d'État était de « réparer » les relations extérieures de l'Amérique avec tous les pays négligés ou offensés par la présidence Bush. Non, ce fut la dernière année la plus folle, avec 71 pays visités et plus de 580 heures passées dans

---

312. Propos tenus en présence de l'auteur le 26 août 2014.
313. *The Atlantic*, 29 janvier 2013.

l'avion. Pas difficile de comprendre que ce rythme colossal a fatigué Mme Clinton. Ses ennuis de santé en fin de parcours sont essentiellement dus à l'épuisement.

Mais il y a là comme un paradoxe. Hillary Clinton n'a cessé de vanter pendant ces mêmes quatre années que la diplomatie avait franchi de nouvelles étapes avec un recours massif aux nouvelles technologies, aux réseaux sociaux, aux conférences vidéo planétaires. Certes, Hillary a participé plus d'une fois à ces fameuses réunions qui permettent à chacun des membres de l'équipe de sécurité nationale du président Obama d'analyser une situation de crise, même lorsqu'un ou plusieurs *principals* sont en voyage, ce qui était le cas de la Secrétaire d'État et ce qui nécessitait de vivre ces instants de collégialité par écran interposé à des milliers de kilomètres de distance. Idem lorsque Hillary voulait s'entretenir avec Bernard Kouchner, Alain Juppé ou Laurent Fabius sans prendre l'avion. Mais chacun de ces innombrables voyages était-il nécessaire au départ ? N'était-il pas possible de les transformer en grand-messes vidéo avec message et apparition publique par satellites interposés ? Non, la très grande majorité de ces déplacements n'étaient pas organisés pour faire du business diplomatique classique mais pour permettre à Hillary de renouer des liens avec des pays qui avaient quitté le radar américain, de bâtir des relations avec des sociétés civiles auxquelles l'équipe d'Hillary accordait la plus grande attention. Et de rencontrer face-à-face, les yeux dans les yeux, des interlocuteurs d'État auxquels le message du président Obama ne pouvait pas seulement se lire en quelques lignes au travers d'un courrier.

L'idée n'était pas forcément de démontrer quoi que ce soit mais de se montrer. Pour dire que l'Amérique était disponible, que le dialogue était redevenu vivant. Cela n'a peut-être pas révolutionné la politique étrangère américaine mais cela l'a rendue plus visible, plus audible. Et au sortir des années Bush, ce n'était pas la moindre des choses à offrir au monde.

N

New Hampshire, la larme

Le 8 janvier 2008, c'est un ouf de soulagement dans le camp Clinton. Cinq jours après une défaite écrasante lors des caucus de l'Iowa, remportés haut la main par Barack Obama, Hillary savoure sa première victoire dans cette bataille des prétendants qui s'annonce longue et féroce. La sénatrice de New York, qui a compris son erreur de ne pas avoir passé plus de temps à faire campagne dans l'Iowa au cours des mois précédents, s'est démenée comme jamais dans le froid vif des plaines enneigées du New Hampshire. Du matin au soir, jusqu'à en avoir la voix enrouée, elle a enchaîné les meetings, les visites et les débats participatifs. Elle est si fatiguée à la veille du vote qu'à un moment, lorsqu'une jeune photographe d'un journal local lui demande comment elle fait pour supporter la tension de cette compétition, elle répond que « par moments, c'est dur ». La scène se passe au Cafe Expresso, à Portsmouth, devant de jeunes électeurs venus discuter avec la candidate. Hillary n'a pas fini de répondre qu'elle verse une larme vite essuyée. Cette image est immédiatement diffusée en boucle sur les chaînes d'information continue. Le soir même, même Barack Obama s'en émeut lors d'un déplacement en autocar avec ses plus proches collaborateurs à qui il interdit d'exploiter l'incident, afin de ne pas faire passer Hillary pour une femme faible, capable de « craquer ». « Ce n'est pas facile, les gars, c'est dur cette tension, j'ai de la sympathie pour elle[314]. »

Le lendemain, avec trois points de plus qu'Obama, la détermination de l'ex-First Lady a payé. Elle pensait que dans l'Iowa on lui offrirait la victoire, en reine des démocrates qu'elle s'imaginait être devenue. Dans le New Hampshire, elle se rebelle et Obama va devoir compter sur autre chose que sa magie personnelle, son « conte de fées », comme ironisera plus tard Bill Clinton. Mais la question se pose de savoir si cette petite larme n'a pas eu un certain effet dans les urnes.

---

314. Richard Wolffe, *Renegade, the making of a President*, p.111-117, Crown, 2009.

La plupart des commentateurs ont attribué la victoire d'Hillary dans le New Hampshire, la première d'une femme candidate à une présidentielle dans l'histoire américaine, à l'émotion qu'elle a exprimée lors de cet épisode de Portsmouth. Très cruellement, l'une des stars de la galaxie conservatrice, Bill Kristol, a pu écrire : « Elle a fait semblant de pleurer, les femmes ont eu pitié d'elle et elle a gagné. » À l'évidence, nombre de femmes, téléspectatrices et électrices, ont jugé ce genre de propos profondément sexiste. C'est oublier ce que la candidate a ajouté une fois passé ce bref sanglot : « Certains pensent que les élections sont comme un jeu, avec cette succession de sondages pour savoir qui est en tête et qui ne l'est pas. Mais avec cette élection, c'est d'abord notre pays qui est en jeu, l'avenir de nos enfants et la façon dont l'on s'en sort tous ensemble[315]. » Autrement dit, Hillary met l'accent non pas sur la fatigue physique mais sur le ras-le-bol de la politique politicienne, la médiatisation extrême de chaque instant, le manque de recul, l'attention aux apparences.

Les féministes se sont réveillées après ce combat gagné dans le New Hampshire, elles ont défendu cette idée que les femmes font de la politique différemment. Que le cirque médiatique qui entoure une présidentielle sur un calendrier de deux ans favorise des professionnels de la politique rompus aux pièges et dotés d'un cuir épais. Ce n'est donc pas tant cette larme de Portsmouth qui a servi Hillary que les commentaires extrêmement désobligeants qui ont suivi. Dans ses Mémoires, Hillary ne cache pas qu'elle a beaucoup pleuré dans sa vie. Et pas seulement lors de ses peines conjugales. Mais en public ? C'était la première fois et pour beaucoup d'hommes conservateurs, c'était une fois de trop.

Mais pas pour Obama. Cette défaite dans le New Hampshire, le sénateur de l'Illinois va lui aussi s'en servir comme d'un tremplin. À la veille d'être battu, devant David Axelrod et Jon Favreau, *son speech writer,* Obama a analysé la situation : « Cette histoire va nous emmener loin et durer un bout de temps. Alors faites-moi un discours qui ressemble à celui que vous aviez préparé pour la

---

315. ABC News, 7 janvier 2008.

victoire. » L'équipe se met au travail et, pour s'inspirer, replonge dans les extraits du débat télévisé qui a opposé leur chef à Hillary Clinton trois jours plus tôt. Hillary se moquait des « beaux discours » et des « mots creux » d'Obama. Ce dernier, lui avait répondu : « Lorsque les Américains sont démobilisés, cyniques, craintifs et qu'on leur dit que ce qu'ils veulent n'est pas possible, alors rien ne se passe. Mais moi, je suis candidat à la présidence pour leur dire que c'est possible, qu'on peut y arriver. » Deux des adjoints de Favreau lui demandent pourquoi on ne reprendrait pas, pour le discours de « défaite » de leur patron, ce *Yes we can*[316]. Le speech d'Obama, au soir de la victoire d'Hillary, rythmé par ce slogan relancera sa campagne comme jamais, notamment auprès des jeunes… et des femmes…

---

316. François Clemenceau, *Le clan Obama, les anges gardiens de Chicago*, p. 71, Riveneuve, 2013.

272

New York, le fief

La légende veut qu'Hillary Clinton se soit laissé prier de longs mois pour accepter de se présenter à la sénatoriale de l'État de New York qui devait se tenir en novembre 2000. Mais la réalité est plus simple. Non seulement elle a toujours rêvé de faire de la politique pour elle-même, non seulement elle a passé un accord non-écrit avec Bill prévoyant qu'après l'avoir servi, ce serait à son tour à elle de se lancer, mais aussi l'épreuve de la destitution de son mari, évitée *in extremis* au Sénat, lui a donné envie de passer par le Capitole avant d'aller plus loin. Se donner le temps d'une présidence de quatre ou huit ans tout en se frottant au vrai pouvoir, celui du Congrès, méritait qu'on regarde de près les opportunités de se faire élire. Ce qui est exact aussi, c'est qu'Hillary s'est fait présenter son premier briefing sur ses chances de gagner cette sénatoriale de New York le jour même où Bill échappait à la destitution. Mais, outre que le sénateur démocrate Patrick Moynihan avait prévu de ne pas se représenter et qu'il fallait pour le Parti démocrate un candidat de poids à sa succession pour affronter le redoutable maire de New York, Rudy Giuliani, cet État avait également beaucoup d'avantages pour Hillary.

Certes, il s'agissait d'un parachutage. Hillary était née dans l'Illinois et elle avait passé plus d'un tiers de sa vie dans l'Arkansas. Quant à la capitale fédérale, Washington dans le district de Columbia, elle n'est pas représentée au Sénat... Donc, il fallait bien trouver une circonscription à la hauteur de l'ambition de l'ex-First Lady. New York n'est pas seulement le troisième État le plus peuplé des États-Unis avec près de 20 millions d'habitants, et donc l'un des premiers pourvoyeurs de grands électeurs pour la présidentielle. C'est aussi une ville immense à l'échelle du monde entier dans la mesure où toutes les nationalités du globe, ou presque, y sont représentées. Il s'agit également du quartier général des médias, notamment des grands réseaux de télévision. Il se trouve que c'est à New York aussi que siègent les Nations Unies, ce qui offre à tout élu local une proximité avec les grands de ce monde de passage. Bref, le spot idéal. Restait une bataille à livrer. Or, si la grande agglo-mération de New York vote démocrate haut la main, le reste de l'État est bien plus conservateur. D'ailleurs, il a déjà voté trois fois depuis les années 60 pour un président républicain, une fois pour Nixon et deux pour Reagan. Et en 1999, lorsque Hillary songe à se présenter, le gouverneur de l'État de New York est George Pataki, un républicain. Ce qui signifie que pour une sénatoriale où tous les électeurs de l'État votent, rien n'est gagné d'avance. En s'ins-tallant à Chappaqua, Hillary peut partir à la conquête d'Albany, Syracuse, Buffalo, là les électeurs ont davantage les pieds dans la glaise. Il va falloir les convaincre. Dans le Upstate New York près des Grands Lacs, il faudra même parfois aller les chercher par les dents. La preuve que l'élection est serrée ? Juste avant le réveillon de l'an 2000, alors que le maire Rudy Giuliani prépare les festivités de l'entrée dans le nouveau millénaire, les sondages le donnent battant Hillary d'une dizaine de points[317].

Hillary aurait-elle perdu l'élection si Rudy Giuliani n'avait pas jeté l'éponge pour des raisons médicales dès le printemps. Atteint d'un cancer, il a préféré ne pas aller au bout de cette campagne, laissant le jeune conservateur et fils d'immigré italien Rick Lazio, le remplacer. Autant Giuliani avait un bilan d'élu contestable mais solide, autant le jeune Lazio, 42 ans, jeune loup élu à la Chambre des Représentants par les électeurs de Long Island n'a pas l'envergure. Lazio, en position désormais de challenger, est trop agressif, trop sûr de lui, mène une campagne un peu trop virile contre l'ex-Première Dame. Hillary ne se laisse pas démonter, sillonne l'État dans tous les coins tout en assurant les obligations protocolaires de la Maison Blanche. En fait, Lazio n'a qu'une stratégie, attaquer sa concurrente sur ses points faibles : les scandales de la présidence Clinton, son parachutage à New York et une accusation de complicité de terro-risme suite à un versement d'un donateur suspect pour sa campagne. Mais la plupart de ces points se transforment en avantages pour Hillary. Elle joue la victime. Regrettant les souffrances subies

---

317. Christine Ockrent, *La double vie d'Hillary Clinton*, p. 95-101, Robert Laffont, 2001.

au cours des années passées à la Maison Blanche, proposant de résoudre les problèmes des électeurs de l'État de New York avec modestie mais forte de l'expérience acquise dans l'Arkansas et à la tête du pays avec son mari. Et s'indignant que les souffrances des familles des victimes de l'un des premiers attentats perpétrés par al-Qaida, contre le bâtiment de guerre USS Cole au Yémen en l'occurrence, soient exploitées politiquement[318].

Le résultat est donc sans appel : 55% en faveur d'Hillary contre 43%. Une victoire ternie sur le plan national par la défaite du vice-président Al Gore contre le gouverneur républicain du Texas, George W. Bush. Si ternie que cela ? Dans la foulée des attentats du Nine Eleven, la tragédie du 11-Septembre, Hillary va devenir l'une des sénatrices les plus en vue dans cette actualité épouvantablement endeuillée. Et le peuple de cet État, conservateur dans les campagnes mais des plus progressistes dans les grandes villes, saura lui en être gré. Un diplomate se souvient d'une Hillary sénatrice totalement investie dans son travail de terrain tout au long de ces années : « Entre 2004 et 2008, j'allais dans des coins paumés du Upstate New York. Parfois, je rencontrais un maire qui me disait : "Vous tombez bien, nous avions Hillary Clinton hier !" Ça m'est arrivé au moins 50 fois. En fait, elle labourait ses terres et ce bassin d'emplois ravagé par le chômage. Ce qui prouve que c'est une battante très appliquée qui mouille sa chemise[319]. »

Idem à Manhattan où Hillary travaille ses réseaux à Wall Street et au sein de la communauté juive autant qu'à Harlem et dans le Bronx. La fragmentation des électorats dans cette circonscription interdit toute impasse et rend piégeuse toute entreprise de favoritisme communautaire. C'est ce qui explique son score de réélection en 2006, 67%, douze points de mieux qu'en 2000 ! De quoi enfin partir en campagne pour la Maison Blanche la tête haute.

---

318. Hillary R. Clinton, *Mon Histoire*, p. 615-630, J'ai Lu, 2003.
319. Entretien avec l'auteur le 3 juin 2014.

Nine Eleven, traumatisme et prétextes

Au matin du 11 septembre 2001, les Clinton sont comme les trois pièces manquantes d'un puzzle, impossibles à réunir. Hillary est à Washington et s'apprête à se rendre au Sénat pour un débat sur l'éducation. Bill est dans une chambre d'hôtel à Melbourne, où il a été invité pour prononcer un discours. À l'heure où la côte est américaine vient de se réveiller, c'est l'heure où l'on se couche en Australie. Et Chelsea, leur fille unique, est à New York où elle est en stage après avoir fini ses études de premier cycle à Standford et avant d'enchaîner sur un Master à Oxford en Grande-Bretagne. À New York? À proximité de ces tours du World Trade Center où un avion vient de s'encastrer? Normalement, Chelsea aurait dû aller faire son jogging comme chaque matin du côté de Battery Park, non loin des Twin Towers. Mais ce 11 septembre, elle y a renoncé. Un ami vient de l'appeler au téléphone pour lui signaler l'impact du premier avion et, lorsqu'elle voit le deuxième, quelques minutes plus tard en direct à la télévision, percuter le gratte-ciel jumeau, elle quitte précipitamment l'immeuble où elle réside près de Union Square. Le réseau des téléphones portables est saturé. Elle cherche une cabine de téléphone mais, face à la marée humaine, finit par faire comme tout le monde : fuir les nuages de poussière de l'effondrement des tours ainsi qu'un autre attentat possible. Hillary n'aura de nouvelles de sa fille qu'après la troisième attaque, celle visant le Pentagone à Washington. Tous les élus du Congrès ont été évacués et placés en sécurité par la police du Capitole. Chelsea est saine et sauve. Hillary rappelle Bill en Australie. Le père est soulagé. En attendant qu'il revienne, Hillary et lui vont se parler des heures au téléphone. De leur couple, de Chelsea mais aussi de politique[320].

Lorsque le 12 septembre, Hillary survole les décombres de Ground Zero dans un avion affrété par le gouvernement, escorté par des chasseurs de l'US Air Force, la sénatrice de New York est

---

320. Jeff Gerth et Don Van Natta, *Hillary Clinton, histoire d'une ambition*, p. 319-322, J.-C. Lattés, 2008.

effrayée. Elle le dira plus tard : elle avait l'impression de plonger dans *l'Enfer* de Dante. Avec le gouverneur Pataki et le maire Rudy Giuliani, tous deux républicains, c'est évidemment l'union sacrée qui s'impose immédiatement. De la même façon que Chelsea, avant d'être récupérée par son garde du corps du Secret Service, a beaucoup prié pour George Bush afin qu'il sache guider le pays dans l'épreuve, Hillary se met au service de l'intérêt général. En quelques heures, elle s'aperçoit de l'étendue des dégâts humains et matériels. Dès son retour à Washington, elle réclame au président Bush 20 milliards de dollars d'aide d'urgence pour New York[321]. Le lendemain, le 14 septembre, elle repart avec lui vers Manhattan. Elle est en première ligne pour applaudir le président lorsqu'il déclare aux New-Yorkais : «Je vous entends, le monde entier vous entend. Et ceux qui ont abattu ces tours vont nous entendre bientôt!» Le 11 septembre au soir, elle avait pleuré en chantant *God Bless America* avec ses collègues parlementaires sur les marches du Capitole. L'union sacrée ?

C'est à ses risques et périls sur le plan politique. Hillary va devoir en effet coller au patriotisme ambiant qui fédère tous les Américains derrière leur commandant-en-chef tout en défendant le bilan de son mari Bill en matière de lutte anti-terroriste. Car tous les médias se posent très vite la question : était-il possible d'éviter ces attentats ? Dans ses premières déclarations, un peu péremptoires et imprécises parfois, Hillary laisse entendre que Bill Clinton n'a jamais cessé de traquer Oussama Bin Laden. Il se trouve que Bill, lui-même, quelques heures seulement avant les attentats du 11-Septembre, déclarait devant des interlocuteurs australiens qu'il avait dû «annuler des frappes contre le leader d'al-Qaida», notamment une fois à Kandahar, pour «éviter des dommages collatéraux» trop importants[322]. Mais cette posture d'Hillary est jugée un peu trop arrogante. Comme si en huit ans à la Maison Blanche, rien n'avait pu être fait alors que Bush, lui, n'est en charge du pays

321. Hillary R. Clinton, *Le temps des décisions*, p. 219, Fayard, 2014.
322. Extraits d'une conversation rendue publique par ABC News le 1er août 2014.

que depuis neuf mois. Elle se rend compte de ce décalage dans les perceptions dès qu'elle approche d'un peu trop près des pompiers et des policiers de New York qui ont perdu des centaines des leurs. Ils lui en veulent et le lui font savoir. De fait, Hillary n'assiste qu'à très peu de cérémonies d'hommage aux victimes. Dix fois moins que son collègue sénateur de New York, Chuck Schumer. En octobre, elle est même huée par la foule du Madison Square Garden lors d'un concert pour récolter des fonds en faveur des secours.

Mais cela ne décourage pas l'ex-First Lady qui en a vu d'autres. Elle essaie dès lors de se distancer progressivement du bilan sécuritaire de son mari tout en faisant le maximum pour obtenir des fonds pour la reconstruction de New York et pour la prise en charge hospitalière et psychologique des rescapés. Pour tous ceux qui espéraient la voir se lancer dans la présidentielle de 2004, les attentats du 11 septembre ont tout changé. Le président Bush, si mal élu, est devenu extrêmement populaire. Est-ce pour cette raison qu'à tout prendre elle vote en faveur de la guerre en Irak en octobre 2002 ? Comme s'il valait mieux être dans le camp des faucons que dans celui des rebelles, si mal vus du reste de l'opinion publique et accusés de trahir leur pays. Avec la victoire attendue des républicains aux élections de mi-mandat, à la Chambre comme au Sénat, Hillary finit par se poser, une fois de plus, sur le terrain où elle se sent le plus à l'aise : au centre. À la droite du parti démocrate, elle incarne celle qui ne lâchera rien sur les questions de sécurité nationale. Surtout depuis que l'on a compris à quel point les services de sécurité avaient failli dans leur mission, trop obsédés à défendre leurs intérêts respectifs. FBI, CIA, NSA, tous avaient des informations qui, jointes les unes aux autres et recoupées, auraient pu permettre de freiner ou de faire avorter le projet des terroristes. Mais à la gauche du parti républicain, Hillary offre une alternative aux néoconservateurs qui, dans l'entourage de George W. Bush, sont en train de dénaturer le fond de commerce traditionnel de la droite[323]. En 2004, consciente que le rapport de forces n'est pas

---

323. Thomas Snégaroff, *Bill et Hillary Clinton, le mariage de la politique et du pouvoir*, p. 303, Taillandier, 2014.

en sa faveur, elle laisse finalement John Kerry partir tout seul en mission contre le président sortant. Pari réussi, Kerry est battu. Hillary voit les portes de 2008 s'entrouvrir.

Il est naturellement caricatural de croire que sans ce déchaînement terroriste sur les États-Unis en 2001, elle se serait présentée en 2004 et aurait été élue. Personne ne peut réécrire l'histoire. En revanche, Hillary a fait preuve dès le lendemain du 11 septembre d'une capacité phénoménale à se repositionner. Cynisme sur le dos des victimes de ce qui restera le plus grand traumatisme des Américains depuis Pearl Harbour ? C'est ce que lui reprochent ses ennemis de droite comme de gauche. Sauf depuis cette nuit de mai 2011, lorsque Hillary suit en direct les progrès des Navy Seals à Abbotabad au Pakistan. Et que Bin Laden, l'ennemi N°1 de l'Amérique est tué. Avoir été membre de cette équipe qui a encouragé et autorisé l'exécution de l'ordonnateur des crimes du *Nine Eleven* devrait permettre en 2016 à Hillary de rester à l'abri de ce genre de critiques.

Nixon, Watergate et déchéance

Dans l'histoire des États-Unis, trois présidents seulement ont failli être destitués. Andrew Johnson, en 1868, pour avoir passé outre la volonté des législateurs de punir les États du Sud après la guerre de Sécession; Richard Nixon, en 1974, suite à l'affaire du Watergate et Bill Clinton, en 1998, accusé de parjure et d'entrave à la justice dans l'affaire Monica Lewinsky. Il n'est pas donné à tout le monde d'avoir suivi de l'intérieur l'un de ces moments historiques. Hillary en a vécu deux.

Celui qui nous intéresse concerne le président républicain Nixon. Hillary Clinton elle-même considère que ce fut « l'une des expériences les plus intenses et les plus importantes » de sa vie. Elle a 26 ans à cette époque lorsqu'un haut fonctionnaire du ministère de la Justice qu'elle a connu à Yale propose à Bill de faire partie de la commission des Affaires judiciaires de la Chambre des Représentants pour préparer la procédure de destitution du président Nixon. Bill refuse parce qu'il veut préparer sa première campagne électorale dans l'Arkansas pour le Congrès. Le job est donc proposé à Hillary, qui accepte. À Washington, elle travaille dans une équipe de 44 jeunes experts en droit, dont seulement trois femmes, afin de fournir aux élus démocrates et républicains un dossier d'instruction en bonne et due forme qui leur servira de base documentaire pour instruire le procès du président. Tous ont l'interdiction de s'exprimer sur le sujet, doivent garder le secret sur leurs travaux et ne prendre aucune note personnelle ou en profiter pour tenir un journal de bord[324]. Hillary est persuadée qu'un chef d'État qui a fait espionner l'équipe de son opposant lors d'une campagne présidentielle, a menti à ce sujet et a tenté de faire obstruction à la justice, mérite d'être destitué. Ses patrons directs à la commission lui demandent de rechercher dans les procédures de destitution passées (notamment celles touchant des juges) le moindre élément de précédent sur lequel on pourrait agir avec

---

324. Carl Bernstein, *A Woman in Charge*, p. 94-103, Arrow Books, 2007.

une base légale. L'équipe des enquêteurs réussit à ajouter le délit de subornation de témoins et de création d'une cellule de contre-enquête secrète au sein du bureau du Président. Les représentants et les sénateurs, en fonction du dossier, se prononcent majoritairement pour la procédure de destitution. Mais Richard Nixon coupe court finalement au procès en démissionnant le 9 août 1974.

En 2008, lors de sa campagne présidentielle, un certain nombre de médias conservateurs, notamment le talk-show du célèbre Rush Limbaugh, accuse Hillary d'avoir eu un comportement douteux lors de sa mission au sein de l'équipe de préparation du procès Nixon. Selon un ancien membre de l'équipe, elle aurait dissimulé des documents qui auraient permis à la Maison Blanche de mieux assurer la défense du président au cas où le procès aurait fini par se tenir. L'accusateur, Jerry Zeifman, qui dit avoir partagé le bureau d'Hillary dans les locaux de la Commission, soutient qu'elle souhaitait ainsi laisser traîner les choses afin que la présidence Nixon «pourrisse lentement mais sûrement». Pourquoi? Pour qu'un candidat d'alternance démocrate récolte les morceaux sans avoir à passer par une période de transition et de restauration morale que ne manquerait pas d'assurer le vice-président Gerald Ford en cas de démission[325]. Pour Zeifman, il est clair qu'Hillary n'agissait pas seule, qu'elle était au service de quelques mentors cherchant à maximiser les chances d'un Ted Kennedy, par exemple, pour succéder directement à un Nixon déchu.

Ce scénario un peu tordu, qui sent bon la théorie du complot a posteriori, a bien été écrit par Jerry Zeifman. Il prétend se baser sur les notes d'un journal tenu pendant l'enquête, pratique qui était strictement interdite par le président de la commission. Et il est très étrange que les souvenirs de ce Zeifman remontent à la surface en 2008, plus d'un quart de siècle après les faits. Qualifiant le comportement d'Hillary d' «inapproprié sur le plan éthique», l'accusateur, qui assure avoir pourtant voté démocrate toute sa vie, ne lâche pas sa proie facilement. À peine les rumeurs d'une candidature d'Hillary pour 2016 ont refait surface en 2013 que l'homme

---

325. *Accuracy in Media*, site conservateur, 5 février 2008.

a dégainé à nouveau son argumentaire. Le camp Hillary en tout cas ne s'est jamais vraiment préoccupé de cette attaque en solitaire. Le nom de Zeifman n'apparaît nulle part dans les Mémoires d'Hillary et une seule fois dans la machine de riposte argumentaire Media Matters montée par David Brock pour lutter contre la propagande conservatrice[326].

Mais s'il y a bien une chose que l'ex-First Lady a retenu de ces événements des années 70, surtout au moment où Bill connaît pareille menace de destitution, c'est qu'au-delà de la procédure judiciaire, tout reste politique. Au fond, qui parmi les élus de la Chambre et du Sénat en 1999 s'est véritablement prononcé en faveur du président Clinton sur une base strictement juridique. Quelles étaient les motivations politiques de ceux qui ont voté pour la destitution ? La question fondamentale était d'ordre politique et la réponse des Clinton à l'époque fut donc de résister politiquement aux accusations comme aux manœuvres. Ces combats-là, elle ne les a pas oubliés.

---

326. *Mediamatters*, 4 avril 2008.

O

Barack Obama, l'embarras

Imaginez la scène : nous sommes en juillet 2005, plus de trois ans avant la présidentielle de 2008. Autant dire à l'âge de la préhistoire dans un calendrier électoral. Barack Obama reçoit un visiteur dans ses bureaux de Chicago. L'étranger lui vante le dynamisme des Clinton et finit par lui suggérer de réfléchir à un ticket Hillary-Obama pour 2008. Et le sénateur de l'Illinois de lui répondre au débotté : « Vous êtes sûr que vous voyez les choses dans le bon sens, et pourquoi pas l'inverse ? » Il est comme ça, Obama. Une ambition folle, une détermination très forte et en même temps un tempérament qui doute par conviction, parce qu'il faut toujours peser le pour et le contre. En ce qui concerne Hillary, il n'a aucun doute, il la battra aux primaires. Quant à lui proposer un ticket pour la vice-présidence, attendons de voir la campagne. Il a raison car Hillary en 2008 se bat jusqu'au bout, utilise toutes les méthodes, même les pires. Impossible de faire attelage avec une guerrière, va donc pour le Département d'État, un cadeau pour apaiser les choses et donner cette image d'une « équipe de rivaux » qu'avait valorisée Lincoln. Sans compter qu'il vaut mieux avoir Hillary dans son camp sur un registre de compétence de la Maison Blanche, plutôt qu'au Sénat où elle pourrait jouer les électrons libres. On le comprend, si la loyauté a été le maître mot des quatre premières années passées ensemble, les quatre suivantes, celles de l'entrée en précampagne d'Hillary sont à nouveau celles de la distance.

Ce qui pose la question concrète de la place d'Obama dans la campagne 2016 d'Hillary. « Obama soutiendra Hillary. C'est leur deal », raconte un ambassadeur en poste à Washington. « Car en 2012 il a dû une fière chandelle à Bill. Il a donc invité Hillary à déjeuner dans le Rose Garden. Ils ont donné une interview conjointe et il a dit qu'elle ferait une formidable présidente[327]. » C'est vrai que le discours interminable, drôle et convaincant de Bill à la Convention démocrate de Charlotte en 2012 a permis à Barack

---

327. Entretien avec l'auteur le 3 juin 2013.

Obama de remonter de quatre points dans les sondages et que ça a joué dans la dynamique de la dernière ligne droite face à Mitt Romney. Sauf que depuis, les choses ont changé. Non seulement la popularité du président s'est bien écornée, malgré des fondamentaux économiques bien meilleurs que sous son premier mandat, mais ses initiatives en politique étrangère ont déçu l'opinion. Les résultats des élections de mi-mandat au Congrès et dans les États, pour les postes de gouverneurs, traduisent cette désaffection pour le Président. Comment dès lors imaginer pour Hillary se faire soutenir par une telle source d'embarras ou de contradiction. D'où ses prises de position successives d'Hillary pour se démarquer du bilan d'Obama, par exemple sur la Syrie ou l'Ukraine. Une manière également de prendre de petites revanches sur un homme « qui ne lui a jamais vraiment fait confiance », expression utilisée par une responsable au Département d'État[328]. C'est vrai que les deux équipes de la Maison Blanche et du Département d'État « ne se sont jamais complètement fondues », selon la formule pudique d'un diplomate.

« Les questions de leadership seront au cœur de la campagne 2016. Hillary va se présenter comme la démocrate compétente qui bosse et cela tranchera avec ce qui a été ressenti comme de l'improvisation, de l'amateurisme et de l'indécision. Elle se présentera comme une dure sur les questions de sécurité nationale pour marquer sa différence avec Obama », confirme l'ambassadeur qui a suivi la carrière d'Hillary de bout en bout. Pas simple, donc. On risque de se retrouver dans une situation comparable à celle d'Al Gore en 2000 qui refusait le soutien de Bill Clinton dont il estimait qu'il avait déshonoré la fonction présidentielle par son comportement. Une différence cependant, et de taille, le président sortant à l'époque était bien plus populaire qu'Obama aujourd'hui.

À deux reprises en 2014, Hillary Clinton s'est entretenue en tête à tête avec Barack Obama à la Maison Blanche. Une fois lors d'un déjeuner fin mai, une autre dans l'après-midi du 3 décembre. Pour la presse, il ne fait aucun doute que ce genre de rencontres

328. Entretien avec l'auteur le 4 juin 2013.

amicales n'a d'autre but que de préparer la présidentielle 2016 et de davantage coordonner les équipes de la Maison Blanche et celles d'Hillary. Et probablement aussi, pour le Président, de veiller à ce que Hillary n'entrave pas sa fin de mandat par des prises de distance ou des critiques qui l'affaiblissent davantage face au camp conservateur désormais majoritaire dans les deux chambres du Congrès.

Autre difficulté pour Hillary : comment mettre davantage en valeur le fait qu'elle peut devenir la première femme présidente des États-Unis si le premier président noir de l'histoire américaine ne dispose pas d'un bilan convaincant, comme si l'inédit de la couleur de peau ou du genre devait produire fatalement un résultat positif en fin de mandat. Si Obama a réussi à faire oublier qu'il était noir en deux mandats, comment Hillary pourrait-elle faire campagne en faisant oublier qu'elle est une femme. La dernière fois qu'elle a joué de ce tempo, elle s'est fait battre. Ce qui revient à poser la question de l'héritage Obama. Non pas son bilan de président, qui dispose encore de deux ans pour être amélioré, mais sa capacité à susciter des vocations. Où est le nouvel Obama version 2016 ? Est-ce trop tôt pour voir débarquer un jeune candidat issu d'une minorité, capable de renverser les tables et de lancer un nouveau défi à l'Amérique ? «Le nouvel Obama sera un latino en 2020 ou 2024», nous assure un expert européen dont c'est le métier de repérer les étoiles montantes. «Un nouvel Obama ? Je suis sûr qu'il existe même s'il n'est pas encore sous les projecteurs», confie Robbeyell McCormick, la présidente du club des démocrates afro-américains du Montgomery County dans le Maryland. «Lorsqu'il a gagné, Obama n'a pas seulement changé la donne dans le monde des blancs en Amérique, il a changé tout le monde. Il a été sous-estimé[329].» Peut-on en dire autant d'Hillary ? On verra si, dans la composition de son ticket, elle saura choisir un nouvel Obama, un latino prometteur capable de lui succéder. La boucle serait bouclée.

---

329. Entretien avec l'auteur le 4 juin 2014.

Obésité, le défi à venir

Non, ce n'est pas Hillary qui est visée, quoi qu'elle ait eu tendance à l'embonpoint au cours de ses années au Département d'État. Les voyages, le manque d'exercice et l'âge l'ont fait grossir au point que de vilains commentateurs la mettaient en garde contre les risques médicaux liés au surpoids, si elle voulait concourir, en tout cas pour la présidentielle de 2016. Et pourtant Hillary sait de quoi elle parle lorsqu'elle évoque le fléau de l'obésité aux États-Unis contre lequel la Fondation Clinton a décidé, sur le tard, d'agir. Non seulement elle a vécu presque vingt ans dans l'Arkansas, l'un des 13 États sur 50 où le taux d'obésité chez les adultes a dépassé les 30%, mais elle a passé huit ans à la Maison Blanche au moment où cette épidémie a atteint des records. Si une autre First Lady, Michelle Obama, a mené une croisade efficace contre l'obésité depuis 2008, ce combat est loin d'être terminé et il faudra à Hillary, si elle est élue en 2016, l'épouse d'un ancien adepte de la *junk food*, montrer qu'elle est capable de lutter contre tous les lobbies…

En 2010, les douze premières chaînes de fast-food aux États-Unis ont gagné un peu plus de 100 milliards de dollars dont un tiers pour le seul McDonald. Certes, un certain nombre de directives ont été adoptées, non sans mal face aux lobbyistes de l'industrie agroalimentaire, pour réduire la contenance des portions en sel, sucre et graisses variées. Idem, avec encore plus de difficultés, en ce qui concerne la taille des portions. L'obésité tue aux États Unis comme une faucheuse impitoyable. Le diabète fait des ravages autrement plus importants que les cyclones. Et le système de santé qu'Hillary Clinton a tant voulu réformer dans les années 90 souffre au plus haut point de l'impact des maladies cardio-vasculaires liées à la malbouffe[330]. Si Bill Clinton fut un jour de 2010 transféré à l'hôpital pour y subir un quadruple pontage, ce n'était pas pour surmenage mais parce que l'ex-président engouffrait depuis des

---

330. Voir l'excellente étude de Laurence Nardon, *Réduire la taille des portions*, Potomac Paper, IFRI, juillet 2014.

années hamburgers, beignets et pizzas en quantité astronomique. Le poids d'un héritage sudiste qui oblige à cuisiner excessivement gras et sucré. Si la communauté noire, pour laquelle les Clinton ont toutes les attentions du monde, est la principale victime de l'obésité, c'est parce que ces millions de défavorisés n'ont pas les moyens de se nourrir sainement, dans la mesure où les produits frais, les fruits et légumes et l'eau minérale coûtent bien plus cher que les conserves, les snacks et les sodas.

En 2007, lorsqu'elle entre en campagne présidentielle, Hillary se fait interpeller sur ce thème. L'acteur et activiste démocrate Alec Baldwin supplie par écrit la sénatrice de New York et ses collègues de ne pas voter le budget de l'agriculture qui prévoit davantage de subventions fédérales à l'industrie agroalimentaire. «En tant que parent, je vois bien quel est le défi quotidien de veiller à ce que nos enfants soient nourris correctement. Mais notre mission est rendue plus compliquée par les lois fédérales qui favorisent le cholestérol et la nourriture trop sucrée jusque dans les cantines scolaires», plaide-t-il. Pas faux ! Jusque dans les années 2000, les chaines de fast-food fournissaient jusqu'à 30% des établissements scolaires! Et depuis, si des efforts ont été accomplis, ils restent insuffisants[331]. L'une des militantes associées au combat de Baldwin se souvient qu'en discutant avec Hillary sur le budget, elle leur a dit qu'elle avait à cœur de «promouvoir une nutrition saine pour les enfants à l'école mais qu'elle était également préoccupée par le sort de l'industrie laitière dans l'État de New York». Deux jours plus tard, Hillary vote en faveur du budget proposé par la majorité démocrate du Sénat mais repoussé par une obstruction des républicains, avec ce commentaire de vote décomplexé: «Si je suis présidente, je serai le champion des agriculteurs plutôt que de les exclure.» Six mois plus tard, est-ce une coïncidence, aucun des trois candidats à la présidentielle n'est présent lors du vote final, qui a cette fois toutes les chances de passer avec une majorité des deux tiers. Ni John McCain, ni Barack Obama, ni Hillary Clinton…

---

331. *Daily News*, 14 novembre 2007.

C'est pourtant bien elle qui avait veillé à la Maison Blanche à ce que la cuisine soit la plus légère possible en embauchant un diététicien vedette pour revoir les menus. Rien n'y avait fait. Bill avait pris 9 kilos sur les deux dernières années[332]. Elle aussi qui au Sénat avait voté une loi pour financer une étude sur la relation entre médias électroniques et obésité chez les jeunes. Elle enfin qui dans son programme présidentiel 2008 promettait d'associer industriels de l'agroalimentaire, éducateurs et médecins de la santé publique pour élaborer des programmes en commun[333]. Battue, Hillary ne se contentera pas de regarder la nouvelle First Lady Michelle Obama lancer la campagne nationale *Let's Move*. Une bataille au quotidien qui en six ans a déjà obtenu des résultats considérables. La popularité de Michelle, les menaces de l'administration de punir les industriels s'ils ne s'associent pas aux efforts du gouvernement, le relais des ONG de terrain pour surveiller avec les familles l'application des programmes dans les écoles, ont permis de progresser.

À l'été 2013, l'épidémie d'obésité a enfin été enrayée aux États-Unis. Cela ne veut pas dire que les problèmes sont évacués. Au contraire, cela signifie que toutes les mesures mises en place sous l'administration Obama vont devoir être maintenues et amplifiées par ses successeurs, surtout pour les enfants en âge préscolaire. Il se trouve que ces campagnes de lutte contre l'obésité ont également, même tardivement, été prises en charge par la Fondation Clinton. En septembre 2014, devant Bill Clinton et ses partenaires de Alliance for a Healthier Generation, les trois géants du soda (Coca, Pepsi et Snapple) se sont engagés à baisser de 20% le montant de calories dans leurs boissons sur les dix prochaines années[334]. Autant dire qu'Hillary, cernée par un électorat de plus en plus demandeur d'une régulation de l'État dans ce domaine et par un effort croissant des ONG pour vaincre l'obésité chez les plus pauvres, aura du mal à baisser les bras devant le lobby de l'agroalimentaire si elle revient à la Maison Blanche en 2016.

---

332. *Daily Mail*, 23 août 2013.
333. *Washington Post*, 18 mai 2008.
334. *The New York Times*, 23 septembre 2014.

P

Pacte, le contrat de confiance

Sous ce mot se cachent plusieurs réalités. Il y a d'abord cette promesse que Bill et Hillary Clinton se seraient faite avant de se marier. Un objectif de vie, une ambition commune : recentrer le Parti démocrate et gagner toutes les élections qui leur permettraient de parvenir ensemble, en moins de vingt ans, à la Maison Blanche. Cette thèse, alimentée par de nombreux récits, n'a jamais été prouvée formellement. Elle ne repose que sur des témoignages. La version la plus affirmative est détaillée dans le livre de Jeff Gerth et Don Van Natta publié en 2007 aux États-Unis sous le titre *Her Way, The Hopes and Ambitions of Hillary Rodham Clinton*[335]. Les auteurs, enquêteurs au *New York Times*, y affirment que « Bill sera la façade visible de l'entreprise, qu'Hillary la dirigera en coulisses et se chargera de sa bonne exécution ». La source de cette révélation serait Leon Panetta. Élu de Californie à la Chambre des Représentants, secrétaire général de la Maison Blanche entre 1994 et 1997, directeur de la CIA puis secrétaire à la Défense de Barack Obama, l'homme est un clintonien historique. Il aurait confié aux auteurs que Bill Clinton en personne lui aurait parlé de ce « pacte de 20 ans » lors d'un déplacement à bord d'Air Force One en 1996[336].

Les auteurs font également référence dans leur livre à une lettre qu'aurait écrite Hillary à Bill, avant de venir s'installer avec lui dans l'Arkansas, dans laquelle elle décrit par le menu leur stratégie politique. Cette lettre aurait été consultée par une ex-petite amie de Bill Clinton, Marla Crider, à son domicile de Fayetteville. Le recrutement du consultant républicain Dick Morris par les Clinton après l'échec de Bill lors de sa première tentative d'élection au Congrès en 1974, donne du crédit à cette version du pacte selon laquelle il fallait que les démocrates s'adressent électoralement aux conservateurs, quitte à se débarrasser des oripeaux de la gauche américaine.

---

335. Publication en France en 2008 sous le titre *Hillary Clinton, Histoire d'une ambition*, J.-C. Lattès.
336. Interview de Jeff Gerth et Don Van Natta sur ABC News le 4 juin 2007.

La deuxième réalité du pacte se transforme au soir de la victoire présidentielle de novembre 1992. C'est la réalité de la co-présidence. Selon plusieurs auteurs, Hillary aurait cherché à être bien plus visible dans ses attributs de pouvoir auprès du Président. Elle aurait demandé à Dick Morris s'il n'était pas possible pour elle de devenir carrément la *Chief of staff*, la secrétaire générale de la Maison Blanche. Ou même ministre de l'Éducation ou de la Justice. Impossible, lui aurait répondu Morris en évoquant le spectre du népotisme. La suite est connue : Bill chargera Hillary de la réforme centrale du premier mandat, la réforme de la santé, avec le bilan que l'on sait[337].

La troisième étape du pacte n'est pas déniée cette fois par le couple Clinton. À l'approche de la fin de sa présidence, Bill aurait offert à Hillary son aide pour qu'elle puisse, à son tour, vivre une carrière politique et même revenir à la Maison Blanche. « Lorsqu'elle a été élue sénatrice de New York, je lui ai dit qu'elle m'avait donné 26 ans de sa vie et que j'entendais bien, moi aussi, lui donner 26 ans de la mienne », raconte l'ancien président. « Elle pouvait faire ce qu'elle voulait de moi. Si elle voulait mon avis, très bien, mais elle avait désormais carte blanche pour faire enfin ce qu'elle voulait et pour me dire en quoi je pouvais lui être utile[338]. »

La faille de ce multiple pacte, prévu au départ pour 20 ans et amendé pour devenir un partenariat de 52 ans, c'est que Bill et Hillary ne sont pas interchangeables. Hillary a conduit Bill vers le pouvoir avec beaucoup de science et de méthode. Il avait le charisme et elle, la stratégie. Il avait des idées nouvelles, elle a essayé de les faire aboutir. Cette répartition des rôles fonctionnera sans doute pendant la campagne 2016 car Hillary aura besoin de compenser sa froideur mécanique par le charme et la chaleur de Bill. Mais après ? Si elle gagne, gouverner demandera à l'ex-co-présidente davantage d'autorité qu'elle n'en a montré dans les années 90. Le pays ne se dirige pas non plus comme le Département d'État.

---

337. William H. Chafe, *Bill and Hillary, The politics of the Personal*, p. 155, FSG, 2012.
338. Interview à la BBC commentée par le *Los Angeles Times*, le 19 juillet 2014.

Il faudra incarner à la fois l'Amérique et une présidence. De ce point de vue, son âge comme sa raideur seront des handicaps. Bill Clinton pourrait-il, voudra-t-il combler ces manques ? Depuis la West Wing, lui aussi ? Les États-Unis n'ont jamais connu de First Gentleman. Ce serait à lui cette fois d'inventer le rôle.

Plafond de verre, la première femme

Les discours de défaite sont souvent les plus beaux. Est-ce parce qu'on est plus sincère quand on a perdu? Alors que le vainqueur a encore beaucoup à promettre? Le samedi 7 juin 2008, après six mois de campagne d'une rare intensité entre deux prétendants démocrates, Hillary finit par rendre les armes dans un *concession speech* qui reste, encore aujourd'hui, un morceau d'anthologie. Dans le décor splendide du National Building Museum, vêtue de noir comme si elle était en deuil, elle va se résoudre à soutenir Barack Obama pour la dernière ligne droite. Mais il va lui falloir prononcer 650 mots avant de citer son nom. Car elle veut d'abord parler d'elle et de sa campagne, de ses militants et des raisons pour lesquelles elle s'est battue. Après avoir enjoint finalement ses 18 millions d'électeurs à rejoindre ceux de Barack Obama, Hillary ne s'arrête pas en si bon chemin. Ce serait trop facile. Elle parle encore d'elle et cette fois-ci au futur.

« Je dois vous dire, de façon plus personnelle, qu'à chaque fois qu'on m'a demandé ce que signifiait d'être une femme candidate à la présidentielle, j'ai toujours répondu la même chose : que j'étais fière de concourir en tant que femme mais que je me présentais parce que je pensais être la meilleure pour être présidente. » Hillary raconte qu'elle a fait campagne en tant que femme, en tant que mère et en tant que fille en bénéficiant de tous les acquis apportés par le féminisme et la cause de la parité entre les femmes et les hommes[339]. « Vous pouvez être fiers qu'à partir d'aujourd'hui il ne sera plus anormal de voir une femme remporter des primaires dans des États lors d'une présidentielle ou de se battre au coude à coude pour la nomination. Si nous sommes capables d'avoir réussi à envoyer 50 femmes dans l'espace, nous propulserons un jour une femme à la Maison Blanche. Bien que nous n'ayons pas été capables de briser le plus haut et plus épais des plafonds de verre, merci à vous de l'avoir

---

339. Transcription intégrale du discours publié par le site du *New York Times* le 7 juin 2008.

fissuré 18 millions de fois. La lumière passe désormais à travers comme jamais ce ne fut le cas et cela nous remplit d'espoir et de certitude que le chemin sera plus facile la prochaine fois. Si bien que lorsque ce jour arrivera et qu'une femme prêtera serment pour devenir notre présidente, nous serons tous plus grands, plus fiers des valeurs de notre nation, fiers enfin que chaque petite fille en Amérique puisse faire de grands rêves et les voir se réaliser.» Hillary est interrompue 49 fois par des applaudissements.

Le chroniqueur du *Washington Post*, Dana Milbank, écrit ceci le lendemain dans l'édition dominicale du journal : «Il appartiendra aux historiens de se demander pourquoi Hillary Clinton a attendu le dernier jour de sa campagne pour donner de la voix sur le sens profond de sa candidature. Tout au long des primaires, elle a minimisé l'impact que pouvait avoir la candidature d'une femme à la présidentielle. C'est assez tentant de deviner quel cours aurait pris les choses si elle s'était exprimée plus tôt de la sorte mais il ne fait aucun doute que ce dernier discours était aussi le meilleur[340].»

Depuis qu'elle est entrée en pré-campagne présidentielle au printemps 2014, Hillary Clinton est revenue plusieurs fois sur le sexisme qu'elle avait ressenti durant les primaires démocrates de 2008. Elle a profité de chaque occasion symbolique, notamment devant des publics féminins, pour redire à quel point les États-Unis sont mûrs pour élire une femme à la tête de l'Amérique. En évoquant notamment cette enquête d'opinion, commandée par l'organisation Emily's List, selon laquelle 75% des Américains pensent que «ce serait une bonne chose qu'une femme soit présidente des États-Unis».

---

340. *The Washington Post*, 8 juin 2008.

Prétendants, le bal des primaires

Qui se souvient encore des candidats démocrates à la présidentielle 2008 ? Ceux qui se sont avancés sur la ligne de chauffe en 2007
et qui, dès le mois de janvier suivant, ont tenté d'aller au-delà du
Super Tuesday ? Il y avait Hillary et Obama, certes, mais les autres ?
C'est rare qu'on laisse son nom dans une course à la présidentielle
sauf lorsqu'on a tenu tête au favori des primaires. En 2008, peu se
souviennent que l'actuel vice-président Joe Biden était de la partie.
Encore moins de celui qui arriva deuxième dès la première épreuve
des caucus de l'Iowa, John Edwards, sénateur de Caroline du Nord
qui avait fait tandem avec John Kerry quatre ans plus tôt. Et que
dire de Chris Dodd, sénateur du Connecticut, de Bill Richardson,
gouverneur du Nouveau Mexique à l'époque, de l'ancien sénateur
de l'Alaska, Mike Gravel ou de Dennis Kucinich, l'éternel Représentant de l'Ohio aux accents socialistes à l'européenne. Tous se
sont retirés avant la fin janvier pour laisser la place au duel entre
celui qui deviendrait le premier président noir et celle qui pouvait
devenir la première femme présidente.

Mais en 2016, Hillary ne peut pas se permettre de se retrouver
seule. Bien qu'elle ait asséché le marais du financement des autres
candidats potentiels en se lançant en précampagne la première,
il lui faudra bien débattre en 2015 avec quelques camarades de
jeu puis en 2016 affronter un ou deux rivaux de qualité, histoire
de laisser croire aux électeurs que le processus qui conduit à la
nomination est juste. «Les seuls qui pourraient y aller sont des
seconds couteaux», confie en juin 2014 un diplomate européen
en poste à Washington chargé d'évaluer la situation politique[341].
Il évoque en premier le vice-président Biden pour aussitôt ajouter
son âge, 72 ans, qui constitue un handicap. Il ajoute à la liste
Elizabeth Warren, la sénatrice anti-banques du Massachussetts,
Martin O'Malley, le sympathique, timide et jeune gouverneur
du Maryland ainsi qu'Andrew Cuomo, gouverneur de l'État de

---

341. Entretien avec l'auteur le 3 juin 2014.

New York et clintonien par excellence après avoir été le plus jeune ministre du Logement sous la présidence Clinton. « C'est bien la première fois que le champ est balisé », précise notre source. « Kennedy, Carter, Clinton et Obama avaient surgi un peu de nulle part, là c'est un champ inversé. »

Six mois après ces pronostics, le vice-président Biden continue de laisser croire qu'il pourrait se lancer tandis que Martin O'Malley vient d'achever ses deux mandats de gouverneur dans le Maryland et se déclare « intéressé » par 2016. Quant au gouverneur de New York, Mario Cuomo, qui vient de publier son autobiographie, il fait croire qu'il se prépare pour 2020 tout en n'excluant rien, surtout si Hillary devait caler en cours de route. Le seul à avoir franchi le premier pas, concrètement, s'appelle Jim Webb. Cet ancien sénateur de Virginie, 60 ans, a déclaré qu'il formait un comité exploratoire pour sa candidature le 19 novembre 2014, par message vidéo sur son site web, tout comme Hillary Clinton l'avait fait en 2007. Cet ancien Secrétaire à la Marine de Ronald Reagan, officier de carrière ayant servi au Vietnam, est un démocrate conservateur. Dire qu'il a toutes ses chances est un peu présomptueux car son expérience comme sa notoriété sont faibles. Mais les commentateurs estimaient au lendemain de son annonce qu'il ferait un contradicteur de qualité pour Hillary.

Mais d'autres observateurs se risquent à évoquer d'autres noms moins évidents et qui pourraient surprendre. « Si elle est investie par Obama très tôt, il n'y aura que des candidatures de témoignage que personne n'osera financer », parie un diplomate installé à Washington depuis près de dix ans. « À part Villaraigosa peut-être ? » Allusion à celui qui a été maire de Los Angeles de 2005 à 2013 et qui se retrouve à 61 ans en quête de nouveaux mandats. Gouverneur de Californie ou président des États-Unis ? Malgré un bilan moyen de maire et des histoires prouvées d'infidélité conjugale qui lui ont fait du mal, ce fils d'immigrés au profil latino a le bon âge pour faire un candidat acceptable à la vice-présidence. Même s'il est possible qu'Hillary recherche un latino plus jeune pour faire un ticket.

D'autres commentateurs ont également évoqué plusieurs fois le nom de Deval Patrick. Celui qui fut gouverneur du Massachussetts de 2006 à 2014 aura 60 ans en 2016. Il possède un *story telling* comparable à celui de Barack Obama. Ce fils de musicien de jazz né dans le South Side de Chicago a réussi à l'école, a pu rentrer à Harvard, est devenu avocat, s'est fait connaître en défendant Miss Rhode Island violée par le boxeur Mike Tyson, avant de se lancer en politique et de triompher dans l'État de Kennedy[342]. Lui aussi est en fin de mandat sans possibilité de se représenter. Il a promis qu'il retournerait dans le privé, sauf s'il était nommé ministre de la Justice du cabinet Obama. À moins qu'il ne devienne celui d'Hillary…

Bernie Sanders est un autre candidat potentiel aux primaires qui pourrait représenter l'aile gauche du parti face à la centriste Hillary. sénateur du Vermont, l'un des États les plus gauchisants du pays, Sanders n'a cessé de monter au créneau pour dénoncer le comportement de Wall Street ces dernières années. À 73 ans, il n'a rien à perdre dans cette bataille.

La liste pourrait continuer de s'allonger de noms qui se ventilent en deux catégories. D'une part, celles et ceux qui ont toujours laissé entendre qu'ils ne se présenteraient jamais contre Hillary Clinton pour ne pas gâcher la perspective de la voir devenir la première femme présidente des États-Unis. On peut classer dans ce groupe le maire de Chicago, Rahm Emanuel ou la sénatrice du Minnesota Amy Klobuchar. D'autre part, certains élus démocrates qui croient en leur chance mais qui ne veulent précisément pas apparaître comme des faire-valoir d'Hillary. On peut citer ici l'ancien candidat à la présidentielle de 2004, Howard Dean, le sénateur de Virginie Mark Warner ou le gouverneur du Colorado John Hickenlooper, réélu de justesse en novembre 2014[343].

Il existe donc un double risque pour Hillary Clinton. Le premier est que le vide qu'elle a contribué à créer conforte une nouvelle fois

342. François Clemenceau, *Le Clan Obama, les anges gardiens de Chicago*, p. 73 Riveneuve, 2013.
343. *The Brutalist Guide To 2016's Democratic Contenders*, *The Huffington Post*, 13 juillet 2014 .

l'impression que l'on s'écarte sur son passage parce que la Maison Blanche lui est due. Le deuxième est qu'au cas où un adversaire d'un calibre équivalent entre en piste, les électeurs finissent par se rendre compte, notamment dans les débats, que le nouveau rival représente l'avenir et qu'Hillary est désespérément *so yesterday* comme le clamaient ses adversaires en 2008.

Primary Colors, le cinéma d'Hillary

Avant d'être un film, ce fut un roman. Un best seller. D'autant mieux vendu que l'auteur était anonyme et qu'il n'a pas été très loin pour imaginer le personnage de Jack Stanton, un gouverneur d'un État du Sud qui veut devenir Président des États-Unis, et celui de Susan Stanton, sa femme, omniprésente et ambitieuse pour deux, au point de fermer les yeux sur les excès de son époux. Personne n'est dupe lorsqu'il décrit la relation du gouverneur Stanton avec la coiffeuse de son épouse puis ses difficultés à contrer ses adversaires l'accusant d'avoir dérogé au service militaire pendant la guerre du Vietnam. Son conseiller politique en finit par se demander comment un type sans trop de convictions et qui couche avec la première venue peut devenir Président.

L'anonyme a fini par être démasqué. Joe Klein a écrit *Primary Colors*. Éditorialiste aujourd'hui à *Time Magazine*, passé par le *New Yorker* et *Newsweek*, c'est l'un des meilleurs reporters politiques du pays. Baby-boomer né trois semaines plus tard que Bill Clinton, drogué à l'information politique, connaissant du bout des doigts la carte électorale et le personnel politique, y compris celui des petits États dont on ne parle jamais, il a été l'un des premiers à repérer le gouverneur de l'Arkansas et son épouse Hillary. Le livre est sorti au tout début de leur deuxième mandat à la Maison Blanche. Mais, pour le grand public et dans le reste du monde, c'est le film qui fera connaître le livre et son auteur. En 1998, en pleine affaire Monica Lewinsky, *Primary Colors*, de Mike Nichols, le brillant réalisateur du *Lauréat* et de *Working Girl*, sort sur les écrans. Le metteur en scène a acheté les droits du livre pour un million de dollars. John Travolta interprète le gouverneur Stanton, et Emma Thompson son épouse. Leur ressemblance physique avec le couple Clinton fait que plus personne ne s'y trompe. Au point qu'au Festival de Cannes en 1998, Emma Thompson est obligée de prendre ses distances avec Hillary: «Je ne suis pas Hillary, mais pour jouer ce personnage de Susan Stanton, j'ai compris qu'il fallait jouer un caractère féminin pour qui le sexe, la libido et la politique sont inexorablement liés et que les affaires intimes d'un couple ne doivent pas interférer avec l'objectif de la conquête du pouvoir[344].» Sauf qu'aux États-Unis, le public et les militants découvrent à travers le livre et le film une Hillary qu'ils ne connaissaient pas à ce point, capable d'un cynisme fou, prête à tout pour soutenir son mari jusqu'à la destination finale.

En 2007 et 2008, lorsque Hillary se bat dans l'arène pour conquérir la nomination démocrate pour la Maison Blanche, les médias se demandent comment celle qui manœuvrait jadis dans les coulisses finirait par se conduire sur le devant de la scène. Certains notaient qu'il s'agissait-là d'un dilemme pour Hillary, apprenant à combattre «comme des hommes» pour prouver qu'elle est capable[345]. Tout cela, Emma Thompson avait su l'incarner avec une incroyable anticipation.

Lorsque Bill Clinton demanda un jour à Joe Klein pourquoi il avait écrit *Primary Colors*, le journaliste lui répondit qu'il voulait rendre un hommage à un personnage politique «hors normes». Hillary, qui était dans la pièce au même moment, avait soupiré. En expliquant qu'un président pouvait avoir des qualités «hors normes» qui se conjuguaient forcément avec des défauts comparables, Hillary avait alors laconiquement commenté: «Ça, c'est sûr[346]!» Est-ce vraiment elle, cette femme qui juge de haut, qui se méfie du compliment, qui garde vis-à-vis des journalistes une telle rancœur que toutes leurs tentatives sont jugées suspectes? *Primary Colors* a été un échec commercial. Le public américain a boudé la performance de Travolta et Thompson. Ce qui en dit long sur l'impact des films «politiques» d'Hollywood sur le public en général et les électeurs en particulier.

Hillary Clinton devrait pourtant réapparaître pour la première fois depuis 1998 sur les grands écrans lors de la sortie d'un Biopic intitulé *Rodham*. Sauf coup de théâtre, revirement financier ou pression politique, car jusqu'à présent deux autres projets de série-

---

344. Interview à France 2, le 13 mai 1998.
345. Charles Taylor, *A second look at Primary Colors*, *Slate*, 4 septembre 2007.
346. Interview de J. Klein à *The Observer*, 6 août 2006.

télé sur Hillary Clinton ont échoué. Le premier, produit par NBC, a été retoqué après une fronde du Parti républicain qui y voyait une forme de publicité déguisée en faveur d'Hillary avant la bataille de 2016[347]. Le deuxième, sous forme de documentaire, produit par CNN, a été annulé parce que le réalisateur n'avait trouvé personne qui accepte de témoigner devant les caméras sur le passé d'Hillary Clinton! En revanche, une série produite par CBS et l'acteur Morgan Freeman, a démarré en septembre 2014. *Madam Secretary* raconte la vie au quotidien d'une femme à la tête de la diplomatie américaine. Vu son âge, la quarantaine blonde aux yeux bleus sous les traits de l'actrice Tea Leoni, il est clair qu'elle ne semble incarner ni Madeleine Albright ni Condoleeza Rice[348]. Presque 15 millions de téléspectateurs pour le premier épisode! Troisième meilleure audience de la chaîne derrière l'émission de référence *60 Minutes* et les matches de football américain[349].

Rodham, réalisé par James Ponsoldt, l'un des meilleurs réalisateurs du cinéma indépendant, racontera de son côté l'expérience d'Hillary au sein de la Commission du Congrès chargée du projet de destitution du président Nixon. Une période qui la voit hésiter entre Washington où l'attend une carrière politique prometteuse et l'Arkansas pour y rejoindre son amoureux, jeune prof de droit qui rêve de devenir Président des États-Unis[350]. À l'été 2014, Hollywood bruissait de rumeurs à propos de la candidature possible de Scarlett Johansson pour interpréter le rôle. Le film était prévu pour sortir en salles au début 2016, au tout début de la saison des primaires, le bal des prétendants….

347. *The Hollywood Reporter*, 30 septembre 2013.
348. *The Hollywood Reporter*, 27 janvier 2014.
349. *AFP*, 22 septembre 2014.
350. *The Wrap*, 31 juillet 2013

Programme, demandez-le !

Faire campagne à gauche pour les primaires pour bien montrer qu'elle est fidèle à son parti, puis batailler au centre face à celui ou celle qui sera son adversaire dans le camp républicain. Pour gouverner ensuite de façon pragmatique. C'est un peu la feuille de route d'Hillary jusqu'en 2017 et qui correspond à son ADN. Mais concrètement ? Et comment prendre ses distances avec le bilan de Barack Obama tout en inventant un nouvel agenda qui porte sa marque ?

« C'est du jamais vu depuis le début de l'ère Reagan. Les partis démocrate et républicain suivaient jusque-là, sur le plan économique, des programmes pro-business similaires et ils donnaient à leurs militants des gages sur le terrain sociétal », analyse Michael Lind, un spécialiste de l'histoire économique à la New America Foundation[351]. « Mais aujourd'hui, tant la gauche du Parti démocrate que la droite du Parti républicain développent un nouveau discours économique, très éloigné de celui de Wall Street. » Voici donc le décor dans lequel Hillary devra se mouvoir pour rester proche de sa base. Mais l'ex-sénatrice est lucide. Elle sait bien qu'il lui faudra composer avec un Congrès dont l'équilibre droite-gauche ne lui sera peut-être pas plus favorable qu'aujourd'hui lors de son renouvellement en 2016. Ce même Congrès dont la Chambre à majorité républicaine a refusé de voter la hausse du salaire minimum et où la frange gauche a contesté les coupes budgétaires que souhaitait la Maison Blanche pour réduire les déficits. « Si Hillary Clinton est présidente, la gauche radicale sera certes mécontente », ajoute Michael Lind. « Mais en pratique, Hillary Clinton devra gouverner plus à gauche que son mari, tant sur les questions économiques que sociétales. Car sur ce terrain, les jeunes aujourd'hui sont bien plus à gauche que leurs aînés. »

Bien évidemment, les partisans d'une ligne plus conservatrice au sein du parti démocrate mettent en garde contre ce genre de

---

351. Extrait d'un entretien accordé à Pascal Riché sur *Rue 89*, 4 octobre 1989.

tentation. C'est le cas de Will Marshall, le patron du Progressive Policy Institute, qui élabore une plate-forme d'idées pour la campagne 2016. «Le parti n'a pas besoin de se tourner vers la gauche mais de consolider sur la majorité construite. Hillary aura de meilleurs chiffres qu'en 2008, lorsque les républicains avaient capturé 60% du vote blanc contre Obama[352].» Autour de quel message? «L'idée est de se focaliser sur la nécessité de davantage de croissance, plus d'investissements pour créer de l'emploi, davantage d'innovation au-delà d'internet. Il faut faire passer le message qu'il est temps de restaurer les sources d'opportunité en faisant bien comprendre qu'on est contre la redistribution de richesse sans être pour autant partisans de l'austérité. Donc, il faudra qu'elle soit crédible sur le thème du *stop the bleeding*, le contrôle des déficits, et la réforme du gouvernement. Il faudra trouver les mots pour mettre fin au scepticisme sur la capacité de Washington à changer en étant plus efficace et moins intrusif dans la vie des contribuables. »

Voilà pour l'économie, à l'heure où le thème des inégalités est en train de devenir majeur au sein de l'électorat des plus grandes villes américaines. Restent les deux grands chantiers d'avenir: l'immigration et l'environnement. Sur ces deux questions, Barack Obama n'a pas trouvé de majorité. D'un côté, il promettait de combattre le réchauffement climatique, plus et mieux que George W. Bush qui l'ignorait, et de l'autre, il souhaitait que d'ici la fin de son mandat, l'Amérique naturalise les immigrés clandestins tout en renforçant les frontières et la politique des quotas pour une immigration choisie. Il est frappant que sur ces deux plans Hillary se soit très peu exprimée ces derniers mois, surtout après le grand discours d'Obama, après les midterms, annonçant qu'il procéderait par décret pour naturaliser 5 millions de clandestins. Ainsi qu'après la rencontre du président et de son homologue chinois à l'automne 2014, lorsque les deux leaders se sont engagés en commun et pour la première fois à réduire les émissions de gaz à effet de serre.

«Il faudra qu'elle y aille avec pragmatisme», répond Will Marshall. «Obama n'a pas réussi à trouver une solution d'équi-

---

352. Entretien avec l'auteur le 4 juin 2014.

libre entre les écologistes et l'industrie. Hillary devra donc plaider pour un réalisme énergétique et tant que les prix ne grimpent pas jusqu'au ciel, essayer de nous créer tranquillement une alternative nucléaire. » Hillary bénéficie d'une plus grande marge de manœuvre que Barack Obama dans la mesure où les découvertes et l'exploitation du gaz de schiste aux États-Unis ont permis de rendre le pays quasiment indépendant sur le plan de ses approvisionnements. Mais cela ne résout pas la question de la lutte contre le réchauffement. La tentation sera forte de se réfugier derrière le prétexte du moins-disant, incarné encore pour quelques années par la Chine et l'Inde. Mais ce sera clairement un test, pour ses partenaires européens, de son sérieux et de sa crédibilité sur le sujet.

Quant à l'immigration, Hillary sait bien qu'elle joue gros sur ce sujet. Si elle veut en effet capter le vote latino comme a su le faire Barack Obama en 2008 et 2012, il lui faut donner des gages sur la naturalisation, le regroupement familial, la fin des déportations massives. Or, dans le même temps, 69% des démocrates et 84% des républicains souhaitent une stabilisation ou une décrue de l'immigration[353]. Comment contenter deux électorats aussi contradictoires, sachant que les latinos sont devenus la force d'appoint indispensable pour gagner une présidentielle. Il sera également compliqué pour Hillary comme pour son adversaire républicain de composer un ticket avec un candidat à la vice-présidence latino qui serait en faveur d'un traitement dur de l'immigration hispanique.

---

353. Sondage *Gallup*, juin 2014.

R

Réforme de la santé : l'art et la manière

Hillary a-t-elle tout gâché ? Et Obama ? Il y a une forte ressemblance dans le début des premiers mandats de Bill Clinton et de Barack Obama qui en dit long sur la capacité de l'Amérique à se réformer. Le premier, en acceptant que son épouse s'occupe dès le départ d'une réforme majeure, a pris le risque que ce projet échoue. Or, il n'a pas fait qu'échouer, il a également contribué à accélérer le retour en force des républicains. En 1994, la révolution conservatrice de Newt Gingrich s'empare du Congrès et le garde jusqu'en 2006. Le deuxième a retenu les erreurs de méthode commises par Hillary mais s'est accroché à sa volonté de réformer en bloc le système de l'assurance santé et non petit à petit. Le résultat ? La réforme est votée au forceps mais lui aussi perd les premières élections de mi-mandat tandis que le Tea Party devient le porte-parole de l'Amérique anti-réforme en faveur d'un État minimal.

La seule différence entre Hillary et Obama, c'est que, si le Congrès ne retoque pas la loi, si les Cours suprêmes des États fédérés ne la rejettent pas, et si la Maison Blanche ne repasse pas à droite en 2016, plusieurs dizaines de millions d'Américains auront bénéficié progressivement d'une assurance santé. Ce qui est considérable dans un pays où un Américain sur cinq en 2008 n'était pas couvert sur le plan médical. Autrement dit, Barack Obama aura en partie réussi là où Hillary a complétement échoué.

La cause principale de ce naufrage en 1993 ? La méthode choisie[354]. En optant pour le secret dans la conception du projet, jusqu'à demander à chaque interlocuteur sur le sujet de signer une clause de confidentialité, Hillary suscite la méfiance des législateurs démocrates, parmi lesquels de nombreux spécialistes de la santé qu'elle aurait dû inclure dans son comité de réflexion. « Hillary était intéressée par ce que l'on faisait en France dans notre secteur pour mettre au point sa propre réforme de l'assurance santé aux États

---

354. *Why «Hillarycare» failed and «Obamacare» succeeded*, americanhealthline.com.

Unis», raconte Philippe Douste-Blazy, à l'époque ministre de la Santé en France. «Elle savait que ceux qui étaient contre sa réforme se trouvaient d'abord dans les grands labos pharmaceutiques[355].» En refusant également un minimum de transparence vis-à-vis des industriels du secteur de l'assurance, elle s'est mise à dos la profession qui la suspectait des pires intentions[356]. Il lui faudra attendre six mois avant de comprendre que la présence de son mari serait nécessaire pour «vendre» l'argumentaire de la réforme au grand public. Et neuf mois pour admettre qu'en s'ouvrant enfin aux professionnels de la santé, elle aurait dû, à ce moment-là, afficher une maîtrise parfaite du sujet devant eux.

Le résultat de cette paranoïa brouillonne? Une publicité lancée par le lobby des assureurs. Elle met en scène «Harry et Louise», un couple de la classe moyenne effrayé par la bureaucratie d'un système de sécurité sociale régulé ou administré par l'État. 14 spots sont diffusés à la télévision et à la radio entre septembre 2013 et septembre 1994 pour un coût total à l'époque de 20 millions de dollars. Hillary est ridiculisée. Les élus démocrates au Congrès sont furieux d'avoir été évincés et les républicains ravis de ne même pas avoir eu à discuter du fond. Le président Clinton, lui, sera bloqué dans sa volonté de réformer au point d'adopter la méthode de triangulation suggérée par Dick Morris pour aller piocher les bonnes idées des républicains et les reprendre à son compte pour ne pas apparaître immobile. Si l'ambition de l'administration Obama était d'avoir diminué de 20% le nombre de personnes sans assurance à l'horizon 2014, cet objectif n'a été atteint qu'à moitié[357]. Il faut dire que la mise en service laborieuse des outils de recherche et d'affiliation à une mutuelle via internet et la complexité des échanges pour se débarrasser d'anciennes assurances trop chères au profit de nouveaux contrats moins onéreux, ont retardé la mise en application du plan Obama. Mais ce dernier, critiqué par les clintoniens de son équipe rapprochée pour avoir voulu rechercher des

---

355. Entretien avec l'auteur le 8 juillet 2014.
356. Jeff Gerth et Don Van Natta, *Hillary Clinton, histoire d'une ambition*, p. 172, J.C. Lattés, 2008.
357. Enquête *Gallup* publiée le 10 juillet 2014.

compromis avec les conservateurs avant de se résigner à faire passer en force sa réforme, peut se targuer d'avoir fait bouger les lignes.

Ne nous y trompons pas. L'Amérique, au fond, est un pays tout aussi difficilement réformable que la France. Mais pas pour les mêmes raisons. Chez nous, le maintien des acquis sociaux est une précondition au dialogue, en l'absence de laquelle les syndicats descendent dans la rue. Alors qu'aux États-Unis, où l'inégalité règne dans l'accès à la santé et à l'éducation, c'est le petit peuple qui proteste, afin qu'en paralysant les institutions l'État ne s'occupe surtout de rien. Résultat ? L'Amérique s'adapte plus vite aux changements mais dans l'injustice tandis que la France conserve son modèle social sans pouvoir s'adapter à la mondialisation. Hillary Clinton, qui était venue chercher en France ses inspirations dans le domaine de l'éducation et des soins, sera-t-elle celle qui réconcilie ces deux trajectoires ?

Républicains, la droite peut mourir

« Face à un nouveau Reagan, Hillary perdra en 2016 mais le Parti républicain cherche son Reagan depuis 25 ans et ne l'a toujours pas trouvé[358].» Petite phrase d'un observateur attentif du camp conservateur qui en dit long sur le marasme dans lequel se trouve ce parti depuis 2006. À l'époque, George W. Bush était à la Maison Blanche, la guerre en Irak allait mal et les démocrates finissaient par reprendre le contrôle du Congrès. Depuis ? Le Grand Old Party s'est fracturé en au moins deux grands groupes difficilement réconciliables. Le vieil establishment d'un côté qui croit justement dans les valeurs de Reagan mais aussi dans le rôle de l'État et qui veut pouvoir concilier libéralisme économique et conservatisme sociétal. De l'autre, les champions du Tea Party ou ceux qui en sont les otages, des frondeurs pour qui aucun compromis n'est possible et qui préfèrent paralyser Washington plutôt que de colmater les brèches. La droite la plus bête du monde ? Pas forcément. S'ils savent s'y prendre face à Hillary Clinton, les barons républicains pourraient bien surprendre, si seulement on laissait faire les plus audacieux d'entre eux.

Contrairement au Parti démocrate où Hillary n'a, à ce stade, aucun adversaire de poids pour rivaliser sérieusement avec elle, les primaires républicaines risquent d'être aussi encombrées que le périphérique de la capitale à la *rush hour*. Comme le dit en plaisantant le politologue Charlie Cook, « chez les républicains, on se croirait sur un plateau de figurants dans un péplum de Cecil B. DeMille[359] ». À l'automne 2014, pas moins de 16 figures de la droite américaine avaient fait connaître leur intérêt pour la présidentielle, ce qui ne signifie pas pour autant une candidature officielle. Autant de monde fait que les sondeurs s'arrachent les cheveux pour essayer d'évaluer leurs chances comparativement. Ainsi le site *Real Clear Politics* publiait-il à la mi-octobre un tableau de 12 candidats poten-

---

358. Entretien avec l'auteur le 4 juin 2014.
359. Intervention, en présence de l'auteur, à l'IFRI, le 5 décembre 2014.

tiels dont le premier peinait à atteindre les 12% d'intentions de vote. Dans le quatuor de tête figurent le sénateur du Kentucky, Rand Paul, chouchou des médias et très apprécié du Tea Party bien qu'il ne soit pas parmi ses leaders les plus ultras[360]. À deux décimales près, suit Jeb Bush, l'héritier de la dynastie que sa famille presse de tenter la passe de trois. Hillary Clinton connaît bien le troisième homme dans ce classement qui permet de tester la notoriété des prétendants et l'enthousiasme des sondés à deux ans d'une élection[361]. Mike Huckabee a été gouverneur de l'Arkansas, de 1996 à 2007, et candidat à la Maison Blanche en 2008. Populaire, cet ancien prêcheur baptiste s'est bonifié avec l'âge et séduit tout aussi bien les classiques du Grand Old Party que les modernes trublions du Tea Party. Quant au gouverneur du New Jersey, Chris Christie, il devra se remettre d'un scandale d'abus de pouvoir et de son accolade avec le président Obama lors de la catastrophe de l'ouragan Sandy. Le Tea Party avait vu à l'époque dans cette embrassade le signe de la compromission et les rivaux de Christie, le baiser de la mort qui l'éloignait à jamais de la compétition.

Les autres prétendants n'ont pas dit leur dernier mot. À commencer par le sénateur du Texas, Ted Cruz, dont les électeurs conservateurs aiment le côté tranchant même s'il a amendé ses vues sur l'immigration et la relance économique. Cruz considère, comme la plupart des autres candidats, que la présidentielle ne se gagnera qu'avec le concours d'au moins 20% du vote latino et qu'il faudra donc bien faire des concessions sur le sujet majeur des flux migratoires et de la naturalisation. Paul Ryan, l'ancien colistier de Mitt Romney en 2012, est élu au Congrès où il représente le Wisconsin. Très apprécié des jeunes républicains et de l'aile droite du Parti, il a ses chances. Marco Rubio, enfin, est toujours dans le paysage. Ce sénateur de Floride d'origine cubaine représente l'avenir du Parti républicain sur le plan ethnique et générationnel. Il ferait le

---

360. R. Paul est à la Une de *Time Magazine* le 27 octobre 2014 sous le titre : *The most Interesting Man in American Politics*.
361. realclearpolitics.com/epolls/2016/president/us/2016_republican_presidential_nomination-3823.html.

parfait ticket avec un présidentiable plus âgé et plus expérimenté sur les questions de sécurité nationale.

« Ce qui peut donc plomber Hillary c'est un phénomène Obama inversé. Avec par exemple un Jeb Bush qui ne s'appellerait pas Bush », poursuit notre source washingtonienne plongée dans ses listes. Il pense en particulier au gouverneur de l'Ohio John Kasich. Ce dernier a cinq ans de moins qu'Hillary mais la maturité d'un grand professionnel de la politique. Au cours de ses dix-sept années passées au Congrès, il a été le patron de la commission du Budget au cours du deuxième mandat de Bill Clinton. Il a donc fait partie de ces nombreux élus de droite qui ont négocié avec le président démocrate, notamment sur le sujet sensible des armes à feu. Il est surtout l'un des rares à vouloir réformer le Parti pour qu'il gagne enfin[362]. L'Ohio est en outre l'un des deux États, avec la Floride, où chaque présidentielle peut basculer dans la mesure où ces deux swing states, dotés d'un nombre important de grands électeurs, ont toujours donné le vainqueur final.

2016 est une année-clef pour les républicains. Après avoir laissé John McCain et Mitt Romney perdre face à Barack Obama, les conservateurs savent que la démographie électorale ne joue pas en leur faveur. À chaque cycle électoral, les latinos, les noirs, les jeunes et les femmes accroissent mécaniquement les scores des candidats démocrates. « S'il continue son dérapage, le Parti républicain ne sera bientôt plus que le parti d'un électorat blanc, rural, masculin, du Sud. Un parti de niche en quelque sorte », écrit Guillemette Faure dans *American Dream*[363]. La question est de savoir si ses leaders veulent vraiment sortir de cette impasse qui est aussi idéologique.

---

362. *The Washington Post*, 14 octobre 2014.
363. G. Faure : *Dictionnaire rock historique et politique de l'Amérique*, p. 311, Don Quichotte, 2012.

Rire, ce qui se cache derrière

S'agit-il d'un tic, d'une sorte de réflexe nerveux, d'une parade, d'une technique visant à gagner du temps ou tout simplement d'une façon assez naturelle de montrer qu'elle a de l'humour même lorsqu'on lui joue de mauvais tours ? Hillary Clinton, en public mais également en privé selon ses proches, est une rieuse. Lanny Davis, l'un de ses anciens camarades à la fac de droit de Yale, devenu plus tard conseiller juridique à la Maison Blanche sous les Clinton, se souvient que sa première vision d'Hillary fut celle d'une étudiante au rire tonitruant qui créait presque l'attroupement autour d'elle[364]. Son rire n'a jamais vraiment varié. Rire de gorge qui peut rouler en cascade si l'interlocuteur ou le comique de situation se révèle drôle à ses yeux. Les mauvaises langues, essentiellement les blogueurs républicains et la presse de droite, estiment qu'elle «glousse». Et c'est vrai que parfois, le rire d'Hillary peut vite devenir agaçant, à la limite du vulgaire.

«Le plus, c'est son rire, franc et naturel, son arme suprême.» La remarque émane d'un officiel français qui fut en poste à New York et à Washington[365]. S'il parle d'arme c'est bien que parce que le rire d'Hillary vise à désarmer son interlocuteur, un adversaire lors d'un débat politique ou un journaliste qui tente de la déstabiliser. À sept ans d'intervalle, le rire d'Hillary Clinton a été analysé, disséqué, ridiculisé. En 2007, elle venait de répondre à de multiples interviews en pleine pré-campagne des primaires démocrates. En 2014, elle s'est livrée à la promotion répétitive de ses Mémoires de Secrétaire d'État. Dès que la question paraît directe ou difficile, voire tendancieuse, Hillary se met à rire. Pas franchement de façon spontanée, plutôt mécaniquement, comme si elle se donnait du temps pour répondre[366]. Qu'il s'agisse de la sécurité sociale, de son avenir en politique ou du dossier nucléaire iranien, Hillary

---

364. Interview à *Changing lines*, *Rear Clear Politics*, 12 juin 2014.
365. Entretien avec l'auteur le 3 juin 2014.
366. *New York Times*, 28 septembre 2007.

est capable de désarçonner l'interviewer en essayant de l'associer dans son rire qui devient alors une prise de distance, une façon de minimiser le sujet traité. Ce qui amène un jour l'un des présentateurs-vedettes de Fox News à estimer que le rire d'Hillary Clinton n'est pas très «présidentiel[367].» Même le *National Journal*, la bible du monde politique, se pose la question en juin 2014 de savoir si le rire d'Hillary ne cache pas quelque chose. L'auteur de l'article parle d'un «rire inconfortable», d'un «tic qui réapparaît avec force», d'un «ricanement nerveux[368]».

Pas du tout, rétorquent les proches d'Hillary. Terry McAuliffe, baron clintonien par excellence et actuel gouverneur de Virginie, estime que «le formidable rire tonitruant d'Hillary est une preuve de l'existence difficilement visible de son humanité». Comme si Hillary était donc une personne comme une autre, une bonne nature qu'un rien amuse. Mais le problème vient du fait qu'elle est pratiquement la seule à donner dans ce registre. Ce rire, soupçonné d'être un artifice, possède en outre son revers. Il est arrivé ainsi qu'Hillary se mette à rire de la question de savoir s'il fallait oui ou non bombarder l'Iran, lors d'un débat avec l'ancien patron de la diplomatie américaine James Baker en juin 2012. Ou, dans une interview ressortie des archives, de rire à plusieurs reprises de l'histoire d'un violeur qu'elle a dû défendre lorsqu'elle était commis d'office à l'université de Fayetteville dans l'Arkansas en 1975. L'interview date de 1980. Elle avait été accordée au magazine *Esquire* pour un portrait d'elle qui n'avait jamais été publié. Ressorti en juin 2014, avec les extraits audio en prime où on entend Hillary rire de son client qui avait réussi le test du détecteur de mensonges, ce document a suscité une nouvelle levée de boucliers anti-Hillary[369]. Selon les critiques, ce rire mettait en cause la sincérité de son combat féministe face à une jeune victime de 12 ans dont elle aurait dû respecter la souffrance subie.

---

367. *Slate*, 28 septembre 2007.
368. *National Journal*, 27 juin 2014.
369. *CBS News*, 8 juillet 2014.

Aux États-Unis, bien plus qu'ailleurs, le sens de l'autodérision est cultivé dès le plus jeune âge pour apprendre à relativiser les choses et, surtout, pour savoir en toutes circonstances détendre l'atmosphère. D'où ces petites phrases quasi-automatiques et obligatoires à chaque début de discours en public pour mettre les rieurs de son côté et fuir la solennité. Le dîner annuel des correspondants de la Maison Blanche donne lieu à ce genre d'autodénigrement de la part du président des États-Unis et la plupart des dîners de gala comportent une dose de « *roast* », de mise en boîte de l'organisateur ou de l'invité d'honneur. Hillary Clinton connaît donc tous ces codes par cœur. La question n'est pas donc pas tellement de savoir si elle a le sens de l'humour ou si elle est capable de rire de tout, et surtout d'elle-même, mais si cette façon de rire en public n'est pas une façon de cacher son embarras.

Rodham, papa, maman et mes frères

« J'ai grandi dans une famille qui semblait sortir tout droit de la série télévisée des années 50, *Father Knows Best*[370]. » Hillary Rodham Clinton a toujours su utiliser à bon escient ses racines de la classe moyenne américaine du Middle West. Il faut lui faire crédit qu'elle ne les a pas inventées. Aujourd'hui, maintenant que ses parents ne sont plus de ce monde et que ses frères restent éloignés des projecteurs, il lui arrive de donner l'impression qu'elle a du mal à se situer socialement dans son propre pays.

Hugh Rodham, son père, a été un tuteur pour cette fille aînée élevée dans le principe qu'elle devait faire aussi bien que les garçons. Mais, outre ce père républicain, traditionaliste et près de ses sous, Hillary a surtout trouvé le confort moral, la tolérance et l'indulgence auprès de sa mère Dorothy. Si le père a été élevé à la dure et s'est lancé dans le commerce du textile sans aller jusqu'à l'université, Dorothy Howell vient de plus loin encore. Ses parents, d'origine modeste, ont divorcé lorsqu'elle avait huit ans et c'est elle qui a pris en charge sa petite sœur de quatre ans pour aller vivre chez leurs grands-parents paternels dans la banlieue de Los Angeles en Californie. Elles y ont été mal traitées au point que Dorothy a fini par fuguer pour aller travailler comme jeune fille au pair dans une famille accueillante qui l'a encouragée à reprendre ses études au lycée. Grâce à l'équivalent du bac, elle a pu trouver, de retour à Chicago, un emploi de secrétaire dans une compagnie textile où elle a fait connaissance de son futur mari Hugh Rodham. Hillary pense que cette jeunesse malheureuse de Dorothy a joué un rôle considérable dans le surcroît d'affection dont elle a bénéficié de la part de sa mère. Dans ses trois livres autobiographiques, Hillary parle longuement de cette mère qui a toujours été là pour elle. Dans *Le Temps des Décisions*, elle revient pour la première fois sur

---

370. Traduite et diffusée en français à partir de 1960 sur l'ORTF sous le titre *Papa a raison*. Série « familiariste » au scénario conservateur et religieux, dont la plupart des acteurs ont fini, dans leur vie privée, par divorcer.

la mort de sa maman en 2011. «Personne n'a eu plus d'influence sur ma vie et n'a façonné davantage celle que je suis devenue.» Si Hillary a connu son père jusqu'à son décès en 1993, elle a la chance d'avoir côtoyé sa mère presque vingt ans de plus. «J'ai regardé Chelsea et je me suis rappelée combien sa grand-mère était fière d'elle. Ma mère mesurait la valeur de sa vie à l'aide et au réconfort qu'elle apportait aux autres. Si elle était encore parmi nous, je sais qu'elle nous inciterait à faire de même. Ne jamais se reposer sur ses lauriers. Ne jamais renoncer[371].»

Pour tous ceux qui ont vu Hillary et sa mère Dorothy sur les tréteaux de la campagne présidentielle 2008, on sentait bien à l'époque entre elles une connivence qui tenait presque d'un partenariat d'affaires. Avec son côté *Queen Mother*, Dorothy était la caution de l'Amérique profonde apportée sur un plateau dans les meetings. Comme si, sans sa présence, les électeurs auraient pu confondre Hillary avec n'importe quelle autre vedette du business politique qui dépense tellement d'argent pour se faire élire, qu'on finit par se demander si les candidats ne sont pas déconnectés de la réalité. Utiliser le souvenir de Dorothy dans *Le Temps des Décisions*, qui amorce sa pré-campagne présidentielle 2016, a été perçu par quelques commentateurs comme une tentative de plus de faire jouer le *story telling* d'Hillary. Exactement comme Obama l'avait fait pour ses racines africaines et hawaïennes. Mais Hillary est nettement plus connue, possède davantage d'expérience politique. Est-ce parce que son nom reste encore si clivant, comme disent les sondeurs, qu'Hillary se livre à ce nouveau stratagème?

Ce qui est sûr, c'est qu'on ne risque pas de voir resurgir, volontairement du moins, Hugh Rodham Jr et son frère Tony. S'ils étaient là tous les deux, avec le reste de la famille, à l'hôpital puis à l'Église pour un dernier hommage à leur mère, les frères Rodham ont appris à se faire discrets. Hugh était davantage travailleur que son cadet. Diplômé en sciences et en droit, il a fait le *Peace Corps* (service civique) en Colombie avant de s'installer en Floride où il est devenu avocat commis d'office. C'est dans cette activité qu'il s'est

---

371. Hillary R. Clinton, *Le Temps des Décisions*, p. 707-708, Fayard, 2014.

spécialisé dans la défense d'un nouveau programme destiné à lutter contre le trafic de cocaïne, devenu incontrôlable dans les années 90. La directrice de ce programme préventif et répressif, Janet Reno, deviendra plus tard ministre de la Justice sous Bill Clinton. À cette époque où Hillary était First Lady, les deux frères ont voulu profiter de cette exposition pour faire des affaires. Souvent au détriment des intérêts fédéraux ou diplomatiques du pays. C'est ainsi qu'ils ont monté une société de vente de noisettes en Géorgie (ex-soviétique) avec un opposant au président Chevardnadze, au grand dam du conseiller à la sécurité nationale Sandy Berger. Hugh a essayé aussi, comme sa sœur aînée plus tard, de devenir sénateur. Mais sans succès. Même infortune pour ravir la tête du Parti démocrate de Miami.[372] À 64 ans aujourd'hui – est-ce la consigne reçue d'en haut ? – l'homme reste discret.

Tout comme son frère Tony. Lui aussi a essuyé pas mal d'échecs. Sans diplômes, il a multiplié les expériences. Ouvrier métallurgiste, VRP en assurances, recouvreur de dettes, gardien de prison, détective privé, on ne peut pas dire que la stabilité était son point fort. Sa première épouse, Nicole, est la fille de la sénatrice démocrate de Californie Barbara Boxer. Mais ce mariage échoue au bout de six ans. Au cours de la présidence Clinton, Tony a tenté plusieurs fois d'obtenir des contrats de consultant avec des dirigeants étrangers en utilisant son nom de famille comme carte de visite, au risque de gêner la Maison Blanche. Avec son frère aîné, il a été pris plus d'une fois en flagrant délit d'obtenir des dons importants au profit du Parti démocrate ou de candidats démocrates en échange de diverses commissions. Depuis que sa sœur Hillary a été battue aux primaires de 2008 et qu'il a alors évoqué « ne plus savoir pour qui voter », ce qui n'était pas très adroit, Tony s'est illustré une nouvelle fois dans une affaire louche mêlant l'administration des services d'immigration et une société qu'il avait créée, à qui avait été attribuée une autorisation de délivrer des visas pour des investisseurs étrangers[373].

372. *The New York Times*, 16 octobre 1994.
373. NBC News, 23 juillet 2013.

Tout enfant a besoin d'un champion[374]. Hillary avait son père, puis sa mère, puis son mari dont elle fit son héros. Mais Hugh Jr et Tony ont semble-t-il souffert de cette grande sœur si brillante, si volontaire, si impitoyable dans son ambition. À elle de les accompagner maintenant dans leurs dernières années. C'est elle l'aînée. C'est elle leur championne.

---

374. Hillary R. Clinton, *Il faut tout un village pour élever un enfant*, p.39, Denoël, 1996.

Eleanor Roosevelt, l'idole

L'épouse du seul président américain qui enchaîna quatre mandats d'affilée ne pouvait être absente du panthéon personnel d'Hillary Clinton. Pas seulement un modèle de First Lady mais aussi une source d'inspiration dans sa vie de femme. Il faut dire que, pour une *baby boomer* qui s'est adonnée à la politique au début des années 70, il aurait été difficile de prendre exemple sur des femmes aussi conservatrices et conventionnelles que Betty Ford, Barbara Bush ou Pat Nixon. Si Eleanor Roosevelt, nièce d'un grand président républicain et mariée à un phénoménal président démocrate, n'a jamais envisagé de «faire» de la politique, elle a été une contributrice sans précédent aux grandes causes des minorités dans les années 50, des femmes aux noirs en passant par les laissés-pour-compte du libéralisme américain. Après la mort de son mari, elle a été nommée par la Maison Blanche déléguée aux Nations Unies, ce qui lui a permis d'être témoin des discussions qui ont précédé l'élaboration de la Charte Universelle des Droits de l'homme. Typiquement le genre de mission qui aurait plu à Hillary si elle avait décidé de ne pas retourner devant le suffrage universel.

Parmi les nombreux points communs qui existent entre Hillary et Eleanor, la volonté de servir un homme et à travers lui une conquête du pouvoir. Si l'épouse de Bill Clinton ne l'avait pas stimulé et n'avait pas codirigé ses campagnes, il est probable qu'il n'aurait pas réussi à gagner la Maison Blanche. Il en va également pour Franklin Delano Roosevelt qu'Eleanor a encouragé à viser toujours plus haut alors qu'il était déjà frappé par la polio et paralysé des deux jambes. Ensuite, il y a évidemment le rôle occupé à la Maison Blanche. Du fait même du handicap vécu par FDR, Eleanor était «ses yeux et ses oreilles» à travers le pays qu'elle sillonnait en son nom ou lors de missions d'observation destinées à affiner les décisions prises à Washington. «Comment une femme peut-elle concilier la famille et la politique, l'amour et l'ambition, le couple et la vie publique? Hillary n'entend renoncer à rien», écrit Christine Ockrent. Et d'enchaîner sur ce résumé de la vie d'Eleanor qui semble servir de modèle à Hillary : « Elle épaulera sa carrière, le soutiendra dans les coups durs, supportera ses frasques, tolérera l'adultère, lui servira d'émissaire lorsqu'il sera paralysé dans un fauteuil, jusqu'à se forger son propre rôle, pasionaria des droits civiques, militante du syndicalisme, à la pointe de tous les combats pour défendre les damnés de la terre, les enfants et les femmes[375]. »

Lorsque Hillary, en 1992, tente de définir le rôle qui sera le sien à la Maison Blanche, c'est une fois de plus vers Eleanor qu'elle se tourne. En faisant bien attention à ce que son choix ne finisse pas par nuire au nouveau président, ce qui serait évidemment contre-productif. « Eleanor n'avait jamais fait d'études universitaires. Hillary, elle, était la première First lady avec un statut professionnel égal à celui de son mari, la première à avoir un long parcours d'action politique et un soutien politique considérable à Washington. Mais Eleanor, qui avait sillonné le pays pour être "les yeux et les oreilles" de FDR avait été critiquée parce qu'elle avait attiré l'attention sur le fait que le Président était cloué sur une chaise roulante », note avec subtilité Judith Warner, l'une des biographes américaines les plus sérieuses d'Hillary[376].

« Hillary a une admiration sans borne pour Eleanor Roosevelt, c'est une femme de pouvoir qui a voulu exercer à la Maison Blanche un rôle d'influence », analyse de son côté François Bujon de l'Etang, ambassadeur de France à Washington au cours de la présidence Clinton. « Elle n'a jamais cherché à voler la vedette à Bill mais à le mettre en valeur car elle est éperdue d'admiration pour lui. Ils ont une complicité inimaginable. Elle a voulu le servir. Ce qui ne l'a pas empêché de préparer son avenir à elle[377]. »

Est-ce par caprice, sortilège ou juste pour marquer le coup qu'Hillary a donc ajouté au mobilier de la Roosevelt Room de la Maison Blanche un portrait encadré d'Eleanor ? Pas besoin d'une fine analyse psychologique pour y voir une sorte de transfert. Installer Eleanor dans la salle où se réunit le gouvernement de

---

375. Christine Ockrent, *La double vie d'Hillary Clinton*, p.58, Robert Laffont, 2001.
376. Judith Warner, *L'énigme Hillary*, p. 156, éditions N°1, 1999.
377. Entretien avec l'auteur le 11 juin 2014.

l'Amérique, où se tiennent les réunions politiques les plus importantes et où se mettent en scène les déclarations présidentielles les
plus sensibles revenait à dire : j'ai beau avoir mon bureau un étage
au-dessus, dans la West Wing, avec un autre portrait d'Eleanor,
nous sommes toutes les deux des co-présidentes. Même sentiment
de complicité à distance lorsque la première statue d'une femme
est érigée à New York en 1996, celle d'Eleanor. Hillary est invitée à
rendre hommage à son idole.

Tout au long des deux mandats, au fur et à mesure des crises qui
ont jalonné cette présidence, Hillary Clinton a trouvé une forme de
réconfort dans le soutien de ses amies du Hillaryland (les femmes
qui constituent son cabinet dans la West Wing de la Maison
Blanche), dans la foi de sa religion méthodiste mais également dans
des conversations imaginaires avec Eleanor Roosevelt, introspec-
tions dialoguées dans sa tête lors des moments de flottement ou de
doute. «Depuis que les crises se succédaient, je me répétais comme
un mantra la remarque d'Eleanor selon laquelle toute femme
entrant dans la vie politique devait "se faire une peau aussi coriace
que celle d'un rhinocéros". Je me suis indiscutablement cuirassée
au fil des ans. (…) Ce fut pour moi une période très solitaire qui
me coupa des autres[378].» L'aveu est de taille, il montre aussi la détermination d'Hillary à passer outre, à garder le cap. Ce qui lui fera
franchir indiscutablement un certain nombre d'obstacles mais la
conduira aussi à commettre des erreurs par entêtement.

---

378. Hillary R. Clinton, *Mon Histoire*, p. 541, J'ai Lu, 2003.

S

Santé, l'heure du *check-up*

« Surtout, ménage-toi plus que moi, mais tu prends la mauvaise pente parce qu'on te voit partout[379] !» Voici le conseil que donne Hillary Clinton à Laurent Fabius en cette fin décembre 2012 lorsque le français prend des nouvelles de sa collègue en lui souhaitant de se rétablir vite. Le chef de la diplomatie française n'essaie pas de battre le record de pays visités que détient Hillary, mais ils savent tous les deux qu'à force de passer plus de temps dans les avions que sur la terre ferme la fatigue s'accumule. Dans la semaine du 9 décembre 2012, la secrétaire d'État s'évanouit chez elle à Chappaqua. En tombant, elle se cogne la tête. Le 10 décembre, elle annule son déplacement au Maroc où elle doit assister à une réunion du groupe de contact des Amis de la Syrie. Le 13 décembre, les médecins diagnostiquent une commotion cérébrale. Le 15, l'équipe médicale du Mount Kisko Medical Group, évoque une intoxication alimentaire qui aurait déclenché une déshydratation, cause de l'évanouissement et de la chute. Le 20, sur le conseil des médecins, Hillary Clinton annule toutes ses activités. Le 30, lors d'une nouvelle visite médicale, la secrétaire d'État passe un scanner. Un caillot de sang est détecté entre le cerveau et la paroi crânienne au-dessus de l'oreille droite. Le Dr Lisa Bardack et sa consœur, le Dr Jehan el-Bayoumi (qui préside la Fondation Dorothy Rodham) annoncent qu'un traitement à base d'anticoagulants est en cours. Le 2 janvier, Hillary Clinton sort de l'hôpital. Le 7, elle est de retour au Département d'État, à treize jours de la prestation de serment de Barack Obama pour son deuxième mandat. Beaucoup de bruit pour rien ?

La santé d'Hillary Clinton sera au cœur de la campagne 2016. Pour ses adversaires, il s'agira de démontrer qu'elle souffre de séquelles et que l'Amérique ne peut pas avoir à sa tête une femme dont on peut douter de la bonne santé. Hillary, elle, cherchera à prouver que cet épisode de la fin d'année 2012 est banal. «On a raconté des tissus de bêtises sur la santé d'Hillary Clinton»,

---

379. Cité dans le *Journal du Dimanche* le 27 janvier 2013.

témoigne l'ancien ministre Philippe Douste-Blazy, médecin et ami du couple Clinton depuis une décennie. «En tombant, elle a heurté de la tête le coin d'une table. Dans un premier temps, on a l'impression d'aller bien mais dans un deuxième temps il est fréquent qu'on perde conscience. C'est typique de l'hématome sous dural après une commotion cérébrale. Il est produit par l'obturation d'un petit vaisseau dans le cerveau, qui se met à saigner et provoque ainsi un hématome. Lorsque cet hématome gonfle à l'intérieur, ce n'est pas grave. Grâce à un instrument de ponction, on parvient à le résorber, c'est une intervention bénigne. Cela n'a rien à voir avec un AVC, un accident cardio vasculaire[380].» Personne ne nie qu'Hillary Clinton, en décembre 2012, était extrêmement fatiguée. À la limite du surmenage. «Je l'ai vue parfois à cette époque complètement vidée comme si elle avait un logiciel de minimalisation de ses mouvements et de ses efforts», témoigne un diplomate français en contact régulier avec elle[381]. «À la fin, elle était crevée. Je l'ai vue une fois dormir la tête dans les bras lors d'une réunion ministérielle de l'OTAN en décembre 2012», confie un participant à ce sommet sans savoir qu'au retour de ce périple en Europe, Hillary serait victime de l'intoxication alimentaire à l'origine de son malaise et de sa chute[382].

Lorsque le Département d'État annule ses déplacements puis son agenda tout entier, plusieurs élus républicains ironisent alors sur ce qu'ils appellent le «Benghazi flu», une grippe diplomatique que la secrétaire d'État se serait inventée pour ne pas se rendre au Congrès afin d'y répondre de ses responsabilités supposées dans la mort de l'ambassadeur Chris Stevens à Benghazi au mois de septembre.

Une fois John Kerry nommé pour lui succéder à la tête du Département d'État, Hillary choisit alors de s'isoler. Mais dès son retour sur la scène publique au début 2014, les commentaires reprennent. Le stratège électoral conservateur Karl Rove, architecte des victoires

---

380. Entretien avec l'auteur le 8 juillet 2014.
381. Entretien avec l'auteur le 3 juin 2014.
382. Entretien avec l'auteur le 29 juin 2014.

de George W. Bush, évoque ainsi une «lésion cérébrale». Comme si Hillary pouvait se retrouver du jour au lendemain atteinte dans ses fonctions motrices ou intellectuelles. Interrogé en mai 2014, Bill Clinton prend la défense de son épouse: «Il faudrait savoir : elle s'est inventée une maladie ou c'est une morte-vivante? Moi, je peux vous dire qu'elle a vécu six mois très durs mais qu'aujourd'hui elle va beaucoup mieux. Elle fait de la gym une fois par semaine et elle court plus vite que moi.»

«Il fallait impérativement qu'elle retrouve la forme», commente un diplomate européen en poste à Washington. «C'est pour cela qu'elle a glissé au détour d'une phrase qu'elle avait passé des mois à regarder l'intégralité de la série *House of Cards* et qu'elle s'était mise au yoga[383].» Plus tard, lors de la sortie de ses Mémoires, Hillary sillonne le pays et part en tournée à l'étranger. Fatiguée? «J'ai des amis qui ont dîné avec elle le week-end dernier à Long Island et ils m'ont dit qu'ils n'avaient jamais vu Bill et Hillary dans une telle forme», confie Alain Minc dans le creux du mois d'août 2014[384].

Reste la question de l'âge. Hillary fêtera ses 68 ans le 26 octobre 2015. On entendra donc beaucoup parler de Ronald Reagan pendant la campagne 2016. L'ancien gouverneur de Californie a prêté serment le 20 janvier 1981 à l'âge de 69 ans. Il a même été réélu…

---

383. Entretien avec l'auteur, le 4 juin 2014.
384. Entretien avec l'auteur, le 12 août 2014.

Scandales, comploteurs et démocratie

Les hypocrites les appellent controverses, les accusateurs y voient des délits tandis que la presse leur rajoute le mot *gate* à la fin, comme pour les rattacher au souvenir du Watergate, le seul scandale dans la politique américaine s'étant achevé par la démission d'un président des États-Unis, Richard Nixon. Les nombreuses affaires ayant émaillé la présidence Clinton n'ont pas éclaboussé Hillary par ricochets mais parce qu'elle s'y était impliquée elle-même. L'histoire l'aurait sans doute jugée autrement si elle était restée dès le départ à l'écart du fonctionnement de la Maison Blanche. Mais c'est bien à cause de son ambition de co-présider le pays, qu'elle a partagé le fardeau des humiliations. Pour autant, le casier judiciaire d'Hillary Clinton est vierge en 2014. Son mari, Bill, n'a écopé que d'une radiation du barreau de l'Arkansas pour cinq ans pour avoir menti dans l'affaire Paula Jones. Et s'il a été conduit devant le tribunal du Congrès pour être destitué, il y a été acquitté. Le jugement de l'opinion publique ? Bill Clinton a terminé son deuxième mandat avec une popularité de 60%. Un score qui avait atteint 73% au plus fort de l'affaire Monica Lewinsky. Et de tous les présidents encore vivants aujourd'hui, il est le plus populaire à 64%[385].

Et Hillary ? Lorsqu'elle quitte la Maison Blanche en janvier 2001, l'opinion publique lui est favorable à 60%, après être passée par un pic d'impopularité à 42% au début de la campagne de réélection de son mari en 1996. La sortie de son livre *Il faut tout un village pour élever un enfant* à cette époque lui fait remonter la pente de dix points. Au Département d'État, sa cote n'est jamais descendue en dessous de 57%[386]. Maintenant qu'elle est repartie dans le marathon présidentiel, elle redevient un peu plus polarisante mais la sympathie qu'elle inspire ou le rejet ne tiennent plus à ce qu'elle a été. Plutôt à ce qu'elle souhaite redevenir.

---

385. Sondage *Gallup*, 8 juin 2014.
386. *Huffpost Pollster*, 13 octobre 2014.

Travelgate, Troopergate, Monicagate : toutes ces affaires, qui sont venues s'ajouter au dossier *Whitewater* et à l'enquête sur la mort de Vince Foster ainsi qu'au scandale du financement de la campagne 1996 par des hommes d'affaires chinois, ont illustré la capacité d'Hillary Clinton à se montrer trop impétueuse dans sa façon de défendre sa vie privée et trop légère pour affronter le sérieux de la gestion publique. Mais, comme son mari Bill, elle n'a tendance à se préoccuper que de l'impact politique des choses. Être scrutée par la presse, raison de sa haine des médias, et vilipendée par ses ennemis n'a pas tant de prise sur elle. Ce qui compte, c'est d'aller au bout de sa volonté et d'être jugée au résultat.

La difficulté de l'exercice, désormais, est de faire campagne sur ce bilan de caractère. Avant même qu'elle ne se déclare officiellement, ses adversaires ont remis au goût du jour les mots qui se finissent en *gate*. En estimant que c'est de bonne guerre de montrer que la femme qui se présente aujourd'hui ne peut occulter celle qu'elle a été. Face au rappel des scandales anciens ou à l'éclosion de ceux à venir, Hillary aura deux options. Soit d'ignorer en estimant que les pages sont tournées et que les Américains ne lui ont pas tenu rigueur des indignités des années 90. Soit de contre-attaquer au risque que cette agressivité ne fasse remonter les mauvais souvenirs de cette période durant laquelle, First Lady, elle co-présidait dans une logique de combat, ce que les Américains n'avaient guère apprécié.

Les jeunes qui voteront en 2016 n'ont pas connu cette paren-thèse présidentielle démocrate de huit ans, coincée entre douze années de mandats Reagan-Bush et huit autres dirigées par les néo-conservateurs de George W. Bush. Les Clinton, ils les ont surtout connus dans les livres d'histoire contemporaine au lycée. S'ils ont bien appris leur leçon, ils ont compris ce qu'écrit l'his-torien George Donelson Moss à propos de l'année la plus noire de la présidence Clinton en 1998 : « La seule chose de positif à retenir de cette longue année de naufrage, c'est la discipline politique des citoyens américains. Une large majorité d'entre eux ont rapidement conclu qu'un président ne pouvait pas être destitué de sa charge pour des raisons qui tiennent à sa vie privée, même si elles étaient répréhensibles. Que le gouvernement du pays soit sorti fort et intact de cette longue crise prouve le bon sens des citoyens et la solidité des institutions[387].» Fort et intact? C'est sans doute exagéré, car le prix à payer a été très élevé : si, aux élections de mi-mandat en 1998, les démocrates ont réussi contre toute attente à reprendre quelques sièges à la Chambre et à retrouver une égalité de voix au Sénat, ils l'ont obtenu dans un scrutin que 120 millions d'Américains ont boudé! Une abstention gigantesque qui reflète de plus en plus le rejet des élus, incapables selon les Américains de faire fonctionner efficacement les mécanismes de la démocratie américaine, ce qui constitue à leurs yeux le vrai scandale.

---

387. George Donelson Moss, *America in the Twentieth Century*, p. 588, Pearson, 2004.

Sénat, l'antichambre

C'est la grande bataille des gouverneurs et des sénateurs. Depuis 1945, cinq présidents sur douze sont venus du Sénat, dont trois ont pris directement la Maison Blanche sans passer par aucune autre case. Parmi les sept autres présidents élus, quatre ont été gouverneurs, dont Bill Clinton, deux venaient de la vice-présidence et le dernier, Eisenhower, était militaire, commandant en chef de l'OTAN. Autrement dit, le Sénat reste une antichambre du pouvoir exécutif pour les 100 élus qui y siègent. Si Hillary Clinton gagne en 2016, elle pourra rajouter à cette expérience législative celle du Département d'État. C'est unique. Encore faut-il avoir un passé de sénatrice qui supporte d'être disséqué. Les traces qu'elle y a laissées seront examinées à la loupe par ses adversaires.

« Lorsqu'elle est arrivée au Sénat en 2001, tout le monde a ricané sur cette ex-First Lady qui débarquait avec sa cour de 40 personnes », se souvient l'ancien ambassadeur de France à Washington, François Bujon de l'Etang. « Elle a vite compris son erreur, a réduit son staff et a commencé par faire ses classes. Non pas dans les commissions prestigieuses des Forces armées et du Renseignement mais dans les Affaires économiques et sociales. Elle faisait très attention à son comportement, elle était assidue et se gardait de toute déclaration fracassante[388]. » Hillary Clinton a en effet très vite compris qu'elle devait rompre avec son image de First Lady polarisante. Elle travaille dans la très austère commission du Budget et vote dès la première année contre les réductions d'impôts accordées aux foyers les plus aisés souhaitées par le gouvernement de George W. Bush. Pour asseoir son profil œcuménique, elle participe activement aux petits-déjeuners de prière du Sénat, l'occasion de prier et de méditer avec des parlementaires démocrates et conservateurs. Avec son collègue Chuck Schumer, l'autre sénateur démocrate de l'État de New York, elle obtient au lendemain du Nine Eleven, les attentats du 11-Septembre, une enveloppe de 20 milliards pour la recons-

---

388. Entretien avec l'auteur le 11 juin 2014.

truction de la zone impactée. Elle vote également en 2001 le très controversé Patriot Act qui renforce considérablement les pouvoirs des forces de sécurité dans la lutte contre le terrorisme. Elle fait également voter une loi d'indemnisation et de prise en charge des milliers de rescapés qui ont fait partie des équipes de secours. Mais son vote en faveur de la guerre en Irak en 2002 reste comme une tache indélébile aujourd'hui bien qu'elle ait confessé tardivement cette « erreur ».

Vers la fin de son premier mandat, Hillary met en avant ses capacités à coopérer avec des élus républicains pour initier des lois bipartisanes. Que ce soit avec Lindsey Graham, pour inciter fiscalement les entreprises manufacturières à fabriquer des produits 100% américains. Ou avec Bill Frist, le chef de la majorité républicaine, pour moderniser les méthodes de remboursement des soins médicaux et créer des dossiers électroniques pour les patients. Ou bien avec Joe Liberman pour protéger les jeunes contre les éditeurs de jeux vidéo violents.

Brillamment réélue pour un deuxième mandat, son travail au sein de la commission des Forces armées, qu'elle a rejointe depuis 2003, lui permet de se déplacer fréquemment sur les théâtres des deux guerres d'Afghanistan et d'Irak. Mais à l'approche de sa candidature à la présidentielle en 2007, puis des primaires en 2008, ses votes au Sénat sont de plus en plus « politiques[389].» C'est ainsi qu'elle s'oppose au renfort de troupes réclamé par le président Bush en Irak et qu'elle vote pour un calendrier de retrait des soldats, initiative qui fera l'objet d'un véto présidentiel.

Après avoir été battue par Barack Obama aux primaires, Hillary Clinton serait bien restée au Sénat pour y poursuivre son mandat jusqu'en 2012. Certains de ses proches faisaient déjà courir le bruit qu'elle pourrait prendre le poste de chef de la majorité sénatoriale[390]. Mais les conseillers d'Obama pensaient que ce serait peut-être dangereux de voir une ex-rivale jouer un rôle si influent

389. Expression utilisée par l'ancien secrétaire à la Défense, Bob Gates, dans ses Mémoires, et commentée dans le *Wall Street Journal* le 13 janvier 2014.
390. *The Washington Note,* blog de Steve Clemons (*The Atlantic*), 10 septembre 2008.

sur le cours des réformes à mettre en œuvre. En lui proposant le Département d'État, Obama cumulait les avantages de reconstruire l'unité du parti et de pouvoir contrôler Hillary sur le territoire de la politique étrangère. La secrétaire d'État laisse donc sa place au Sénat à Kirsten Gillibrand, dont le destin « à la Hillary » ne fait que commencer.

Hillary aura connu le Sénat des deux côtés de la barrière. Dans l'opposition au président Bush, puis en tant que secrétaire d'État lors des nombreuses auditions de contrôle de ses activités. L'une de ses grandes joies aura été de voir sa nomination à la tête de la diplomatie américaine validée par le Sénat par 92 voix contre 8. Largement au-delà de son propre camp. Un score presque bipartisan en quelque sorte.

Lors de l'élection présidentielle du 8 novembre 2016, les américains auront également à renouveler 34 sièges au Sénat. Aux *midterms* de 2014, les démocrates ont subi une lourde défaite. Le rapport de forces actuel donne 54 sièges aux républicains, 44 aux démocrates et deux à des élus indépendants. Il sera donc très difficile de renverser la vapeur bien que la droite ait deux fois plus de sièges à défendre en 2016 que les démocrates. En imaginant qu'Hillary Clinton soit élue et que son parti ne parvienne pas à reprendre le Sénat, et encore moins la Chambre des Représentants où les Républicains dominent largement, l'Amérique risque fort d'être encore une fois paralysée par une cohabitation. Comme ce fut le cas pour Bill Clinton entre 1994 et 2000. Il sera intéressant alors de voir comment Hillary jouera de sa différence dans l'art du compromis avec son opposition

Kenneth Starr, le marteau-pilon

Il a un an de moins qu'Hillary. Alors qu'elle était présidente des étudiants républicains en arrivant à la fac, lui dirigeait le club des jeunes démocrates de la Harding University dans l'Arkansas. Tous deux se sont retrouvés à distance dans un même combat contre la guerre au Vietnam. D'ailleurs, lui, comme Bill Clinton, échappa à la conscription. Tous deux sont des enfants du *Deep South* et de la pauvreté. Kenneth Starr était le fils d'un barbier prêcheur des Églises du Christ. Élevé au Texas, le futur procureur a dû son salut à de brillantes études. Pour faire son droit, il est passé par la George Washington University de la capitale fédérale et par la prestigieuse Duke University. Dire que c'était un affreux réactionnaire puritain et anti-chasseur de démocrates tient de la caricature. La preuve, Kenneth Starr aurait dû être sélectionné par le président George Bush Sr pour être juge à la Cour Suprême, mais son profil n'a pas été jugé suffisamment conservateur. Juge fédéral nommé par Ronald Reagan à la Cour d'appel du District of Columbia, il a été cependant promu comme avocat du gouvernement auprès de la Cour Suprême, un poste de confiance.

Qu'est devenu le procureur indépendant des affaires *Whitewater* et de l'enquête sur le suicide de Vince Foster? Celui qui a failli obtenir la destitution du président Clinton? Il est aujourd'hui le président de la Baylord University dans son Texas natal. Entre-temps, après avoir échoué à faire condamner Bill Clinton par le Sénat, il a continué ses activités d'avocat. Il a défendu ainsi les intérêts de la très controversée Blackwater, une société qui fournit des agents de sécurité au Pentagone et au Département d'État dans leurs missions en Irak. La compagnie a été poursuivie pour la mort de quatre civils irakiens à Falloujah en 2004. Commis d'office sur un cas de condamnation à mort en Virginie en 2005, il a obtenu la clémence pour le braqueur meurtrier. Recruté en 2008 par les adversaires du mariage homosexuel en Californie, il a réussi à faire valider un référendum d'initiative populaire visant à bannir l'union de personnes du même sexe, mais sans parvenir à rendre cette initiative rétroactive. Lorsqu'en 2009, *Time Magazine* lui demande s'il éprouve le moindre regret sur la façon dont il a mené son enquête contre le couple Clinton à la Maison Blanche entre 1994 et 1998, il répond: «Avec le recul, il aurait été préférable, plus prudent qu'un autre que moi s'occupe du dossier Monica Lewinsky[391].» Une façon de reconnaître que cette affaire ne relevait pas de sa compétence première et qu'il est allé chercher le Président sur un terrain différent de celui qui devait l'occuper, à savoir l'affaire *Whitewater*. Mais Starr prétend aussi que personne ne l'a arrêté. Ni le comité spécial qui l'avait désigné, ni la ministre de la Justice Janet Reno. Un feu vert assez compréhensible puisque toute tentative de le freiner ou de le révoquer aurait été interprétée comme un aveu de culpabilité. Résultat, Starr ne s'est fixé aucune limite et ne s'est interdit aucune méthode. C'est ce qui a conduit à l'enregistrement clandestin des conversations de Monica Lewinsky par son amie Linda Tripp. Monica avait beau nier aux enquêteurs sa relation passée avec le Président, elle racontait le contraire à sa confidente du Pentagone où elle avait été exfiltrée. Ce qui débouchera sur la saisie de la fameuse petite robe bleue et à l'expertise d'ADN sur la personne du président Clinton. Sans compter le rapport de 445 pages soumis aux élus du Congrès, dans lequel certaines pages rivalisent avec le Kama Sutra...

Si Kenneth Starr a eu la décence de refuser un poste de responsable que lui offrait l'université de Pepperdine en Californie, c'est parce qu'il savait qu'elle était généreusement subventionnée par des dons du milliardaire Richard Mellon Scaife, l'un des cerveaux du complot de la droite anti-Clinton. Mais cela ne l'a pas empêché finalement d'y accepter le poste de doyen de la nouvelle faculté de Politiques publiques en 2004. Est-ce que toutes ces années de cauchemar risquent de resurgir dans la campagne 2016 d'Hillary Clinton? Oui. Il est très difficile pour les adversaires de l'ex-First Lady de résister à cette tentation de la salir à nouveau. Les médias et les maisons d'édition ont également soif d'aveux tardifs. Le récit, par exemple, du procureur Robert Fiske, le prédécesseur de

---

391. *Time Magazine*, 9 janvier 2009.

Kenneth Starr, publié récemment, joue en faveur des Clinton[392]. Selon lui, s'il n'avait pas été débarqué de sa mission en 1994, il aurait pu coffrer la plupart des responsables de l'affaire *Whitewater*, y compris des très proches du couple Clinton. Comme s'il sous-entendait qu'il n'avait aucune piste pour aller plus loin et que c'est la raison pour laquelle un chasseur plus obstiné avait été désigné pour prendre sa place.

392. Interview à *Yahoo News*, 7 octobre 2014.

T

Tea Party, la grande infusion

Et si Hillary Clinton souhaitait que le Tea Party soit encore plus fort ? Lorsqu'on est au pouvoir, le réflexe de survie conduit naturellement ses détenteurs à souhaiter une opposition la plus faible possible. De ce point de vue, Barack Obama et Hillary ont souffert de la montée en puissance de ce mouvement hétéroclite de 2009 jusqu'à aujourd'hui. Le président, parce que le Tea Party était à la pointe du combat contre sa réforme historique de l'assurance santé. Hillary, car les élus et les journalistes les plus conservateurs n'ont jamais cessé de la mettre en difficulté pour sa gestion du dossier Benghazi. Sauf qu'aujourd'hui, l'enjeu est différent. Il s'agit de gagner 2016. Que vaut-il mieux pour elle ? Un adversaire républicain le plus modéré possible qui risquerait de faire jeu égal avec elle ? Ou un candidat le plus proche possible des thèses du Tea Party qu'elle pourrait plus facilement écraser ?

Ils l'ont appelée l'American Evita, pour rappeler la femme du dirigeant populiste Juan Peron en Argentine, surnommé Lady Macbeth, l'épouse perfide de la pièce de Shakespeare, ou Hitlery pour faire la rime[393]. Ils l'ont qualifiée de « marxiste » également, car ils ne sont pas à une contradiction près. La proximité d'Hillary avec le pape du *social organizing* Saul Alinsky, sujet de sa thèse à Wellesley, suffisant à l'étiqueter pour l'éternité[394]. Mais les adjectifs les plus polis qui reviennent régulièrement dans les commentaires des militants du Tea Party, via les forums où ils partagent allègrement leurs ressentiments sur internet, traitent Hillary de « diabolique », « machiavélique » ou « psychopathe ». La plupart des autres sont classés X.

Pourquoi tant de haine ? Parce qu'Hillary Clinton représente tout ce qu'ils vomissent. « Ils », c'est-à-dire ces militants, dont beaucoup de femmes, qui viennent d'horizons assez divers. Le Tea

---

393. Margaret Carlson, *Hillary as Lady Macbeth and Mother Teresa combined*, *Bloomberg News*, 13 février 2014.
394. Article du *Free Beacon* du 22 septembre 2014, repris par le site TeaParty.org.

Party, qui tire son nom de la révolte des contribuables américains contre la taxe sur le thé réclamée par le colon anglais, rassemble tous ceux qui s'opposent à l'*establishment*[395]. Avec d'abord les libertariens de droite, vaste troupeau qui a suivi son premier berger Ron Paul la Constitution à la main comme si, avec la Bible, elle suffisait à tout expliquer et tout gouverner. S'y ajoute la grande masse des déçus de la droite républicaine classique pour qui le Grand Old Party se déshonore lorsqu'il tente avec les démocrates de chercher des consensus pour relever les défis. À leurs yeux, aucun dirigeant républicain, sauf Dwight Eisenhower et Ronald Reagan, n'ont réussi à incarner les valeurs de la droite. On y ajoutera les sécessionnistes, ces citoyens et contribuables qui ne veulent plus de l'autorité de Washington dans leur vie et parfois même celle de la capitale de leur propre État. Isolationnistes pour la plupart, ils se sont opposés aux guerres de George W. Bush. Pour faire bonne mesure, on n'oublie pas les défenseurs les plus stricts du 2e amendement sur la liberté du port d'armes, les anti-mariages gays ainsi que les très nombreux fidèles des mouvements évangéliques pro-Israël.

Cette coalition des « antis » s'est longtemps cherché un candidat capable de convaincre au-delà de ses propres rangs. Les élections de 2008 et de 2012 ont montré qu'avoir des convictions est une chose mais que des solutions pour gouverner sont nécessaires. Michelle Bachman, Rick Perry, Sarah Palin ou Ted Cruz sont capables d'enflammer les foules mais dès qu'ils se retrouvent dans un débat contradictoire, ou carrément au Congrès, ces élus républicains soutenus par le Tea Party souffrent d'un manque de crédibilité. Échappe à ce portrait de groupe qui s'auto-caricature en permanence, un élu qui a pris de la stature et pourrait bien donner du fil à retordre aux barons du parti républicain comme à ses adversaires démocrates. Rand Paul, le fils de Ron Paul, est un ancien ophtalmo devenu sénateur républicain du Kentucky en 2010. À 52 ans, il a su progressivement se distancer des barons du parti conservateur tout en gardant des liens forts avec le mouvement du Tea Party.

---

395. Alan Caruba, *Go away Hillary*, sur le site Teapartynation.com, 18 septembre 2014.

En mars 2014, devant la Conservative Political Action Confe-
rence, qui se tient chaque année à Washington, Rand Paul déclare :
« Ce n'est pas suffisamment bien d'avoir à choisir entre deux maux,
nous devons élire des hommes et des femmes de principe, de conviction
et d'action qui nous conduisent à nouveau vers la grandeur[396]. »
À l'issue de ce discours, Rand Paul multiplie par trois les intentions
de vote en sa faveur dans le camp républicain. Son appel à ne pas
négliger le vote des noirs, des hispaniques et des jeunes est jugé
salutaire par ceux qui, au sein du Parti, estiment qu'il s'agit là du
plus grand défi démographique qui les attend en 2016.

Un duel Hillary Clinton contre Rand Paul ? À l'automne 2014,
alors qu'ils ne s'étaient déclarés officiellement ni l'un ni l'autre,
les sondages donnaient Hillary gagnante avec huit points et demi
d'avance en moyenne sur le républicain[397]. Qu'il se soit déclaré en
faveur d'une interdiction totale de l'avortement, y compris en cas de
viol et d'inceste, sauf si la vie de la mère est en danger, notamment
lors de grossesses extra-utérines ne joue évidemment pas en sa faveur
dans l'électorat féminin. Rand Paul porte des prothèses auditives,
mais sa surdité politique sur nombre de sujets n'est pas étrangère à
ce décalage d'intentions de vote.

---

396. *The Washington Times*, 7 mars 2014.
397. *Real Clear Politics*, 29 septembre 2014.

Three AM, la pub

C'est l'histoire d'un spot de pub électorale qui devait tout changer. Mis au point par l'équipe de campagne d'Hillary Clinton en pleine campagne de la primaire du Texas qui doit se tenir le 4 mars 2008, et alors qu'elle est toujours distancée par Barack Obama en nombre de délégués et en argent frais pour financer ses efforts, le spot de 30 secondes doit détruire la crédibilité du sénateur de l'Illinois dans le domaine de la sécurité nationale. Hillary Clinton avait depuis longtemps déjà insisté sur son propre palmarès, son expérience acquise aux côtés de son mari à la Maison Blanche, ses nombreux voyages, son passé au Sénat, où elle faisait partie de la commission des Forces armées. Mais elle n'avait jamais suggéré, implicitement et si brutalement, que son jeune challenger noir n'était pas capable de faire face à une crise de sécurité majeure. D'où ce spot qui ne fait pas dans la dentelle.

La scène se passe de nuit dans ce qu'on devine être la maison d'une famille américaine ordinaire. Et le seul son qu'on entend est celui d'un téléphone qui sonne tout au long de ces trente longues secondes angoissantes. Puis, une voix d'homme épaisse et mûre, du genre de celle qu'on entend dans une bande-annonce de thriller au cinéma, donne le ton : « Il est trois heures du matin et vos enfants dorment en toute sécurité. Mais il y a un téléphone à la Maison Blanche qui sonne. C'est qu'il se passe quelque chose de grave dans le monde. Votre vote choisira la personne qui répondra à ce coup de fil. Quelqu'un qui connaît déjà le monde et ses dirigeants ainsi que l'armée, quelqu'un qui a été testé dans son aptitude à diriger dans un monde dangereux. Il est trois heures du matin et vos enfants dorment en toute sécurité. Qui allez-vous choisir pour répondre au téléphone ? » La réponse est dans la dernière image du spot : Hillary Clinton, lunettes sur le nez, tailleur beige, un combiné de téléphone blanc dans la main droite, concentrée à son bureau éclairé par une simple lampe dans l'obscurité, suivie de ce simple message : « Je suis Hillary Clinton, et j'approuve ce message. » Signe légal qu'elle l'assume comme outil de campagne et qu'il ne s'agit pas de l'une de ces publicités politiques féroces ou odieuses mises en scène par un comité de soutien qui agit en mercenaire, en marge de l'appareil officiel de la campagne Hillary et qui pourrait tout se permettre au nom de son indépendance[398].

Ce spot de pub comparative illustre trois facettes importantes de la personnalité d'Hillary Clinton. La première, c'est évidemment qu'elle est une battante. Elle ne rend pas les armes facilement. Lors de cette primaire au Texas, qui se joue également le même jour dans l'Ohio, chaque camp sait que cette bataille est décisive. Hillary met donc toutes ses forces dans cette bagarre et elle enfile les gants de boxe. S'il faut taper là où cela fait mal, car l'inexpérience d'Obama reste objectivement un handicap pour lui, allons-y.

Le deuxième trait de caractère qui émerge de ce spot, c'est cette impression que la victoire lui est due. Déjà dans l'Iowa, elle n'avait que peu fait campagne parce qu'elle ne croyait pas une seule seconde que ses rivaux feraient mieux qu'elle. La candidate naturelle du Parti, c'était elle, l'ex-First Lady devenue sénatrice et qui portait le nom d'un président de plus en plus populaire. Or, la victoire d'Obama dans l'Iowa montre que ces seuls critères ne suffisent pas. Pourtant, à Waco au Texas, le jour de la première diffusion du spot, face à un parterre d'anciens combattants, elle insiste à sa façon : l'expérience internationale, c'est moi et pas lui, le caractère trempé dans les épreuves, aussi. Sous-entendu, le CV doit faire la différence.

La troisième leçon à tirer de ce moment charnière de la campagne d'Hillary, c'est sa difficulté à ne pas anticiper l'effet boomerang de certaines de ses décisions. Que va-t-il se passer en effet dans le camp Obama après le matraquage du spot *Three AM* ? Attaqué sur ce qui paraît être son point faible, le challenger réplique sur le même terrain en plaçant Hillary dans ses propres contradictions. « La question n'est pas de savoir qui va répondre au téléphone », martèle-t-il lors d'un meeting à Houston, mais quel est le jugement dont vous ferez preuve à ce moment-là. Nous avons déjà connu un tel épisode de téléphone rouge, c'était au moment de savoir s'il fallait

---

398. The Caucus, *New York Times*, 29 février 2008.

ou non envahir l'Irak. Et la sénatrice Clinton a donné la mauvaise réponse ce jour-là [399].» Allusion à l'un des premiers votes d'Hillary au Sénat lorsqu'il s'est agi de donner les pleins pouvoirs au président Bush pour entrer en guerre contre l'Irak de Saddam Hussein. En associant Hillary à John McCain, candidat favori des républicains au printemps 2008, et au Président Bush, en rappelant comment l'opinion publique avait été prise en otage par « une stratégie de la peur » après les attentats du Nine Eleven (11-Septembre), Obama fait coup double.

Plus tard, lorsqu'elle sera au Département d'État, Hillary Clinton devra affronter plusieurs *Three AM calls*. Qu'il s'agisse de la décision de capturer Bin Laden au Pakistan ou de rejoindre la France et la Grande-Bretagne dans les opérations de bombardement en Libye. Mais surtout lors de l'assaut donné par des djihadistes contre le consulat américain à Benghazi et qui entraînera la mort de l'ambassadeur Stevens. Si dans les deux premiers cas, Hillary a joué son rôle, ses adversaires républicains n'ont pas fini de lui faire savoir qu'elle n'a pas été à la hauteur dans la troisième crise.

---

399. The Fix, *Washington Post*, 29 février 2008.

Ticket, un avant-goût de salsa

C'est évidemment un peu tôt pour y penser mais le choix du N°2 avec qui bâtir un ticket gagnant pour la présidentielle a déjà traversé l'esprit d'Hillary Clinton. Pourquoi ? Parce qu'à droite comme à gauche, la plupart des stratèges savent que cette élection 2016 se jouera en partie au sein de l'électorat latino. D'abord, parce que c'est celui qui progresse le plus en volume. Ensuite, parce qu'avec la réforme globale de l'immigration qui n'a toujours pas été adoptée, les latinos vendront très cher leur ralliement. Il est donc plus que probable qu'un latino figure sur les deux tickets concurrents de 2016. Et Hillary a déjà sa petite idée.

Généralement ce choix du N°2 ne se fait qu'à partir du moment où l'on connaît son adversaire. Bien qu'aucun candidat au poste de VP ne fasse gagner une élection à son patron, le contraire peut être vrai. C'est le cas de Sarah Palin qui a contribué à faire perdre John McCain en 2008. Il faut donc trouver le bon profil qui complète la panoplie du leader. Si Hillary se retrouve ainsi face à un Rand Paul ou un Paul Ryan, appuyés par le Tea Party, «elle aura intérêt à choisir quelqu'un comme le sénateur de Virginie, Mark Warner, car elle doit faire plus et mieux avec les électeurs blancs du Sud», analyse Will Marshall, le directeur du Progressive Policy Institute qui sera actif dans la campagne 2016 d'Hillary. «Ou bien un gars du nord, de l'Ohio par exemple, ou proche des minorités. Il y aurait bien Castro mais attention, il est séduisant mais complètement novice[400].» Marshall fait référence à Julian Castro, l'étoile montante du Parti démocrate, l'ancien maire de San Antonio au Texas devenu à 39 ans le nouveau ministre du Logement de Barack Obama. Avec son frère jumeau Joaquin, Julian Castro n'a cessé d'épater les pontes du Parti démocrate, car ces enfants d'immigrés de la deuxième génération n'ont cessé d'accumuler les succès dans un État profondément républicain. Tous les deux sont passés par Standford et Harvard avant de devenir avocats. Joaquin s'est jeté

---

400. Entretien avec l'auteur le 4 juin 2014.

dans le chaudron de la politique le premier en se faisant élire au Congrès en 2002. Julian a suivi en prenant la mairie de San Antonio en 2008.

Le Texas qui a toujours voté à droite à la présidentielle depuis 1976 risque de rebasculer à gauche en 2020 en raison de la poussée démographique des latinos. «Et si le Texas devient un *toss-up* pour les démocrates, la présidentielle n'est plus gagnable pour les républicains», décrypte un diplomate qui connaît bien sa carte électorale. *Toss-up* signifie que l'État n'est plus acquis par définition à la force qui le contrôlait jusqu'à présent. Ce n'est pas encore un *swing state* qui peut basculer d'une élection à l'autre à droite comme à gauche. Mais cela change la donne. Car le Texas est le troisième État le plus peuplé du pays après la Californie et New York. Si les républicains le perdent, il est probable en effet mathématiquement qu'ils ne le regagnent plus jamais. À moins que les latinos finissent par ne plus voter très majoritairement démocrate. C'est pour cette raison qu'Hillary devra expliquer très vite quelles sont ses priorités en matière d'immigration, notamment pour limiter les expulsions d'enfants sans-papiers qui ont beaucoup choqué les électeurs démocrates. On ne sera donc pas étonné qu'elle et Julian Castro se soient déjà vus à plusieurs reprises. Notamment en juillet 2014 à New York puis à Washington pour un dîner au domicile d'Hillary[401]. Le jeune ministre du Logement a pour parrain un autre latino, en la personne d'Henry Cisneros, qui occupa exactement les mêmes fonctions au ministère du Logement au cours du premier mandat de…Bill Clinton.

---

401. *The Washington Post*, 14 août 2014.

Troisième voie, la boussole centriste

« Mes chers compatriotes, nous avons trouvé une troisième voie. Nous avons le gouvernement le plus réduit depuis 35 ans mais il est davantage progressiste. Nous avons un gouvernement plus petit mais une nation plus forte. » Ces mots que prononce le président Bill Clinton dans son discours sur l'État de l'Union le 27 janvier 1998 évoquent une formule politique qui est au cœur de la stratégie des Clinton depuis qu'ils ont décidé de faire de la politique. Et Hillary risque fort de l'incarner également, à sa façon, si elle revient au pouvoir.

Depuis le début des années 90, Bill et Hillary Clinton ont promu la notion de centrisme aux États-Unis. La plupart des think tanks démocrates de Washington travaillent sur cette thématique capable de rassembler au-delà des clivages traditionnels. C'est le cas de l'organisation Third Way fondée par Jonathan Cowen, l'ancien bras droit du ministre du Logement Andrew Cuomo sous le deuxième mandat Clinton. Ou du Progressive Policy Institute, dirigé par Will Marshall, l'un des deux premiers animateurs du Democratic Leadership Council. Cette filiale du parti démocrate créée en 1985, après l'échec de Walter Mondale face à Ronald Reagan l'année précédente, visait à dépoussiérer l'argumentaire idéologique démocrate et à tenir davantage compte des préoccupations de l'électorat conservateur. Hillary, elle, a joué un rôle important dans la création du Center for American Progress, dont les rênes ont été confiées à John Podesta, l'ancien secrétaire général de la Maison Blanche pendant les deux dernières années de la présidence Clinton. Un think tank centriste, mais dont les thématiques économiques restent assez marquées « à gauche ».

Aujourd'hui, « les démocrates ont besoin d'un nouveau pragmatisme au cours de la prochaine présidence pour accroître leurs scores parmi les électeurs qui les ont lâchés entre 2008 et 2012 », confie Will Marshall[402]. « Les républicains ont fait l'erreur de leur abandonner

---

402. Entretien avec l'auteur le 6 juin 2014.

le centre deux fois. Ils ne recommenceront pas.» «Hillary n'aura, malgré tout, pas à faire pencher la balance sur le plan idéologique car l'époque n'est plus au centrisme, poursuit-il. Ces batailles-là ont été réglées il y a longtemps et Barack Obama lui-même s'est montré beaucoup plus pragmatique. Ce qui fait que sous son mandat, il n'a pas eu trop de difficultés pour résoudre les problèmes de l'industrie automobile ou casser le système bancaire. Il a agi avec une certaine forme de continuité et il a conquis les modérés à deux reprises.» La difficulté et la chance d'Hillary aujourd'hui, c'est que si le parti démocrate est en effet bien accroché au centre, «il y a de plus en plus d'électeurs à droite ou à gauche des deux grands partis», analyse un diplomate français qui suit au quotidien l'évolution électorale américaine. «Ce qui oblige parfois les candidats à coller aux extrêmes. Le Congrès n'a plus que 9% d'opinions favorables. La campagne Clinton peut s'appuyer là-dessus[403].»

Pour essayer d'offrir un minimum de consensus visible sur l'un des terrains de compétence régalienne, la défense, Barack Obama a recruté par deux fois un patron du Pentagone républicain. D'abord avec Bob Gates qui était en place sous George W. Bush et qu'il a gardé à son poste. Puis avec Chuck Hagel après sa réélection en 2012. Mais sur les autres grandes questions d'intérêt général, comment afficher dans le gouvernement de l'Amérique davantage d'unité nationale? Une autre organisation «centriste» est née récemment. Créée par Nancy Jacobson, l'ancienne trésorière du parti démocrate sous la présidence Clinton, No Labels se veut un réservoir d'idées où démocrates et républicains réfléchissent ensemble aux solutions des grands défis que devra affronter le prochain président des États-Unis à partir de 2016. Ou la prochaine présidente...

«Il y a quatre grands dossiers que la grande majorité des Américains veulent voir résolus: sauver les retraites et l'assurance vieillesse pour les 75 ans à venir, rééquilibrer enfin le budget fédéral d'ici 2030, assurer notre sécurité énergétique d'ici 2025 et créer 25 millions d'emplois dans le même temps», explique Nancy

---

403. Entretien avec l'auteur le 3 juin 2014.

Jacobson[404]. « Si on ne s'y attaque pas, je ne vois pas comment sortir des impasses dans lesquelles ce pays est plongé, notamment au Congrès. Il nous faut donc un président qui propose une méthode différente pour s'en sortir ». Une méthode centriste ? L'épouse de l'ancien directeur de campagne d'Hillary, Mark Penn, répond : « Le centrisme, on l'a déjà essayé dans ce pays, mais il était toujours de notre côté, nous les démocrates. Aujourd'hui, aucun des deux grands partis ne peut s'attaquer seul aux problèmes. Nous avons donc besoin d'un président qui dès son premier jour à la Maison Blanche devra tendre la main à l'opposition pour relever les défis que je viens d'évoquer. »

No Labels a déjà mis en forme un programme dans une brochure qui porte la signature, parmi d'autres, de Newt Gingrich, le chef de la révolution conservatrice qui avait raflé les élections de mi-mandat du premier mandat de Bill Clinton et qui avait mené la vie dure au couple présidentiel de l'époque. No Labels est ensuite allé tester ses idées auprès du grand public lors de conférences-débats à travers le pays. Notamment dans le New Hampshire où se déroule traditionnellement l'une des premières primaires de la campagne présidentielle. « Ils ont adoré », assure Nancy Jacobson. À Hillary, si on a bien compris, de se servir de cet outil post troisième-voie.

---

404. Entretien avec l'auteur le 5 juin 2014.

V

Vacances, le prix à payer

Ah qu'elles sont loin les vacances en amoureux de cet été 1972 que Bill et Hillary ont passées à Zihuatanejo au Mexique ! Ils avaient la vie devant eux et, entre deux baignades dans les rouleaux du Pacifique qui se jetaient sur la plage d'Ixtapa, les tourtereaux refaisaient le monde. Au printemps suivant, ils étaient partis en Europe et c'est dans la sauvage campagne galloise que Bill avait demandé Hillary en mariage. La relation difficile des Clinton avec les vacances a commencé lorsqu'ils sont arrivés à la Maison Blanche. Certes, le président et la First Lady aimaient beaucoup Camp David, la résidence des présidents américains à la frontière du Maryland et de la Pennsylvanie. Franklin Roosevelt avait décidé de faire de ce camp de base de chômeurs employés dans les grands chantiers d'infrastructures des années 30 une propriété familiale pour le président et ses proches. Rustique, forestier, havre de paix, Camp David est idéal pour les week-ends de demi-saison mais l'été, la chaleur y est parfois suffocante. Alors les Clinton ont entamé un cycle de vacances estivales qui, encore aujourd'hui, leur est beaucoup reproché.

En 1992, Bill Clinton emprunte la villa de l'un de ses amis producteurs sur la plage de Santa Barbara en Californie. L'année suivante, lui et Hillary se font inviter par un homme d'affaires dans sa résidence balnéaire de Hilton Head en Caroline du Sud, puis chez le magnat du pneumatique Leonard Firestone dans son très chic chalet de Vail dans le Colorado avant de se faire héberger chez l'ancien ministre de la Défense de Kennedy, Robert McNamara, propriétaire d'une belle demeure à Martha's Vineyard, l'île des fortunés de la côte est. Au printemps 1994, c'est la Californie, dans un cottage au bord de l'océan emprunté à Larry Lawrence, un grand contributeur de fonds du Parti démocrate et que Bill Clinton nommera ambassadeur en Suisse[405].

---

405. *The Baltimore Sun*, 3 septembre 1994.

L'argumentaire offert à l'époque par les conseillers de la Maison Blanche est pauvre : le couple ne possède pas de bien immobilier et il est normal que la famille ait droit à un minimum de vie privée en dehors des résidences officielles tout en restant sous bonne garde du Secret Service. C'est en partie vrai. Les Clinton n'ont jamais eu, avant comme pendant leur séjour à la Maison Blanche, suffisamment d'argent pour s'offrir une maison à Martha's Vineyard où la plupart de leurs nouveaux amis possèdent une villégiature. Pour le Nouvel An 1998, en plein pic de l'affaire Monica Lewinsky, le couple s'offre quelques instants de rêve aux îles Vierges. La photo (volée ou posée) de leur slow sur la plage restera dans les annales comme le comble de la manipulation médiatique aux frais du contribuable.

Depuis qu'ils sont devenus propriétaires à Chappaqua et Washington, les Clinton n'ont pas investi un dollar de plus dans l'achat d'une résidence estivale. Trop cher ? La plupart des maisons dans lesquelles ils se font inviter sont estimées à un minimum de 10 millions de dollars. Ou bien parce qu'on n'achète pas une maison pour y passer deux semaines par an ? Toujours est-il qu'entre une invitation chez le grand couturier Oscar de la Renta[406] dans sa plantation en République Dominicaine et des week-ends chez Vernon Jordan et son épouse à Martha's Vineyard, Bill et Hillary ont fini par opter pour la location. Mais pour l'Américain moyen, dépenser entre 50.000 et 300.000 dollars pour la saison estivale, surtout en temps de crise, est devenu très choquant. On le pardonnerait à une star du rock ou du sport, mais pas à d'anciens élus de la nation, encore moins à une candidate à la Maison Blanche. S'en 2013, les Clinton ont défrayé la chronique en louant dans les Hamptons (le Deauville des New-yorkais), une villa de sept chambres où Bill Clinton a fêté ses 67 ans avec Paul McCartney pour 200 000 dollars le mois, l'été 2014 a été un peu plus « sage[407] ». À une trentaine de kilomètres plus à l'est, les Clinton ont trouvé

406. Oscar de la Renta, longtemps conseiller artistique d'Hillary, dessinateur de la robe de mariée de Chelsea, est décédé en octobre 2014.
407. ABC News, 12 août 2014.

à Amagansett, toujours à Long Island, une «petite» maison de vacances pour seulement 100.000 dollars. Le village est un peu moins *trendy* que Bridgehampton où les grands couturiers et les marques de luxe ont installé leurs boutiques, mais les Clinton ont apparemment réussi leur reconversion dans le tourisme estival «populaire[408]». Les photos prises du couple, elle en tunique longue légère et lui en bermuda, se promenant sur la plage avec leurs chiens, doivent envoyer un message : les vacances de nouveaux riches, c'est fini. Une campagne présidentielle est si vite arrivée...

---

408. *The New York Times*, 24 avril 2014.

Vietnam, une anti-guerre devenue faucon

Elle a vingt-trois ans lorsque le 7 mai 1970 elle monte à la tribune de la Ligue des électrices à Washington qui célèbre son cinquantième anniversaire. Elle arrive de Yale où trois jours plus tôt les étudiants ont décidé à une écrasante majorité de rejoindre un mouvement de grève qui affecte déjà plus de 300 facultés à travers le pays. Le 4 mai, la Garde Nationale de l'Ohio a ouvert le feu sur les jeunes manifestants qui protestent contre l'envoi de troupes américaines au Cambodge, une décision prise par le président Nixon qui ouvre un autre front dans la guerre du Vietnam. Hillary Rodham porte un brassard noir. Comment expliquer qu'elle est contre « le chaos et la révolution » et qu'en même temps elle conteste « l'élargissement inadmissible d'une guerre qui n'aurait jamais dû être menée[409] ». Hillary est en cohérence avec elle-même. Cette opposition à la guerre n'est pas nouvelle. Déjà en 1968, elle a fait campagne en faveur d'Eugene McCarthy, le rival démocrate du président Johnson, essentiellement en raison des renforts de troupes au Vietnam décidés par le successeur de John Kennedy. Si Hillary contribue plus tard à masquer la tentative réussie de Bill Clinton d'échapper à la conscription, ce n'est pas par pacifisme mais pour gagner la Maison Blanche. Lorsqu'elle retourne plus de vingt ans après avec lui à Hanoï pour la normalisation des relations entre les États-Unis et le Vietnam, elle éprouve une immense fierté.

Comment dès lors fait-elle la part des choses entre les bonnes et les mauvaises guerres? Hillary a-t-elle toujours voulu être du bon côté de l'histoire? Contre la guerre au Vietnam à l'heure où la jeunesse américaine se révolte? Pour la guerre en Irak avec George W. Bush dans la foulée des attentats du 11-Septembre? Pour la guerre en Syrie, lorsque Barack Obama annule au dernier moment des frappes contre le régime de Bachar?

« C'est un fait qu'Hillary est plus faucon qu'Obama. Lui, il croyait qu'il avait été élu pour finir les guerres de Bush et remettre

---

409. Hillary R. Clinton, *Mon Histoire*, p. 71, J'ai Lu, 2003.

le pays debout sur le plan économique. Elle, elle n'aime pas la guerre non plus mais elle aime beaucoup les militaires», répond Julianne Smith, chercheur au Center for a New American Security et ex-conseillère à la sécurité nationale du vice-président Joe Biden. «Mais en Syrie, c'était différent. Avec Obama qui ne faisait rien et qui pensait que ce conflit pouvait être contenu régionalement, il y avait un point de contentieux sur la question de savoir s'il fallait livrer des armes aux rebelles. Lorsque Obama a essayé finalement de se lancer dans les frappes, à peine un Américain sur trois le soutenait, du jamais vu depuis 25 ans. Moi, je pensais qu'on ne pouvait pas rester les bras croisés, je n'en dormais plus. Hillary devra donc trouver une ligne d'intervention qui tienne compte de ces paramètres. Mais sur l'usage de la force? Elle n'aura pas peur de s'en servir »[410].

En août 2014, Hillary Clinton accorde un entretien au magazine *The Atlantic* où elle prend clairement ses distances avec le président Obama sur la crise syrienne. Le président a dit que la politique étrangère consistait à ne pas «faire des trucs idiots», autrement dit à ne pas se lancer dans des guerres injustifiées. La Syrie en est une selon lui, avec le risque qu'une intervention américaine aggrave les choses plutôt que ne les résolve. Pas d'accord, révèle Hillary dans ses Mémoires diplomatiques et dans cette interview où elle affirme avoir plaidé pour un armement et un entraînement des rebelles de l'Armée Syrienne Libre dès le début. «Un échec», voici comment elle qualifie la stratégie du président. D'autant plus facile à décréter qu'elle n'était pas à la table des décideurs lorsque les frappes contre le régime syrien ont été planifiées à la fin du mois d'août 2013[411].

«Sur la Syrie, elle a montré qu'elle était une démocrate faucon», commente un diplomate européen en poste à Washington. «Elle est à l'origine de ce mémo avec David Petraeus, le patron de la CIA de l'époque, qui se prononce en faveur de l'armement des rebelles syriens en août-septembre 2012. Elle a joué un rôle avec le secrétaire à la Défense Gates pour que la politique syrienne des

---

410. Entretien avec l'auteur le 6 juin 2014.
411. Interview à *The Atlantic*, 10 août 2014.

États-Unis soit plus allante mais sans excès. Si elle ne l'a pas été plus, c'est pour ne pas contrarier Obama envers qui elle se voulait d'une loyauté totale ou parce qu'elle n'était pas si sûre d'elle-même[412].» Autrement dit, Hillary Clinton est capable de douter. Pourrait-elle, une fois présidente, tergiverser comme le président Obama l'a fait sous les yeux du monde entier?

2016 est loin mais il est possible que la question du Moyen-Orient soit encore brûlante dans les années à venir puisque la guerre contre le djihadisme international est partie pour durer. La question de l'Iran, même en cas d'accord sur le dossier nucléaire, restera d'actualité. Avec la probabilité d'un choix entre deux mauvaises solutions. «Obama va jouer sur la différence qu'il y a à laisser les Iraniens à trois mois ou à six mois de la bombe. L'autre option est de bombarder sans mettre un seul soldat à terre», explique un spécialiste de la prolifération en poste aux États-Unis. «Ce qui est en train de tuer Obama, c'est la politique étrangère depuis qu'Hillary est partie. Il oblige à se poser la question de savoir si on a un président fort ou pas». L'ancienne secrétaire d'État devra donc relever ce défi face à un candidat républicain dans la mesure où les conservateurs estiment que l'Amérique a perdu une partie de sa crédibilité de grande puissance depuis le refus d'intervenir militairement en Syrie contre le régime de Bachar.

«Jamais, depuis 1945, l'Amérique n'avait à ce point rien fait alors qu'il y avait 190.000 morts», confie un dignitaire de la diplomatie française qui a visiblement oublié le génocide au Rwanda en 1994 sous présidence Clinton. «Au moment du débat sur les frappes, poursuit-il, Susan Rice à la Maison Blanche et Samantha Power aux Nations Unies étaient pour. Le président avait pris sa décision. Mais le lendemain, il a appelé tous ses conseillers un par un pour leur dire non alors qu'ils étaient tous d'accord pour frapper. C'est ça le système Obama[413]». Mais ce même expert en stratégie d'ajouter: «Sur l'usage de la force, il est plutôt cohérent avec lui-même. Son discours de West Point le 28 mai 2014 est

412. Entretien avec l'auteur le 3 juin 2014.
413. Propos tenus en présence de l'auteur le 26 août 2014.

très intéressant. Il estime que l'usage de la force doit se réduire à la défense des intérêts vitaux des États-Unis. En Irak, il estime que les intérêts vitaux ne sont pas en jeu. Il n'a bougé que sous la pression de l'opinion face aux menaces contre les chrétiens d'Orient et les Kurdes. »

La pression de l'opinion doit-elle décider de la paix ou de la guerre ? Entre le refus de faire des guerres « idiotes », selon l'expression du sénateur Obama en 2002 et la nécessité de prouver à ses alliés la crédibilité de la première puissance militaire du monde, Hillary devra faire un choix. Et s'y tenir.

W

Wall Street, la finance n'est pas son ennemi

En vingt ans, les Clinton ont récolté pour leurs campagnes et celles de leurs amis démocrates plus d'un milliard de dollars des plus grandes entreprises américaines. Si l'on élargit ce spectre à l'argent reçu par la Fondation Clinton, le montant des sommes avoisine les trois milliards[414]. Autant dire qu'il est difficile de se fâcher avec de si généreux amis. Et que la tentation du renvoi d'ascenseur peut être forte lorsqu'on arrive aux manettes du pouvoir exécutif.

Hillary et Bill Clinton n'ont jamais eu de relations tendues avec les plus grands patrons américains. Encore moins avec les grands banquiers. Goldman Sachs n'était-il pas le premier des financiers des campagnes des Clinton avec un total de 5 millions de dollars répartis entre les élections de 1992 à 2008? Hillary n'a-t-elle pas volontairement choisi depuis 2013 de s'exprimer par des discours payés plus de 100.000 dollars chacun devant des parterres de cadres de Citigroup, de Bank of America ou du Carlyle Group? N'est-ce pas Bill qui déclarait à propos du PDG de Goldman Sachs, Llyod Blankfein : «Vous pouvez toujours l'emmener dans une ruelle pour l'égorger, cela calmerait les populistes pour deux jours mais cela n'apaiserait pas leur soif de sang[415]?»

Au Département d'État, Hillary Clinton a bien veillé à ce que la branche de son ministère qui s'occupe du soutien aux exportations américaines soit renforcée. Quoi de plus naturel lorsqu'on est persuadé que la bonne santé des entreprises permet de créer davantage d'emplois et de conforter la classe moyenne américaine. Sauf que l'aile gauche du parti démocrate voit d'un mauvais œil cette sorte de concubinage entre les Clinton et le monde des affaires. «Les démocrates doivent malgré tout faire attention», prévient Will Marshall, le patron du Progressive Policy Institute, un think tank qui défend l'héritage centriste clintonien. «Il y a un

---

414. *The Wall Street Journal*, 3 juillet 2014.
415. Extrait des Mémoires de l'ancien Secrétaire au Trésor Tim Geithner, commenté dans le *Chicago Tribune* du 5 septembre 2014.

changement qui s'opère dans l'opinion au sujet de la correction des inégalités, on assiste à un populisme anti-business qui devient dangereux pour le Parti. Les électeurs se prononcent de plus en plus contre les ploutocrates pour prouver qu'il y a quelque chose de cassé dans la machine à fabriquer du rêve américain[416].»

Voilà pourquoi Hillary essaie depuis le début de sa précampagne de calmer cette aile gauche dont elle a besoin pour la nomination démocrate. Le 16 mai 2014, voici comment elle essaye de s'y prendre à l'occasion de la conférence annuelle de la New America Foundation : «Les économistes ont détaillé la façon dont les plus riches, non pas les 1% mais les 0,01% les plus riches, ont augmenté en moins de vingt ans. Au point que certains qualifient cette période de retour à l'âge d'or des barons voleurs qui a suivi la guerre de Sécession.» Et Hillary de pointer du doigt les coupables : «les régulateurs du secteur bancaire ont été négligents dans leur mission, ils ont autorisé l'évolution d'un système caché qui opère sans rendre de comptes. Le gouvernement de l'époque a échoué dans sa capacité à investir adéquatement dans les infrastructures, l'éducation et la recherche[417]. Si bien que la crise immobilière et financière a surpris tout le monde comme lors d'une inondation. Des millions d'emplois ont été perdus et avec eux les emprunts étudiants ou immobiliers et l'épargne retraite qui allaient avec. Mais c'est surtout la confiance dans l'avenir qui a été engloutie[418].»

Si Hillary veut continuer à maintenir cet équilibre entre ses amitiés pour ses grands donateurs et un discours de protectrice de la classe moyenne, il faudra d'abord réussir un exercice indispensable : collecter au moins autant de fonds dans sa campagne en provenance de petits donateurs que des *fat cats* de Wall Street. C'est le pari qu'avait tenté et gagné Barack Obama en 2008 et qui avait, tactiquement, plongé Hillary dans l'endettement. Cela n'apporte aucune garantie naturellement qu'une fois au pouvoir elle mènera une politique équilibrée vis-à-vis du patronat et des

416. Entretien avec l'auteur le 4 juin 2014.
417. Le gouvernement de l'époque étant celui de George W. Bush, 2001-2009.
418. Intégralité du discours sur newamerica.net et commenté par *Mother Jones* le 4 juin 2014.

grandes institutions financières. Car il faudra bien traiter alors de la fiscalité des entreprises, du sort de celles qui ont choisi une stratégie d'optimisation fiscale à l'étranger, du statut des garanties apportées à l'État aux emprunts immobiliers ou du taux d'imposition des transactions financières. Autant de sujets sur lesquels elle ne pourra rester muette pendant la campagne[419]. D'où ce besoin de fonds privés volumineux en provenance des électeurs eux-mêmes, une arme dont elle pourra se servir pour prétexter un début d'indépendance. Une opération qui a déjà commencé avec le lancement par la machine Ready For Hillary, dès janvier 2014 d'une campagne de récolte de fonds d'un montant de 20.16 dollars. Un clin d'œil.

---

419. *The New York Times*, 9 juillet 2014.

Wal-Mart, le piège de l'étiquette

En 1986, l'entreprise américaine de distribution fondée un quart de siècle plus tôt par Sam Walton n'est pas encore présente dans tous les États du pays. À Wall Street, l'action tourne autour de 3 dollars. Mais avec ses 1 200 magasins et ses 200 000 employés, Wal-Mart est déjà devenue un grand leader de l'économie. Quatre ans plus tard, elle devient le premier vendeur du pays. Ce géant des supermarchés est aujourd'hui la première chaîne au monde avec 470 milliards de revenus, plus de 6 000 magasins répartis dans plus de 26 pays en dehors des États-Unis, et plus de 800 000 employés !

Pourquoi insister à ce point sur une telle performance ? Parce que de 1986 à 1992, Hillary Clinton a été l'un des membres du Conseil d'administration de Wal-Mart dont le quartier général est situé à Bentonville dans l'Arkansas. Et que ce mélange des genres entre le monde des affaires et de la politique lui a été beaucoup reproché. D'autant plus que la politique sociale de Wal-Mart est considérée comme l'une des plus hostiles aux syndicats.

Il se trouve qu'Hillary Clinton ne s'est pas toujours vantée de ces six années. Certes, elle ne se rendait que quatre fois par an aux réunions du Board pour un salaire annuel d'environ 15 000 dollars. Elle avait 39 ans, c'était l'épouse du gouverneur de l'Arkansas et une avocate au cabinet Rose qui avait Wal-Mart pour client. Le plus difficile à assumer pour elle, démocrate dont les campagnes de son mari étaient activement soutenues par les syndicats de salariés, était de cautionner une politique sociale très rétrograde[420]. L'un des membres du Conseil d'administration ne clamait-il pas à qui voulait l'entendre que « les syndicats n'étaient que des parasites suceurs de sang sur le dos des modestes employés[421] » ? Politique salariale, représentation des femmes parmi le personnel d'encadrement, pratiques environnementales, Wal-Mart était en dessous de tout. Si bien que l'arrivée d'Hillary Clinton à la direction de

---

420. *The New York Times*, 20 mai 2007.
421. ABC News, 31 janvier 2008.

l'entreprise pouvait apparaître comme une caution «de gauche» destinée à masquer les nombreux points faibles de la société. Hillary Clinton s'en est naturellement défendue dès que son CV a été épluché par ses adversaires lorsqu'elle s'est lancée en politique. Elle estime qu'elle a largement contribué à rehausser les standards dans les domaines qui étaient les plus controversés, notamment par l'embauche de davantage de femmes dans les postes exécutifs. Mais également par une politique de lutte contre le gaspillage : emballages moins volumineux, recyclage de batteries et d'huiles de moteur, économies d'énergie pour l'éclairage des entrepôts et des magasins…

Aujourd'hui, un quart des 300 plus hauts cadres de la société sont des femmes. Mais Wal-Mart n'en a pas fini avec ses pratiques discriminatoires. En 2004, l'entreprise échappe de justesse à une classe-action formée par plus d'un million et demi de ses employés et retraités. Dix ans plus tard, les salariés de Wal-Mart sont en grève pour réclamer de meilleurs salaires[422]. Payés 8,95 dollars de l'heure, certains des manifestants ironisent sur le slogan de la marque à destination des consommateurs : «Faites des économies et vivez mieux». Vivre mieux?

Wal-Mart est indiscutablement un talon d'Achille dans le passé d'Hillary. Le 21 janvier 2008, au plus fort de la primaire de Caroline du Sud qui la voit croiser le fer avec Barack Obama, elle reproche à son adversaire, lors d'un débat hargneux, d'avoir rendu hommage à la politique du président républicain Ronald Reagan. Et le sénateur de l'Illinois de lui répondre du tac au tac: «J'ai toujours combattu le programme économique de Ronald Reagan. Mais pendant que je me battais aux côtés de ses victimes dans les rues de Chicago, vous étiez à la même époque au conseil d'administration de Wal-Mart[423]!»

Depuis qu'il a quitté la Maison Blanche, Wal-Mart a donné entre 1 et 5 millions de dollars à la Fondation Clinton dirigée par l'ex-

---

422. CNN Money, 4 juin 2014.
423. *South Carolina Democratic Debate*, CNN, 21 janvier 2008.

président[424]. On note aussi que la nièce du fondateur de ce géant de la distribution, Alice Walton, a versé dès le mois de février 2014, un chèque de 25 000 dollars à l'organisation *Ready For Hillary*. Et il faut comprendre que ce ne sera pas le dernier même si en 2012, Mme Walton avait donné 200 000 dollars au comité de soutien du républicain Mitt Romney.

Il ne fait pas de doute qu'Hillary devra de nouveau répondre d'ici 2016 sur ce chapitre controversé de sa longue carrière. Si elle a, depuis une dizaine d'années, rappelé à quel point la politique sociale de Wal-Mart n'était pas à son goût et devait s'améliorer, et s'il est probable que son programme économique comportera un volet d'incitation politique aux entreprises pour améliorer leurs rapports avec le monde syndical, les adversaires d'Hillary ne pourront pas s'empêcher de rappeler que la femme du gouverneur d'un petit État pauvre du *Deep South*, rallongeait ses fins de mois en allant cache-tonner chez le champion d'Amérique du *cheap labour*.

---

424. Clinton Foundation, *Contributor Information 2013*.

Elizabeth Warren, l'alternative

À 63 ans, l'actuelle sénatrice du Massachussetts est considérée comme l'une des roues de secours du parti démocrate au cas où par malheur, Hillary Clinton renoncerait à aller à bout de sa candidature. Ou comme une rivale potentielle si elle se décidait finalement à affronter l'ex-First Lady. Elizabeth Warren appartient à la même génération de femmes qu'Hillary, élevées dans l'ambition du service public. Fille d'un concierge de l'Oklahoma, mariée à un ingénieur de la NASA, elle est devenue professeur de droit à Harvard, spécialiste de la faillite financière. Nommée par Barack Obama à la Maison Blanche pour créer une nouvelle agence fédérale de sécurité des consommateurs dans la foulée de la crise des *subprimes*, Elizabeth Warren s'est ensuite lancée en politique dans l'État de Kennedy. C'est elle qui a récupéré le siège de Ted Kennedy dont un jeune loup proche du Tea Party s'était emparé en 2010 à la mort du «Lion du Sénat». Méthodiste et au départ Républicaine, comme Hillary, mariée et mère de deux enfants, puis divorcée, elle est devenue très populaire à la gauche du parti démocrate en raison de son combat contre le laxisme des autorités à l'égard de Wall Street.

Pour être franc, et malgré tout ce qu'elles pourront dire pour prétendre le contraire au nom de l'unité du Parti, Hillary Clinton et Elizabeth Warren sont en effet politiquement très différentes. Au point qu'en 2013, lorsque Hillary a évalué la force de ses potentiels adversaires en vue d'une primaire en 2016, Elizabeth Warren a été perçue comme «la plus dangereuse[425].» Elizabeth Warren est si fière de s'être battue au nom de la classe moyenne contre les «prédateurs» de Wall Street. Selon ses estimations, le Bureau fédéral de protection financière des consommateurs qu'elle a conçu et mis en place aurait permis de rembourser «plus de 4 milliards de dollars en trois ans à des milliers de familles qui se sont fait berner

---

425. Noam Scheiber, *Hillary's Nightmare*, *The New Republic*, 10 novembre 2013.

par les vendeurs de produits bancaires dérivés »[426]. À la commission bancaire dont elle est membre au Sénat, elle auditionne deux fois par an les régulateurs des institutions financières américaines. Selon elle, les efforts mis en œuvre par l'administration Obama pour limiter la marge de manœuvre des institutions financières sont insuffisants. « Les régulateurs ne sont pas à l'écoute des gens qui se sont fait avoir par les banques sur leurs prêts ou les taux en vigueur pour leurs cartes de crédit, mais ils fréquentent tous les jours les patrons de Goldman Sachs et leurs employés ». Démagogie, excès de langage ? « Elizabeth Warren est une populiste. Chez nous, en France, elle ferait une bonne UMP mais là-bas elle est plus à gauche qu'une socialiste », ironise un diplomate français en poste aux États-Unis[427].

Elizabeth Warren revendique un parler vrai lorsqu'il s'agit d'aller au fond des problèmes des gens simples pour qui un simple accident de voiture, un divorce ou une perte d'emploi peuvent conduire à la faillite personnelle ou au suicide. « Si l'on est d'accord au nom de la sécurité du consommateur que personne ne devrait vendre de toaster une fois qu'il est prouvé qu'un toaster sur cinq menace de mettre le feu à la maison, alors pourquoi ne serait-on pas aussi vigilant pour les prêts bancaires au particulier ? » Ou bien : « les institutions financières sont-elles trop grosses pour faire faillite ou trop importantes pour qu'on évite la prison à leurs dirigeants ? », une petite phrase extraite d'une vidéo vue plus d'un million de fois sur internet.

Est-ce qu'Elizabeth Warren en veut à Barack Obama de ne pas avoir été assez loin. « Sans lui, le Bureau fédéral de protection financière des consommateurs n'aurait jamais vu le jour, il a refusé de le mettre en péril et a fait en sorte qu'il soit viable. Mais l'équipe de conseillers économiques qu'il a mise en place s'est toujours tournée vers Wall Street lorsque les choses deviennent difficiles ». C'est pourquoi elle est assez fière d'avoir dissuadé Larry Summers de se présenter à la succession de Ben Bernanke à la tête de la Réserve

---

426. Interview d'E. Warren à *Salon.com* mise en ligne le 12 octobre 2014.
427. Propos tenus en présence de l'auteur le 26 août 2014.

Fédérale. Larry Summers, clintonien historique passé par la Maison Blanche, l'homme de la dérégulation bancaire en 1999[428] et qui souhaitait limiter l'ampleur de la relance par les investissements initiée par Barack Obama en 2009, ne pouvait pas décemment prendre en main, selon Warren, le destin de la politique monétaire des États-Unis[429].

Après avoir totalement exclu de se présenter contre Hillary Clinton, la sénatrice de Massachussetts a laissé la porte entrouverte en octobre 2014. Après les midterms exécrables de novembre, Elizabeth Warren n'a cessé de dire par voie de presse qu'elle n'était pas candidate. Mais, à aucun moment, elle n'a précisé si ce choix était définitif ou si elle renonçait à se présenter. De son côté, Hillary a tenté de «gauchir» son discours lors des meetings de soutien aux candidats démocrates qui se présentaient aux élections de mi-mandat du 4 novembre. Sera-ce suffisant pour dissuader Warren de se lancer ? Une bataille frontale des deux femmes lors d'une primaire en 2016 risquerait sans doute de faire plus de dégâts au sein du Parti. Et de donner des armes inespérées aux républicains.

---

428. Le Congrès, à majorité républicaine, a abrogé en 1999, avec l'approbation du président Clinton, la loi Glass-Steagall, votée en 1933 dans la foulée du Krach de 1929 et de la Grande Dépression pour limiter les activités spéculatives des banques et des sociétés d'assurances.
429. *The Washington Post*, 13 septembre 2013.

Washington, aimant et repoussoir

C'est Paul Begala, consultant politique sur CNN et compagnon de route historique des Clinton qui a popularisé dans les années 80 cette blague entendue dans un bar : « Washington, c'est Hollywood pour les moches. » Il ne visait pas Hillary, naturellement, mais rappelait par un raccourci saisissant pourquoi la capitale fédérale reste un mythe. Qui n'attire pas les stars bronzées et les cascadeurs, certes, ni les génies du business et de la création artistique comme à New York, mais les ambitions de ceux qui veulent approcher le pouvoir de la première puissance mondiale. La phrase est assassine mais aussi assez proche de la réalité[430]. Hillary n'a pas une fascination pour Washington. Elle y a séjourné la première fois pour son stage au Congrès à la sortie de Wellesley, puis une deuxième fois pendant ses études à Yale où elle militait contre la guerre au Vietnam. Une troisième fois pour intégrer la commission préparatoire au procès de destitution du président Nixon après le Watergate. Puis régulièrement, lorsque Bill était gouverneur. Et définitivement depuis leurs huit années de Maison Blanche suivies de huit autres passées au Sénat et de quatre saisons supplémentaires au Département d'État. On l'a compris, Hillary veut rester à Washington.

Non pas parce qu'elle préfère cette ville à New York, Little Rock ou Chicago qui furent ses autres points d'ancrage, mais parce que c'est l'écrin du pouvoir. Moche, Washington ? C'est sûr que cette ville de 600.000 habitants, dont peu de gens savent qu'elle est à moitié noire et confrontée à la pauvreté et la criminalité, n'est pas très *fun*. Sans aucun gratte-ciel, écrasée de neige l'hiver et de chaleur tropicale l'été, les complets gris ou sombres y sont légion. Ils traînent de gros cartables derrière eux sur des roulettes. Les tailleurs sobres sur escarpins sont de rigueur. Ce n'est pas le territoire de la fantaisie ou des surprises mais celui des pouvoirs qui s'affrontent, sans régler les problèmes dont souffrent

---

430. Roger Simon, *Washington is Hollywood for the Ugly*, Politico, 29 avril 2012.

les Américains. Ce qui fait de Washington, « *outside the Beltway* », au-delà du périphérique de la I-495, la ville la plus détestée des États-Unis[431]. Une très grande majorité de citoyens sont tout simplement écœurés par la politique et ses mœurs, la paralysie du Congrès, les verdicts diviseurs de la Cour Suprême, les secrets de la CIA, le verbiage haletant des médias et les intrigues de la Maison Blanche.

À Hollywood, les studios sont en ville mais les villas des stars sont perchées sur les collines. Il en va de même dans la capitale américaine où l'administration se répartit dans les grands monuments autour du Mall tandis que les fonctionnaires fédéraux, les élus, les journalistes et les diplomates vivent dans les quartiers cossus, verts et périphériques de Georgetown, Bethesda, Arlington ou McLean. À Hollywood, le cinéma est dans les jardins où se déroulent des fêtes somptueuses mais surtout dans les salles où l'on espère encore y voir des spectateurs. À Washington, le spectacle est sur les chaînes tout-info et de plus en plus dans les séries-télé où la vie des lobbyistes de K Street (*Scandal*), de la West Wing (*à la Maison Blanche*), de la CIA (*Homeland*) ou du Département d'État (*Madam Secretary*) passionnent en nombre les téléspectateurs.

Cette culture schizophrénique qui consiste à vénérer la patrie et les pères fondateurs dans leurs mémoriaux le long du Potomac – des millions d'élèves les visitent chaque année – et en même temps à vomir la politique au quotidien pose la question du ressort des ambitions présidentielles. 40 ans après le Watergate, la chaîne CNN a commandé un sondage sur la confiance du peuple américain dans ses institutions. 13% seulement des sondés disent qu'ils peuvent faire confiance la plupart du temps au gouvernement pour que les choses aillent dans la bonne direction. Ce chiffre est un plus bas historique. En 1972, juste avant que n'éclate le scandale Watergate, ce chiffre était de 52%. Deux ans plus tard, il était à 36% et il n'a jamais repassé la barre des 50% depuis sauf une fois, juste après les attentats du Nine Eleven,

---

431. François Clemenceau, *Vivre avec les Américains*, p. 23-35, Archipel, 2009.

le 11-Septembre[432]. Et c'est cette somme de méfiance, de doutes et de scepticisme qu'Hillary Clinton veut dominer ? Cela fait plus d'un demi-siècle que tous les candidats à la présidentielle veulent « changer Washington ». Aucun n'y est vraiment arrivé. Hillary aurait-elle un don pour les miracles ?

432. Sondage CNN/ORC International, 8 août 2014.

Wellesley, le parcours initiatique

Entre la fin des années lycée et l'entrée à Yale pour y faire son droit, Hillary Rodham vit une période d'initiation au monde adulte autant qu'aux idées nouvelles. Logiquement et géographiquement, Hillary aurait dû opter pour l'une des bonnes universités du Midwest, notamment à Chicago. Pourtant, ses conseillères d'orientation lui suggèrent Wellesley. Cet établissement est extrêmement réputé, non-mixte et idéal pour vivre cette période de transition. Détachée de ses parents et de son univers douillet, il doit permettre à Hillary de mûrir sans tomber dans les excès du gauchisme ambiant après des années de conservatisme feutré à Ridge Park. À Wellesley, sur un campus niché dans la verdure du Massachussetts et où s'épanouissent les jeunes femmes de la bonne société de la côte est, elle fait donc l'apprentissage par elle-même d'une opposition constructive au conservatisme de sa jeunesse. Sans qu'elle sache qu'elles se retrouveraient plus tard, cette université a accueilli celle qui deviendra en 1996 la première femme Secrétaire d'État, Madeleine Albright, jeune boursière tchèque dont le père, diplomate, avait fui le communisme.

Hillary se fait élire présidente du club des étudiantes républicaines de Wellesley mais plaide en faveur d'une ouverture sur le monde, sur les milieux sociaux différents, porte un regard à la fois lucide et critique sur la guerre au Vietnam. Elle fait jaser lorsque dès les premières semaines de sa scolarité, elle emmène à l'office du dimanche l'une des jeunes étudiantes noires de sa classe, l'une des dix de toute l'université. Les règles de vie sont encore très strictes : les garçons ne sont pas invités à se rendre de l'extérieur sur le campus des jeunes filles sauf une fois par semaine et à condition que les portes des chambres restent ouvertes... Ce qui n'empêche pas Hillary de sortir avec deux jeunes hommes au cours de sa scolarité. Elle les présente même à ses parents mais ces flirts-là ne dureront pas.

Son directeur d'études l'envoie en stage à Washington au sein du groupe parlementaire républicain au Congrès. Hillary se met au service d'un élu de New York qui prépare la candidature à la présidentielle du gouverneur Nelson Rockefeller[433]. À la Convention républicaine de Miami en 1968, Hillary est déçue par la nomination de Richard Nixon. Elle ne va pas tarder à démissionner de son mandat de présidente des Jeunes républicaines de Wellesley puis du Parti tout court. À l'issue de son premier cycle, elle est sélectionnée par ses pairs pour lire un discours de fin d'année où elle en appelle à un changement de mentalité face aux progrès et aux divisions de la société américaine. Il est repris dans le célèbre magazine *Life*. Hillary donne même à l'occasion sa première interview télévisée dans un talk-show animé par un célèbre présentateur de Chicago. Cette même année, juste après l'assassinat de Martin Luther King, qui lui fait porter le brassard noir du deuil, Hillary et ses amies menacent de faire une grève de la faim si l'université n'accepte pas davantage d'étudiantes noires[434].

Avant de quitter Wellesley pour Yale, où elle rencontrera Bill Clinton, Hillary laisse derrière elle un mémoire de fin de premier cycle très intéressant. Le sujet de l'étude s'appelle Saul Alinsky, le pape du *community organizing*, et parrain spirituel bien des années plus tard d'un certain Barack Obama... Wellesley, révélateur des ambitions politiques d'Hillary? Ce n'est vraiment pas un hasard si, en pleine campagne pour la Maison Blanche en 1992, l'ancienne étudiante revient, vingt-trois ans après sur les lieux de son essor. Pour un autre discours de fin d'année destiné aux jeunes diplômées : «Surpassez-vous et vous trouverez votre propre manière d'être. Engagez-vous pour quelque chose dont vous ressentez l'urgence. Mêlez-vous des affaires du monde et faites qu'on entende votre voix [435]!» La First Lady de l'Arkansas est à quelques mois de voir son rêve se réaliser, exercer avec son mari le pouvoir au plus haut niveau. En souhaitant déjà y associer les femmes, toutes générations confondues.

---

433. Petit-fils du milliardaire fondateur de la Standard Oil, gouverneur de l'État de New York de 1959 à 1973, Vice-président des États-Unis aux côtés de Gerald Ford après la démission de Richard Nixon.

434. Judith Warner, *L'énigme Hillary*, p. 45 (Editions N°1, 1999).

435. Ulysse et Frédérique Gosset, *Le Complexe Hillary*, p. 278, (J.-C. Lattés, 1996).

West Wing, enclave du Bureau Ovale

On y met des majuscules parce qu'on n'imagine pas un président des États-Unis s'installer dans le «bureau ovale de l'aile ouest», tout en minuscules. La grandiloquence et l'effet porteur du mythe sont parfois importants pour qu'un certain protocole force le respect. Ce n'est donc pas un dictateur que l'on vénère dans le Bureau Ovale mais le chef d'une démocratie où l'exécutif doit batailler ferme contre le Congrès pour faire avancer ses réformes, dans un pays très rétif à l'intervention de l'État.

Hillary Clinton sait tout cela. Dès 1992, elle ne s'est pas contentée de se réfugier dans l'aile est de la Maison Blanche, comme toutes celles qui l'avaient précédée dans le rôle de First Lady. Son mari, Bill, connaissait son souhait, pour ne pas dire son exigence, de s'installer avec lui dans une forme de co-présidence. En lui confiant le pilotage de la réforme de la santé, il allait de soi qu'Hillary aurait besoin de visibilité au sein de l'appareil exécutif. Va donc pour l'aile ouest, la West Wing où le Hillaryland pose donc ses bagages en 1993 dans une suite de bureaux de l'Eisenhower Executive Office Building, cet immense bâtiment grisâtre de style Second Empire au coin de Pennsylvania Avenue et de la 17e rue. Relié à la Maison Blanche par un chemin dans les jardins, doté de studios de télévision pour les conférences de presse des ministres du Cabinet, ce «palais» du gouvernement abrite plus de 500 pièces et pas loin de 3 kilomètres de couloir, une ruche des centaines d'abeilles de l'administration présidentielle dont Hillary veut goûter à nouveau le miel.

POTUS ne se rend que très rarement dans les locaux de l'Eisenhower Building. Car POTUS (President of The United States), comme le désigne le dictionnaire des milliers de sigles utilisés à Washington, ne travaille que dans le Bureau Ovale. La terre entière en connaît tous les angles de prise de vue tant il a été reconstitué pour le cinéma et la télévision. Chaque président y fait apposer une nouvelle moquette avec un seul motif constitué du sceau présidentiel, libre ensuite au «locataire» des lieux de choisir sa couleur de fond. Bill Clinton avait pris un bleu presque électrique bien de l'époque des années 90. Le sceau représente un aigle qui tient dans ses griffes un rameau d'olivier d'un côté et un carquois de 13 flèches de l'autre, symbole des 13 colonies qui formèrent les premiers États-Unis. Dans son bec, le rapace tient un étendard sur lequel est écrite la devise du pays en latin, *E pluribus unum*, signifiant que de plusieurs États est née une seule Nation.

Le bureau «Resolute» sous lequel le fils de John Kennedy jouait à cache-cache a été construit dans le bois foncé de la frégate britannique HMS Resolute, récupérée par des marins américains dans les glaces de l'océan Arctique. Le vaisseau restauré fut offert à la Reine Victoria en 1856 puis lorsque le bateau prit sa retraite en 1880, la souveraine demanda qu'on taille dans ses restes deux bureaux sculptés. Un pour elle et l'autre pour le président Hayes. Un beau geste de réconciliation entre le Royaume et ses anciennes colonies. Le bureau a fait le tour des États-Unis après l'assassinat de JFK et depuis Jimmy Carter, tous les présidents l'ont utilisé.

Le Bureau Ovale, situé au rez-de-chaussée de la West Wing, est entouré d'une petite bibliothèque privée d'un côté et du secrétariat particulier du président de l'autre. En dehors de la Roosevelt Room qui sert de salle de réunion à ses collaborateurs et de la Cabinet Room prévue pour y tenir le Conseil des ministres, même s'il ne se réunit qu'irrégulièrement, le nombre de bureaux avoisinant celui du chef de l'État est limité. Ce sont donc les collaborateurs les plus proches qui les occupent. Le *Chief of Staff*, l'équivalent de notre secrétaire général de l'Elysée mais avec l'autorité du Premier ministre dans son rôle interministériel, est généralement le seul proche du Président habilité à négocier avec le Congrès. C'est l'homme le plus puissant après le Président. Certains ont laissé un nom dans l'histoire comme Alexander Haig (futur patron de l'OTAN et secrétaire d'État), Donald Rumsfeld (futur secrétaire à la Défense), Dick Cheney (qui devint vice-président de G.W. Bush), James Baker (secrétaire d'État du président Bush père), Leon Panetta (futur patron de la CIA puis du Pentagone) ou Rahm Emanuel (l'actuel maire de Chicago). Aucune femme n'a jamais occupé ce poste.

Le conseiller à la Sécurité nationale joue un rôle crucial dans la définition et l'application de la politique étrangère et de défense du Président. Son bureau, côté nord, à l'opposé du Bureau Ovale, jouxte celui réservé au vice-président, qui ne l'occupe pas toujours. Des esprits brillants ont animé cette fonction cruciale : Henry Kissinger auprès de Richard Nixon, Zbigniew Brezinski avec Jimmy Carter, Colin Powell, premier afro-américain à exercer ce rôle sous George Bush Sr, ou Condoleeza Rice, première femme à s'être vue confier cette responsabilité au cours du premier mandat de George W. Bush. Avec le *Chief of Staff*, il a un accès quasi-illimité au Président. Ce dernier compte aussi deux *senior advisers* à ses côtés qui le conseillent sur les grandes questions politiques et sociétales, sur sa stratégie électorale et sur sa relation avec l'opinion publique. Quant au conseiller de Presse, il joue un rôle considérable dans cette société américaine hyper-médiatisée. Après les sites d'information sur internet et les premiers blogs nés sous la présidence Clinton, les réseaux sociaux ont connu un développement considérable au cours du deuxième mandat de George W. Bush. La salle de presse de la Maison Blanche, si minuscule pour un si grand pays, fut longtemps le royaume des grands réseaux de télévision et des plus prestigieux quotidiens du pays. S'ils ont été rejoints par des sites d'information comme *Politico* ou par des bloggeurs reconnus, il est extrêmement compliqué pour les médias peu fortunés, notamment les organes de presse étrangers, de suivre les activités de la Maison Blanche et du président 24h/24.

Hillary Clinton n'est pas une novice. Surnommée *Evergreen* par le Secret service, qui attribue un nom de code à chacun de ses protégés, elle a beaucoup de ces feuilles qui restent vertes en hiver qu'on appelle des persistantes. Si elle parvient à revenir à la Maison Blanche en 2016, cela fera 24 ans sans interruption qu'elle en aura parcouru les couloirs. First Lady, sénatrice, secrétaire d'État... Aucun de ses adversaires ne pourra lui faire la leçon de l'inexpérience.

Whitewater, le péché originel

La White River, qui prend sa source dans les montagnes du nord-ouest de l'Arkansas, près de Fayetteville où les Clinton ont emménagé ensemble avant de se marier, est immense. Plus de mille kilomètres. Quatre fois moins que le Mississippi, dans lequel elle débouche, mais c'est un affluent superbe. Ce n'est pas pour rien que James McDougal et son épouse Susan envisagent d'associer à la fin des années 70 leurs amis Bill et Hillary Clinton dans un projet d'investissement immobilier sur les berges de la White River, au pied des monts Ozarg. L'idée est de créer un vaste domaine de vacances dans un parc de 93 hectares. Un paradis pour les amateurs de pêche à la truite, de rafting et d'alpages. «Après votre premier week-end ici, vous n'aurez plus envie de repartir», vante le slogan du dossier de vente[436]. Une fois les villas avec jardins construites, le projet consiste à les revendre au bout d'un certain temps pour obtenir une plus-value. Pour tout cela, il faut que les deux couples empruntent un peu plus de 200.000 dollars et créent une société de promotion immobilière, la *Whitewater* Developement Corporation, dont chacun des quatre fondateurs possédera un quart des titres. Hillary Rodham Clinton est avocate au cabinet Rose, Bill ministre de la Justice de l'Arkansas. Tous deux gagnent raisonnablement leur vie. Mais apparemment pas assez. C'est probablement la cause de tout.

De l'enquête judiciaire sur un volet annexe de ce projet financier découleront tous les autres scandales dans lesquels le couple sera impliqué. Jusqu'à la procédure de destitution du président Clinton. Tout cela pour quelques arpents de terre et un peu d'argent facile afin de se mettre à l'abri d'un avenir incertain...

Selon le rapport des élus démocrates appartenant à la commission d'enquête du Sénat sur l'affaire *Whitewater*, le coût global de cette investigation, hors frais de fonctionnement du FBI et frais d'honoraires des parties tierces (dont les Clinton), est estimé

---

436. *Arkansas Roots*, CNN, 4 juillet 1997.

à plus de 30 millions de dollars! Cette enquête parlementaire a été, jusqu'en 1996, la plus longue de l'histoire du Sénat[437]. Tout cela pour rien, car au bout du compte, les Clinton seront blanchis. Certes, il reste beaucoup de zones d'ombres, notamment en ce qui concerne l'implication de Bill Clinton dans l'affaire sous-jacente de la Madison Guaranty. Cette caisse d'épargne, fondée par son ancien conseiller économique James McDougal, a fini par faire faillite après avoir prêté et investi des sommes colossales dans plusieurs projets dont celui de *Whitewater*. Madison Guaranty était cliente – via une filiale – du cabinet Rose pour lequel Hillary Rodham a facturé des heures de travail. Nous sommes là au cœur d'un conflit d'intérêts flagrant. Le gouverneur devenu président sera d'ailleurs rayé du barreau de l'Arkansas pendant plusieurs années pour avoir trempé dans cette affaire louche. D'autant que le sauvetage de la Madison Guaranty coûtera plus de 70 millions de dollars au Trésor fédéral.

Appât du gain, incompétence, carambouille? Il y a un peu de tous ces ingrédients dans l'affaire *Whitewater*. Naturellement, les démocrates n'ont cessé de dire depuis le début de l'enquête qu'il n'y avait pas eu «mort d'homme». Et que tous les reproches que l'on pouvait faire aux Clinton à partir du dossier et de ses ramifications tenaient davantage du péché véniel que de l'affaire d'État. Sauf que pour les républicains, il y avait mort d'homme, celle de Vince Foster, l'ami de Bill, l'avocat partenaire d'Hillary au cabinet Rose, devenu le conseiller juridique de la Maison Blanche. Retrouvé mort suicidé en juillet 1996 et dont certains documents qu'il traitait sur l'affaire *Whitewater* ont été subtilisés ou détruits. Les collaborateurs de la Maison Blanche impliqués dans cet épisode ont tous refusé de collaborer avec les services du procureur indépendant chargé de l'enquête.

Une fois de plus, ce n'est pas tant le fond de l'affaire, assez médiocre et révélatrice de l'amateurisme des Clinton dès lors qu'ils ne sont pas dans la vraie politique, qui pose problème au fond.

---

437. Extraits du rapport *Whitewater* cité dans *Le Complexe d'Hillary*, F. et U. Gosset, p. 328-348, J.-C. Lattès, 1996.

S'agissant d'Hillary, c'est son attitude, une fois que le scandale lui échappe et qu'elle devient la proie des médias et de la justice. Masquer, cacher, telle est la mission confiée à des détectives privés engagés par le camp Clinton pour la campagne présidentielle de 1992. Ignorer, repousser, minimiser, tel est le comportement d'Hillary une fois parvenue à la Maison Blanche avec Bill, ainsi que la consigne donnée à Vince Foster. Feindre, protester, contre-attaquer, Hillary se met toujours en première ligne une fois que le scandale est devenu trop énorme pour être ignoré.

Et quel est l'argument majeur développé par la First Lady lors de cette fameuse conférence de presse « rose » du 22 avril 1994, qualifiée ainsi parce qu'Hillary porte une veste rose pastel pour amadouer des journalistes la bombardant de questions d'une précision extrême ? «J'étais de bonne foi. Je voulais gagner de l'argent. Je ne pensais pas que cela tournerait mal.» Pendant plus d'une heure, assise dans un fauteuil et des plus aimables, Hillary Clinton jongle avec les dates, les chiffres, les arguments juridiques, le rappel du contexte, l'état financier du couple qu'elle formait à l'époque et qui, selon ses dires, avait besoin d'investir pour placer les bénéfices d'une telle opération sur un compte de prévoyance[438]. Un petit rappel aussi, à destination des classes moyennes, pour dire que cette époque correspond à sa maternité et à la naissance de Chelsea, à qui elle a appris naturellement les vertus du risque et de l'épargne. Et le tour est joué. Le lendemain, la presse estime qu'Hillary s'en est bien sortie. Mais si *Whitewater* se termine au bénéfice du doute, les soupçons du procureur indépendant Kenneth Starr chargé d'enquêter sur la mort de Vince Foster sont tels que tous les dossiers seront repris et associés à d'autres dès que le magistrat sent qu'on lui ment et qu'on entrave ses démarches. De *Whitewater* à Monica Lewinsky, plus rien ne sera épargné aux Clinton. Et c'est ce qui contribuera, comment peut-il en être autrement, à ce que leur nom soit davantage associé à l'argent, au sexe et au pouvoir qu'à la réforme, à la paix au Proche-Orient et à la prospérité des années 90.

---

438. *Whitewater investigation*, C-Span, 22 avril 1994.

Y

Yale, le passage à l'acte

Disons-le tout de suite, Yale en 1969 n'a pas grand-chose à voir avec la célébrissime Harvard où Hillary Rodham a également été sélectionnée pour son second cycle d'études supérieures. Les deux universités font partie de la fameuse *Ivy League* qui regroupe les huit meilleurs établissements de l'enseignement supérieur aux États-Unis parmi lesquels ont compte aussi Princeton et Columbia. À l'époque, Harvard est encore très élitiste et conservatrice tandis que Yale épouse déjà l'air du temps, avec un président d'université qui partage les «préoccupations» de la jeunesse américaine. «Les dirigeants de l'université ont réussi à l'ouvrir aux idées et aux changements de l'époque, à s'adapter, en autorisant les manifestations et en maintenant intacts des canaux de discussion avec les étudiants dissidents», écrit Warren Goldstein, l'un des anciens de Yale, de la même promotion que les Clinton. «C'est comme ça que Yale a réussi à rester à l'écart des divisions raciales, générationnelles et politiques[439].»

Selon sa propre version, Hillary, aurait finalement choisi Yale parce qu'on lui aurait dit qu'il y avait «déjà trop de jeunes femmes à Harvard»! Cet été 69, en quittant Wellesley, Hillary a trouvé du travail en Alaska. Toujours cette idée que l'on doit gagner sa vie par soi-même sans dépendre de ses parents. Elle démarre comme plongeuse dans une entreprise de restauration au Parc National du Mont McKinley puis enchaîne en tant qu'ouvrière dans une conserverie de saumon sur la jetée de Valdez. Elle écrira des années plus tard, avec un humour plutôt cinglant, que le nettoyage du poisson avait été le métier qui l'avait le mieux préparé à la vie à Washington…

À Wellesley, Hillary avait insisté dans son discours de fin d'année sur le doute et la peur des jeunes de sa génération. Comment ne

---

439. *Yale Alumni Magazine*, mai-juin 2004.

pas les comprendre. Même si les atours de Yale, située au cœur de New Haven dans le Connecticut, sont des plus charmants avec ses bâtiments au style victorien à perte de vue, l'ambiance qui y règne en cette fin des années 60 reste tendue. La guerre du Vietnam a atteint des sommets en 1968 et 1969 et le président Nixon, au printemps 1970, est sur le point d'annoncer l'envoi de troupes américaines au Cambodge, point d'orgue de l'expansion des opérations militaires sur le plan géographique et en manière d'effectifs engagés. Sur le front arrière, la répression du mouvement anti-guerre est sans pitié, notamment contre le mouvement fortement contestataire des Black Panthers qui dénonce la contribution considérable des afro-américains aux troupes expéditionnaires. Dans l'Ohio en mai, les manifestations estudiantines dégénèrent. Les troupes de la Garde Nationale tirent et quatre étudiants sont tués. Les images de ces affrontements font le tour du monde. Hillary explique à ce stade qu'elle ne veut pas « à la fois du chaos et de la Révolution ». 300 campus sont en grève à travers le pays. C'est en se rendant au cinquantième anniversaire de la Ligue des électrices qu'Hillary fait alors la connaissance de Marian Wright Edelman. La militante des droits civiques veut travailler sur le terrain pour réduire les inégalités en faveur des milieux les plus modestes. Le changement par la violence, non ! Le changement par la lutte contre les institutions et le militantisme social comme Saul Alinsky, l'objet de son mémoire de fin d'études à Wellesley, non plus. Mais le changement par l'immersion sur le terrain et l'influence sur la politique au sein du parti démocrate, oui. De là naît la passion d'Hillary pour la défense des droits de l'enfant d'un côté, et un engagement régulier dans les campagnes en faveur de candidats démocrates de l'autre. Enfin, pas de tous les candidats. Hillary s'active pour les moins conservateurs d'entre eux. À l'image en 1972 de George McGovern, sénateur du Dakota, très engagé contre la guerre au Vietnam. Puis après avoir quitté Yale, du gouverneur de Géorgie, Jimmy Carter.

Yale, c'est aussi et évidemment, Bill. Tout a été dit ou presque à propos de leur première rencontre sur le campus, puis sur leur vie commune d'alors jusqu'à leur départ pour l'Arkansas. « Si tu dois continuer de me fixer ainsi des yeux, et moi à en faire autant, nous ferions mieux de nous présenter. Je m'appelle Hillary Rodham. » Cette phrase qu'elle a récitée mille fois pour raconter son premier échange avec Bill Clinton, est devenue le symbole de la nature directe d'Hillary. À ce moment-là, la jeune étudiante fréquente pourtant un autre garçon du nom de David Rupert. Elle sort avec lui depuis deux ans. Lui est diplômé de l'université de Georgetown, à Washington. Elle l'a rencontré lors de son stage au sein du Comité républicain au Congrès au cours de l'été 68. Par la suite, il est devenu objecteur de conscience en servant une association d'intérêt général dans le Vermont et Hillary passe la plupart de ses week-ends avec lui[440]. Bill de son côté venait de rompre avec une autre jeune femme lorsqu'il a rencontré Hillary. « Elle avait d'épais cheveux blonds et portait des lunettes » se souvient-il dans ses Mémoires. « Elle n'était pas maquillée mais il émanait d'elle un sentiment de force et de maitrise d'elle-même que j'avais rarement observé chez un homme ou une femme[441]. » Deux mois plus tard, Hillary et Bill formaient un couple.

L'amour, l'engagement politique, la lutte pour les causes, le travail : Yale fut pour tous les deux le véritable marqueur de leur passage à la vie d'adulte. De là datent leurs convictions fermement ancrées à gauche mais sans être radicales et leur objectif, même encore un peu flou, de « faire » de la politique ensemble. Hillary, contrairement à Bill, a connu une enfance plutôt heureuse. Elle a découvert à Yale la violence de l'État et la brutalité des inégalités sous la présidence Nixon, conjuguées aux méfaits d'une déségrégation raciale inachevée. Ce cocktail de conservatisme social et de jusqu'au-boutisme guerrier au Vietnam ont conduit ces deux jeunes démocrates à chercher un modèle alternatif qui réponde aux angoisses de la classe moyenne américaine tout en préservant les acquis de la prospérité des années 50 et 60 dont ils étaient des héritiers au mérite. La plupart de leurs camarades de promotion à Yale se retrouveront plus tard dans les équipes de la Maison Blanche, à l'image de Robert Reich qui finit ministre du Travail.

---

440. Carl Bernstein, *A Woman in charge*, p. 80, Arrow Books, 2007.
441. Bill Clinton, *My Life*, p. 181, Knopf, 2004.

C'est le cas aussi de Greg Craig, un étudiant de Harvard et Yale, très tôt engagé dans les campagnes antiracistes, brillant avocat, qui devient conseiller juridique spécial de la Maison Blanche en 1997 et principal artisan, dès lors, de la guérilla juridique visant à contrer la procédure de destitution du Président Clinton.

Z

Zeke, le First Dog et les autres

Depuis les pères fondateurs de la nation américaine, tous les présidents, et les élus en général, ont eu un ou plusieurs chiens. Dans un pays où un Américain sur trois en possède un et où le style de vie, en maison de ville ou à la campagne, permet plus facilement de s'accommoder de ce compagnonnage, le chien fait partie de la panoplie de la famille ordinaire ou idéale. Dans son enfance, Bill Clinton a vécu entouré de chiens, Hillary non. Mais une fois dans l'Arkansas, le couple a fait rentrer Zeke dans la *mansion* du gouverneur. Zeke est un cocker anglais blond qui n'est pas très sage. Si peu avec ses conquêtes féminines que les Clinton finissent par le stériliser. Et si peu dans ses escapades qu'il finit écrasé par une voiture sur Brodway en 1990, l'une des rues principales de Little Rock[442].

En arrivant à la Maison Blanche, Chelsea n'a que douze ans. Elle s'est déjà éprise de Socks, un petit chat noir qui suffit largement à charmer la presse people. En revanche, lorsque Chelsea quitte le logis parental pour aller étudier à l'université, Bill et Hillary se retrouvent face au syndrome du nid vide. La First Lady décide donc d'offrir au Président un nouveau First dog. C'est Buddy. Bien que les enfants des familles américaines ont été mis à contribution pour trouver un nom au petit labrador chocolat, Bill choisit Buddy, en référence à son oncle préféré, Buddy Grisham, un éleveur et dresseur de chiens qui vient de mourir.

L'histoire du deuxième mandat des Clinton à la Maison Blanche est non seulement jalonnée de rumeurs sur la vie vacillante du couple mais également des récits de pugilat entre Buddy et Socks. Les deux animaux de compagnie doivent vivre à part pour ne pas se rencontrer : ils se détestent. Lors de l'une de ses dernières interviews avant la passation de pouvoirs avec George Bush, Bill Clinton en plaisante : «Vous savez, j'ai mieux réussi avec les Arabes, les Pales-

---

442. *NewsMax.com*, 4 janvier 2002.

tiniens et les Israéliens qu'avec Socks et Buddy[443] !» En quittant la présidence en 2001, Bill et Hillary doivent faire un choix. Ils ne veulent pas emmener à New York, nouvelle demeure de la famille, les deux frères ennemis. Socks reste donc à Washington et Buddy fait connaissance avec la campagne de Chappaqua. Mais un an plus tard, le 2 janvier 2002, il est renversé à son tour par une voiture alors que les Clinton sont en vacances au Mexique.

Aujourd'hui, les Clinton ont trois chiens! Seamus, un autre labrador chocolat, a remplacé Buddy. Seamus doit sans doute son nom au célèbre poète irlandais Seamus Heaney, décédé en 2013. Mais Hillary a choisi de son côté un petit caniche du nom de Tally, dont le partenaire de jeu, un petit bâtard à poils bouclés, s'appelle Maisie. Régulièrement, les Clinton sont pris en photos avec leurs chiens lors de promenades le long de la plage ou dans les allées de Chappaqua. Même à Washington dans leur quartier d'Embassy Row, à deux pas de la résidence du vice-président. L'an dernier, Barack Obama qui passait en convoi lourdement escorté, a pu voir à travers les vitres fumées de sa voiture, Hillary promener ses chiens.

Ces anecdotes canines ont-elles leur importance? Oui, parce qu'en politique chaque détail compte. Gouverneur ou Président des États-Unis, le chef de l'exécutif incarne l'Amérique. Il doit être à son image. Il est important que les Américains puissent se reconnaître en lui. Un labrador, qui fait un peu d'arthrose dit-on, un caniche et un petit bâtard, les animaux qui accompagnent la vie quotidienne du couple ont certainement été choisis en fonction de leurs goûts personnels. Tout comme Bo, le chien que Barack et Michelle ont offert à leurs filles pour les récompenser de leurs sacrifices pendant la campagne de 2008, rejoint par Sunny en 2013, deux chiens d'eau portugais. Les chiens des Clinton font tout simplement partie des dix races de chiens préférées des Américains. Et à la veille d'une élection, comme au long cours d'une présidence, ce sont des choses qui comptent. À la fin de ses Mémoires de Secrétaire d'État, Hillary Clinton évoque son avenir politique et la présidentielle 2016 par ces quelques mots: «Récemment, Bill et moi

---

443. *Inside Politics*, CNN, 12 janvier 2001.

avons fait une autre de nos longues promenades, près de chez nous, cette fois avec nos trois chiens. L'hiver avait été très long, mais le printemps commençait à percer sous le dégel. Nous avons marché et parlé (…). Nous savions tous deux que j'avais une importante décision à prendre[444].» De l'art d'entremêler l'image traditionnelle d'un couple américain avec ses meilleurs compagnons et la grande politique.

444. Hillary R. Clinton, *Le temps des décisions*, p. 714, Fayard, 2014.

Remerciements

Ce livre doit beaucoup à celles et ceux qui m'ont appris à découvrir et aimer l'Amérique pour ce qu'elle est, avec ses promesses et ses défauts. Parmi mes nombreux guides, je rends hommage ici à Jérôme Marchand, ancien correspondant d'Europe1 aux États-Unis dont la curiosité et la joie de vivre nous manquent. Le directeur du *Journal du Dimanche*, Jérôme Bellay, m'a permis de raconter les États-Unis à la radio, à la télévision et aux lecteurs du *JDD*, je lui en suis toujours reconnaissant.

Je remercie également la fidélité de Vladimir Fédorovski et la réactivité de Bruno Nougayrède : tous deux ont cru dans ce projet dès le départ et m'ont encouragé à aller au bout de ma démarche. Ma gratitude va également à Stefania Zuin et Jean-Philippe Bertrand, aux Éditions du Rocher pour leur relecture rigoureuse et le suivi du livre jusqu'à sa phase finale.

Christine Ockrent, auteur de la *Double vie d'Hillary Clinton* (Robert Laffont, 2001), a accepté de préfacer ce dictionnaire. Je rends hommage ici à sa passion pour la politique étrangère en général et pour l'Amérique en particulier. Sa contribution m'honore.

Ce livre repose en grande partie sur des sources documentaires d'un très bon niveau. Les sites et les archives du *New York Times* et du *Washington Post*, de *C-Span* et de *Politico*, entre autres, sont de très précieux outils parmi les médias de référence américains.

Toutes les sources qui ont souhaité rester anonymes sont ici remerciées pour leur accueil et leur patience. À Washington, comme à Paris, elles se reconnaîtront. Je salue également celles et ceux qui ont accepté d'être cités. Refaire le monde en leur compagnie est toujours un plaisir.

Merci enfin à Jacqueline Le Moine pour son hospitalité, à Sophie pour son infinie patience, à Hélène, Étienne, Emma et Camille pour leur complice compréhension.

Ville-d'Avray, le 15 décembre 2014

Table des matières